Grochola Zielone drzwi

Książki **Katarzyny Grocholi** w Wydawnictwie Literackim

W sprzedaży

Ja wam pokażę!

Kryształowy Anioł

Nigdy w życiu!

Osobowość ćmy

Podanie o miłość

Przegryźć dżdżownicę

Serce na temblaku

Trzepot skrzydeł

Upoważnienie do szczęścia

Zielone drzwi

Związki i rozwiązki
(rozmowa z Andrzejem Wiśniewskim)

Katarzyna
Grochola

Zielone drzwi

Wydawnictwo Literackie

Mojemu Aniołowi Stróżowi
z podziękowaniem

Urodziłam się jako pierwsze i przedostatnie dziecko swoich rodziców.

Lekarz, co prawda, próbował przekonać Moją Matkę, iż zupełnie niesłusznie podejrzewa ona, że urodzę się w lipcu, bo jego zdaniem koniec sierpnia to właściwszy termin na urodzenie dziecka. Według niego więc ciąża Mojej Matki powinna trwać dziesięć miesięcy, gdyż zupełnie nie wierzył, że ludzie mogą wiedzieć, kiedy poczęli dziecko.

A szczególnie kobieta jest tego nieświadoma. Sądzę, że nie przepadał za kobietami. Bardzo się zdziwił, kiedy pojawiłam się na świecie w terminie ściśle wyznaczonym przez Moją Mamę. Od razu go nie lubiłam, jak mnie tylko wziął na ręce. On mnie również nie lubił, bo natychmiast zaczął mnie bić. A ja zaczęłam wrzeszczeć.

*

Krotoszyn jawi mi się we wspomnieniach jako miejsce spokojne, ciche, w domu babci cudowna oszklona weranda, budynki z czerwonej cegły, jacyś sąsiedzi, do których zabierała mnie babcia, kiedy przyjeżdżałam z rodzicami na parę dni, a u tych sąsiadów olbrzymi, dwupiętrowy poniemiecki dom dla lalek.

Boże, nigdy w życiu już potem nie widziałam czegoś tak pięknego. Na dole salon, w salonie maciupeńkie prawdziwe wełniane dywany, drewniane, mahoniowe, obijane tkaniną krzesła i szezlong, stół drewniany okrągły, na wygiętych nogach, w oknach, które można było otworzyć — firaneczki i zasłony. Na ścianach wisiały miniaturowe obrazy, z prawej strony stał kredens z szybkami i pomocnik. Przy kominku fotele i stoliczek. W sypialni na górze cudowne łóżeczko z haftowaną pościelą, obok niego znajdowały się lustro, toaletka, białe mebelki.

Stałam przed tym domem ustawionym na dużym stole i wymyślałam związane z nim historie. Czasem wolno mi było wziąć coś do ręki. Krzesła były niesamowite, wyglądały jak prawdziwe, tylko pomniejszone przez jakiegoś czarodzieja. Szkoda, że producenci Barbie nie przejechali się kiedyś do Krotoszyna i nie zobaczyli, co to znaczy prawdziwy dom dla lalek. Nigdy już nie zachwyciłam się żadną lalką ani głupią ebonitową (poprzednik plastyku) zabawką.

Kochałam tylko pluszowego misia, któremu z przedramienia wysypywały się trociny (od robienia zastrzyków, rzecz jasna, prawdziwą strzy-

kawką, którą dostałam od prawdziwej pielęgniarki, szklaną, z metalowym tłokiem) i z którym rozstałam się, jak miałam mniej więcej osiemnaście lat.

*

Kasiulek — mówił do mnie Mój Ojciec.
Kasieńko — mówiła do mnie Moja Mama.
Kasiątko — mówiła do mnie moja babcia.
A potem poszłam do pierwszej klasy.
Od razu na pierwszej albo na drugiej lekcji na-
uczyciele zaczęli się nad kimś pastwić.
Mówili:
— Aniu, wstań!
A ja, Kasia, siedziałam i reszta klasy również.
Mówili:
— Aniu, jesteś głucha?
A ja, Kasia, wszystko słyszałam, tak samo jak
reszta klasy.
Mówili:
— Aniu, podaj dzienniczek, muszę w tej sytua-
cji wpisać ci uwagę!
A ja, Kasia, nie podawałam dzienniczka i nikt
inny również się nie kwapił.
Wreszcie podnosili głos:
— Aniu, czy do ciebie nic nie dociera?
Rozglądałam się po klasie razem z innymi, szu-
kając tej głupiej Anki, co denerwuje naszą nau-

czycielkę i w ogóle się nie odzywa. Aż nauczycielka podeszła do mnie, Kasi, i powiedziała:

— Aniu, co się z tobą dzieje?

I wszyscy spojrzeli na mnie z pretensją.

*

Kiedy całe życie jesteś Kasią, a potem idziesz do szkoły i nagle dowiadujesz się, że masz na imię Anna — możesz przeżyć ciężki stres.

W taki oto sposób dowiedziałam się, że wcale nie nazywam się Katarzyna Grochola, tylko Anna Katarzyna Grochola.

Ojciec po prostu myślał, że imię przy nazwisku jest ważniejsze i pierwsze — więc Katarzyna Anna została Anną Katarzyną, z czym właściwie do dziś się nie zgadzam.

Przysporzyło mi to sporo kłopotów, ponieważ nigdy (w szkole) nie nauczyłam się reagować na imię Anna i nauczyciele zawsze traktowali mój brak reakcji jako lekceważenie, a nie próbę zachowania tożsamości.

Miałam szczęście, kiedy zaczynali od nazwiska. Ale od nazwiska zaczynali, gdy wywoływali do odpowiedzi, co nie było znowu takie miłe, ponieważ w szkole były rzeczy dużo ciekawsze niż nauka.

Na przykład przyjaciółki. Hanię, złotowłosą dziewczynkę, która mieszkała tuż obok, pokochałam od razu, a od Marysi dostałam pamiętnik, który mam do dzisiaj, z pierwszym wpisem:

Polką żeś ty świat ujrzała,
Polką będziesz umierała,
Polka w Polsce miłość toczy,
Polka w Polsce zamknie oczy.

Była jeszcze Danusia, która potrafiła się tak wysoko huśtać na huśtawce, że pręty dotykały poprzeczki i wtedy jej głowa była naprawdę całkowicie skierowana do ziemi, ale Danusia kiedyś spadła z huśtawki i, niestety, za wcześnie podniosła głowę — powracające krzesełko uderzyło ją w potylicę i została zabrana do szpitala.

*

Mieszkaliśmy w Poznaniu, w pięknym starym domu prawie naprzeciwko Palmiarni, którą byłam zafascynowana, i koło kina Olimpia, które pokochałam miłością pierwszą i na zawsze. Palmiarnia była miejscem absolutnie nadzwyczajnym, ponieważ otwierała drzwi do innego świata. Świata, w którym, jak mi próbowano wmówić, rosły sobie normalne palmy, fruwały skrzeczące papugi, a nie wróble i gołębie, na skałach siedziały olbrzymie jaszczurki, a w wodzie pływały ryby takie jak w akwarium, czerwone albo żółto-czar-

11

ne, albo tęczowe. Akwarium zresztą nigdy wcześniej nie widziałam.

Oczywiście nie wierzyłam w te wszystkie bzdury — że gdzieś tak jest naprawdę. Już przy samym wejściu było wiadomo, że jest się w sztucznym świecie, bo było wilgotno i gorąco jak w piecyku i nad głową wisiały cytryny albo pomarańcze.

A przecież każdy głupi wiedział, że cytryny i pomarańcze nie rosną na drzewach, tylko w skrzynkach i trzeba je odwijać z papierków, z kolorowych bibułek, na których był namalowany Murzynek albo widniały palmy, albo różne inne fajne rzeczy, a kto uzbierał sobie więcej bibułek, mógł je nawet wymienić na fajowskie pudełka od zapałek, a w najlepszym wypadku na kapsle, które służyły do kapitalnych podwórkowych gier.

Więc nie dałam sobie zamydlić oczu opowieściami, że są kraje, w których naprawdę, ale to naprawdę, uwierz mi, rosną pomarańcze.

Nawet jeśliby mi coś takiego przeszło przez myśl, to przecież głupia nie jestem, wiem, że w żaden mróz żadne drzewo się nie uchowa, nawet nie ma liści, a co dopiero owoców! Pomarańcze na przykład w skrzynkach i w sklepach pojawiały się tylko przed Bożym Narodzeniem. A wtedy na pewno jest zima. Nie dawałam się nabrać na takie bajki, ale tym bardziej Palmiarnia, jako coś, co specjalnie dla mnie zostało stworzone, była bajką w najzwyklejszym tego słowa znaczeniu.

Przed Palmiarnią stała (i stoi do dzisiaj) *Grupa Laokoona*. Zawsze budziła mój podziw. Wracając ze szkoły, wcale nie szłam prosto do domu ulicą Matejki, tylko przez park, żeby chociaż rzucić okiem na tych mężczyzn. Nie bez znaczenia był fakt, że byli zupełnie nieubrani. Tak zapamiętale walczyli z tymi wężami! Nie wierzyłam, że można wykuć w kamieniu tyle siły, mocy, walki, smutku, niezgody na śmierć.

Laokoon był przecież taki silny! Każdy jego mięsień walczył o życie! Węże wyglądały jak żywe, a wszyscy ci mężczyźni byli przepiękni (choć zupełnie nieubrani).

Już wtedy Mama czytała nam *Mitologię* do snu, więc wiedziałam wszystko o koniu trojańskim, którego Laokoon nie chciał wpuścić do miasta, za co został razem ze swoimi synami uduszony przez węże. Ale właściwie zawsze miałam nadzieję, że tym razem, czyli następnego dnia albo tygodnia, albo miesiąca — on zrzuci te węże z siebie i zwycięży.

*

W pierwszej klasie byłam przedmiotem uwielbienia jednego kolegi. I pewno dlatego pierwszy raz zostałam zraniona z miłości w wieku lat siedmiu.

Po wyjściu ze szkoły stałam pod wielkim kasztanem z koleżanką Marysią (tą od *Polką żeś ty świat ujrzała, Polką będziesz umierała*) i ustalałyśmy plan dnia. Marysia chciała najpierw wrócić do domu i zostawić teczkę, a potem iść na kasztany, ja zaś chciałam natychmiast zbierać kasztany. (Ostatecznie leżały pod moimi nogami). Wtedy na horyzoncie pojawił się Henio i krzyknął:

— Ty, popatrz na mnie!

Nie wiedziałam, czy on tak krzyczy do mnie, czy do Marysi. Podobał mi się niezwykle, mimo że dłubał w nosie na każdej lekcji.

Marysia udawała, że nie słyszy.

Wtedy Henio krzyknął:

— Ej, do ciebie mówię!

Zapytałam Marysię, czy on mówi do niej, czy do mnie. A Marysia powtarzała:

— Udawaj, że to nie do nas, udawaj, że go nie widzisz, co on sobie myśli.

Nie wiem, co sobie myślał.

Ostry kawałek cegły, który rzucił w naszą stronę, przebił mi policzek na wylot. Henio uciekł, a ja wylądowałam na pogotowiu.

Lekarz zapytał, czy wytrzymam szycie bez znieczulenia, bo zabrakło. Wytrzymałam.

*

Hania była moją najprawdziwszą przyjaciółką od serca, rozumiała mnie jak nikt, może dlatego że również miała młodszego o rok brata. Który zresztą kilkanaście lat później wyszedł po bułki i zginął pod kołami samochodu. Jej mama nigdy (w każdym razie do momentu kiedy ją ostatni raz widziałam) nie otrząsnęła się z tego.

Leżała w dużym pokoju i powtarzała:

— Kasiu, wiesz, że Krzyś nie żyje?

Bardzo mi było żal Hani, bo straciła nie tylko brata, ale również mamę.

Nie znałyśmy jeszcze wtedy swojej przyszłości, świat był beztroski, miałyśmy swoje tajemnice, z których nie zwierzałyśmy się nikomu. Łączyły nas przede wszystkim widoczki, starannie skrywane przed innymi koleżankami, czyli kawałek szkła, pod którym umieszczało się kompozycje z koralików, kwiatów, liści, potem przykrywało się je szkiełkiem i zakopywało. Trzeba było zapamiętać miejsce i pokazywać widoczek tylko wybrańcom. Poza tym grałyśmy w gumę i na dwie skakanki, co można dzisiaj zobaczyć wyłącznie w amerykańskich filmach, których akcja dzieje się w dzielnicach murzyńskich. Może dlatego te filmy z upodobaniem oglądam.

*

Zanim zdążyłam się przyzwyczaić do szkoły w Poznaniu, wyjechaliśmy na rok do Wałbrzycha. Tam mieszkała siostra Mojej Mamy z mężem i trójką dzieci, moimi kuzynami. Pięcioro dzieciaków to już jest coś! Wałbrzych był rozkosznym miejscem.

*

Czarne powietrze, małe, brukowane kocimi łbami uliczki i fantastyczne hałdy — dziś rosną na nich drzewa, wtedy czarny żużel niemalże dymił. Podkradaliśmy się w pięcioro pod taki wyrzucający żużel taśmociąg i mieliśmy wrażenie, że prawie żywcem jesteśmy zakopywani. Straż kopalni od czasu do czasu przeganiała nas, ale to tylko dodawało naszym wycieczkom atrakcyjności. Do dnia, kiedy jakiegoś chłopca zasypało na śmierć.

Wynaleźliśmy wtedy inną zabawę, która polegała na tym, że kładliśmy się na bruku, na ulicy Świętej Barbary — bardzo rzadko cokolwiek nią jeździło, a i samochodów było mało — i kolega, który miał rower, przejeżdżał po nas. Trzeba było napiąć wszystkie mięśnie, żeby nie bolało.

Kto wytrzymał, ten wygrywał.

W sąsiedniej klatce mieszkał Rysiek. Imponował nam wszystkim. Umiał przegryzać szklanki, tak żeby się nie pokaleczyć, i nauczył nas tego. Wtedy ja pokazałam mu, że umiem przegryźć dżdżownicę.

Kiedy pisałam swoją pierwszą książkę, przypomniałam sobie to zdarzenie i postanowiłam ten fragment własnego życiorysu oddać Asi, bohaterce *Przegryźć dżdżownicę.*

*

Kiedyś odkryliśmy, że na poddaszu mieszka starsza pani, podobno umierająca. Pani ta w końcu umarła i mój braciszek oraz jedna z kuzynek, Marylka, zostali zaproszeni przez siostrę zakonną na górę, żeby modlić się za zmarłą przy trumnie. I poszli. Bali się odmówić zakonnicy bardziej niż rodziców.

Dopóki ta pani żyła, co wieczór z jej mieszkania wynoszono do śmietnika zwoje bandaży. Myśmy to wygrzebywali, bo z takich bandaży, mimo lekkiego zużycia, można było zrobić wiele pożytecznych rzeczy. Przepaski na głowę na przykład albo sznury do wiązania jeńców.

Nie chwaliliśmy się tym, o nie, wiedzieliśmy, że wujek nie jest facetem, któremu coś takiego się spodoba. Wystarczyło, że spojrzał, a nam robiło się zimno, z Mamą albo ciocią jeszcze coś można było załatwić, potargować się, zachachmęcić, przeprosić, ubłagać — z wujkiem nie było dyskusji.

Jeśli mówił: — Zjeść do końca! — to choćbyśmy się mieli rozchorować, trzeba było zjeść do końca.

Jeśli mówił: — Spać! — to choćby z podwórka było słychać głosy kolegów — ośmielaliśmy się tylko do siebie szeptać.

Jeśli mówił: — Nie wyjdziecie dzisiaj na podwórko — to miałam wrażenie, że gdyby przypadkiem wybuchł pożar, żadne z nas by się nie ośmieliło uciekać, zostalibyśmy w płomieniach.

A z drugiej strony robił nam kapitalne zabawki. Na przykład ze starych kół od roweru i odpowiednio wygiętego pogrzebacza powstawało znakomite coś — puszczało się koło w dół ulicy, a zakrzywionym pogrzebaczem trzeba było tak kierować tym kołem, żeby nie upadło na ziemię, tylko cały czas się toczyło, skręcało, robiło ósemki, omijało przeszkody. Nie mieliśmy tylko taradajki i musieliśmy czasem się wymieniać z innymi dziećmi z podwórka na koła i pogrzebacze. Taradajka była przedmiotem naszych zachwytów — do starych łożysk przyczepiona deska — marzenie każdego dzieciaka, a jak się można było rozpędzić!

Dzisiaj taradajka to właściwie deskorolka, ale wtedy — sam szpan.

W zimie wychodziliśmy z domu w kapciach, kiedy rodzice nie widzieli, i ślizgaliśmy się na fantastycznej ślizgawce, która zamarzała na całej długości ulicy, aż pod hałdy. W kapciach sunęliśmy dużo szybciej niż inni w butach. Byliśmy nie do pokonania.

Poza tym staraliśmy się być grzeczni.

Pamiętam z dzieciństwa jedną scenę, która na chwilę odebrała wujkowi mowę.

Coś zbroiliśmy i czekając na wujka ze strachem, że jak przyjdzie, to dopiero nam da! — siedzieliśmy grzecznie w dużej kuchni, przy małym stoliku, zrobionym przez niego dla całej naszej piątki. Być może rozlał nam się wtedy atrament na biały lniany obrus, ale nie przysięgnę.

Do kuchni wszedł wujek Lonek, przywarowaliśmy jak pieski, w oczekiwaniu na tę straszną karę, która za chwilę na nas spadnie. Wujek trzymał chyba właśnie w ręku ten obrus — nic nie mówił, tylko spoglądał groźnie, oczekując przyznania się do winy.

— No? — powiedział.

Przestaliśmy oddychać. Napięcie rosło i rosło. Marylka prawie zaczęła płakać, Krzyś siedział blady, Ela czerwona, ja, jak znam życie, fioletowa, mój braciszek zielonkawy. Swoją drogą ładne kolory; cóż za paleta. Milczeliśmy, a im dłużej milczeliśmy, tym bardziej wujek stawał się zły. Im dłużej trwała cisza, tym dotkliwszej kary należało się spodziewać. Nie śmieliśmy odetchnąć. Napięcie sięgało zenitu. Wujek tylko patrzył, a myśmy rozsypywali się w proch. Byłam przekonana, że za chwilę wszyscy poumieramy.

Wtedy mój mały braciszek powiedział:

— Lonek dzwonek.

Umarliśmy z wrażenia.

Wujek drgnął, przymknęłam oczy, a kiedy otwarłam, nie było go w kuchni.

Dopiero po latach zwierzył się nam, że poszedł się wyśmiać do pokoju. Tym razem nam się upiekło.

Kocham swoich kuzynów do dzisiaj, choć po roku musiałam się z nimi rozstać, bo wróciliśmy do Poznania.

I dziękuję Wam za wszystko. A szczególnie Tobie, Marylko.

*

I wtedy razem z naszą rodziną, w dużym, ponadstumetrowym mieszkaniu na Matejki zamieszkał cudowny rudy pies Kuba, rasy nieokreślonej, z matki pudla białego królewskiego i ojca setera, przywieziony prosto z Tarnobrzega. Pies był od głowy do połowy jasnorudy, a drugą połowę, z ogonem włącznie, miał ciemnobrązową. Nasza Mama miała jasny kożuch z ciemnym futerkiem na dole i kiedy wychodziła z psem, ludzie się pukali w głowę, że pod kolor kożucha pofarbowaliśmy psa.

Ojciec był poważnym, szanowanym w Poznaniu sędzią.

Pamiętam, jak raz przyszłam z Hanią po lekcjach do domu i już w przedpokoju usłyszałam straszne warczenie.

Kiedy ostrożnie uchyliłam drzwi, naszym oczom ukazał się Mój Ojciec sędzia na kolanach, z gazetą w zębach — trząsł głową i, niestety, to on, warcząc, próbował drażnić Kubę, który spokojnie siedział na środku dywanu i tylko jego postawione uszy świadczyły o tym, że reaguje na zaczepki pana.

Myślałam, że ze wstydu zapadnę się pod ziemię.

Czterdzieści lat później, po pogrzebie Ojca, podeszła do mnie jego przyjaciółka, sędzia R. Powiedziała, że znała Mojego Ojca i że mi gratuluje. Musiałam być zdziwiona, bo mieć ojca prawnika w PRL było niełatwo, a i gratulować na pogrzebie nie było czego. Co prawda od dawna już był specjalistą od ubezpieczeń społecznych, ale zawsze to jednak prawnik — w tym systemie. Sędzia R. spojrzała na mnie:

— Nie wie pani? Ja byłam z pani ojcem na tej naradzie w Sądzie Najwyższym, kiedy przyszły wytyczne z Biura Politycznego dotyczące karania robotników z Ursusa i Radomia w 1976 roku.

Nie miałam pojęcia, o jakim posiedzeniu mówi.

— Żeby ich karać w trybie doraźnym. I wtedy pani ojciec wstał i powiedział przy wszystkich:

— Nie wiem, jak wy, moi państwo, ale ja mam w dupie te chujowe dyrektywy. — Dlatego przestał być sędzią i został adwokatem.

Wówczas poczułam, jak ogarnia mnie duma. I zrozumiałam, że niewiele wiemy o swoich rodzicach.

*

Kiedy zdążyłam się na powrót zaprzyjaźnić z Poznaniem, a nawet polubić szkołę, okazało się, że przeprowadzamy się do Warszawy. To było doprawdy bardzo niesprawiedliwe. Nie dość, że kochałam Hanię i Marysię, to już kochałam się w niejakim Andrzejku, który przyniósł mnie na rękach z podwórka, kiedy założyłam się, że przeskoczę piaskownicę, i prawie przeskoczyłam, lądując twarzą na desce (chyba ten jeden raz w życiu udało mi się naprawdę zemdleć). Tu miałam przyjaciół, wujków i ciotki, którzy mieli dzieci w naszym wieku, z którymi naprawdę łączyło nas wiele — i nagle taka niesprawiedliwość!

Byłam obrażona na cały świat. Przeszło mi dopiero wtedy, kiedy okazało się, że sami — zupełnie sami! — ja i mój brat! — pojedziemy pociągiem do Warszawy. Rodzice wyjechali wcześniej, musieli przygotować nasze nowe mieszkanie, a myśmy pozostali pod opieką babci.

Nowe życie zaczęło się więc od rewelacyjnej przygody — zostaliśmy umieszczeni w ekspresie Poznań–Warszawa, w Warsie, przy dwuosobowym stoliczku, pod opieką kierownika pociągu. W wagonie panował przyjemny półmrok, na stoliku stała mała lampka, obok nas siedzieli sami dorośli ludzie, a za oknem przesuwał się świat.

W życiu nie zjadłam tylu parówek co wtedy, ponieważ ten miły pan kierownik bez przerwy nas pytał, czy nam czegoś nie trzeba, a myśmy mówili, że chcemy jeszcze dwie parówki. Poznań Główny — dwie parówki, Konin — dwie parówki, Kutno — dwie parówki. Co za wspaniała podróż!

*

Zamieszkaliśmy w piątkę (rodzice, mój brat, ja i Kuba) w małym, trzypokojowym mieszkanku przy Alejach Jerozolimskich, w nowym dziesięciopiętrowym bloku, i natychmiast zaczęliśmy, niestety, chodzić do obcej szkoły, której boisko kończyło się właściwie pod naszą klatką. Ze Szkoły Podstawowej numer 97 na Ochocie, na rogu Spiskiej i Niemcewicza, zapamiętałam nauczycielkę polskiego — Krystynę Czernikiewicz, która jako jedyna wierzyła, że kiedyś zostanę pisarką. Chyba właśnie w czwartej klasie, jak tylko pojawiłam się w nowej szkole, zapytała mnie, co chcę robić, gdy będę dorosła, i nieopatrznie powiedziałam, że będę pisarką. Wszyscy się roześmiali, a ona nie, i za to ją bardzo kocham do dzisiaj.

Nauczycielkę od matematyki również zapamiętałam. Tylko dlatego, że znała na pamięć całego *Pana Tadeusza*, co kiedyś udowodniła na lekcji przeznaczonej na sprawdzian, sprytnie przez nas, małolatów, podprowadzona i zmanipulowana. Kiedy powiedziała: — A teraz wyjmijcie karteczki — Andrzej wyciągnął na ławkę prześlicznie ilustrowanego Mickiewicza i powiedział:

— Siódma be mówi, że pani zna całego *Pana Tadeusza* na pamięć, ale my wiemy, że to niemożliwe.

Sprawdzian się nie odbył, bo nauczycielka ambicjonalnie potraktowała słowa Andrzeja i pozwoliła się nam całe czterdzieści pięć minut przepytywać. Otwieraliśmy książkę na dowolnej stronie i czytaliśmy pierwszy wers, a ona wpadała nam w słowo i recytowała, recytowała, recytowała. To była najlepsza lekcja matematyki w moim życiu. Przyszłam do domu, wsadziłam do dużej miseczki cztery lody Bambino, które kupiłam zamiast obiadu w szkole, i przeczytałam całego *Pana Tadeusza*, od deski do deski. Był fascynujący. Lody też.

*

Ponieważ w domu nie było telewizora, tylko książki, a potem półki, na których stały książki, a potem meblościanka, w tej meblościance książki — szybko zrozumiałam, że najlepiej jest zostać pisarzem.

Pisarz to taki człowiek, który nic nie robi, ma dużo pieniędzy, własne nazwisko na okładce, jest sławny, a bogaty to już na pewno. Książki przecież nie są tanie. I każdy je czyta.

Mama czytała nam do snu na przykład *Trylogię*.

— Jak będziecie grzeczni, to dziś wam poczytam — mówiła, a ja i młodszy brat od razu byliśmy grzeczni.

Kmicic wysadzał armatę, siedział schowany w rowie, już, już mieli go złapać nieprzyjaciele, krzesał ogień (naści, piesku, kiełbasy — mówił do kolubryny pieszczotliwie), a tu ktoś nagle się pojawiał i pytał, co ty tam krzeszesz, debilu, a Kmicic mówił kłamliwie — to ja, Hans, diabli mi do rowu nadali krzesiwo — i myśmy leżeli w łóżkach jak różowe trusie, bo z wypiekami na twarzy. Wysadzi, uda mu się, czy go złapią? I kiedy już, już mieliśmy się dowiedzieć — Mama gasiła światło i mówiła:

— Jak jutro będziecie grzeczni, to przeczytam wam dalszy ciąg.

O rany boskie! Jakie to było niesprawiedliwe! Jeszcze nie wiedziałam wtedy, do czego porównać takie zachowanie, ale już widziałam w tym pewne niebezpieczeństwo. Nie było to przyjemne, o nie! Jak można było dwoje malutkich dzieci zostawić na całą noc w niepewności? Żaden przyszły serial nigdy nie będzie budził takich emocji jak ten, który nam zrobiła z *Trylogii* Nasza Matka. I zawsze przerywała, a to jak przypalali Kmicica, a to jak miał pocałować Oleńkę, a to jak na króla kamienie zrzucali...

Kiedy doszliśmy do *Pana Wołodyjowskiego*, ryczałam jak bóbr. Sienkiewicz mnie oszukał! Nie tylko mnie! Całą Polskę! (*Polką żeś ty świat ujrzała*). Jak on mógł mi to zrobić? Jak on mi mógł zabić małego rycerza i zostawić Baśkę nieutuloną we łzach? Miałam pretensję do Mamy, że nie zmieniła zakończenia.

Kiedy wiele, wiele lat później „Gazeta Wyborcza" poprosiła różnych pisarzy o napisanie własnych zakończeń do ulubionej książki, natychmiast wybrałam *Pana Wołodyjowskiego* i spełniło się moje dziecięce marzenie.

„Baśka, wyniesiona z kościoła przez miłosierne ręce panów Muszalskiego i Zagłoby, jeszcze tego samego dnia dla bezpieczeństwa w klasztorze Karmelitanek się znalazła, gdzie pani Makowiecka miała nad nią pieczę sprawować, bo bardziej w stronę księżej obory jej było niż do życia. Zagłoba wkrótce do nich dołączył, ale i on złamał się niby drzewo, które za długo się wichrom opiera, gnie się w polu i liśćmi jak warkoczami zamiata miedzę, podnosi się i schyla, aż jego dzień nadchodzi i już i pień nie wytrzymuje naporu.

Wzrok jeszcze zwracał ku swojemu Hajduczkowi z pełnym przywiązaniem, ale był to wzrok psa przywiązanego, a niezdolnego już zaszczekać, nawet gdyby wróg jaki w obejściu się pojawił.

— Posłuż waćpan radą jakąś — prosiła pani Makowiecka.

— Radą nie posłużę, boć to rady na to nie ma — Zagłoba zapadał się w sobie. — Chwały Bożej może przybyło gdzieś tam w niebiesiech, ale na ziemi ubyło radości. Nie dziw się, waćpani, skoro ona nawet szczątków męża ucałować nie mogła, tak rozkawałkowane by... — Tu stary szlachcic ucichnął, jeno z ust jego zacisłych jęk jakowyś się wydobył, jakby zwierz w mateczniku żywotu dokonywał.

Jak ongiś pan Michał, w klasztorze zamkniony, świata nie widział dla siebie, tak teraz Baśka zgodzić się ze śmiercią męża nie chciała i nie mogła.

Na nic modlitwy, ulgi nie było w niczem, ani w kwiatach, które, posadzone przez siostry, rozkwieciły się, wysadzając wdzięczne głowy spoza murów klasztornych, ani w ptactwie, które zwabione sercami pełnymi Boga, śmiało leciały omalże siadać na ramionach ludzkich, ani w oczach życzliwych na nią skierowanych.

Po dniach dwunastu Baśka z łoża boleści dopiero się podniosła, wodząc oczyma niewidzącymi po świecie Bożym, w którym kolory wyblakły od jej żalu. Strach o nią przestał ściskać gardła i pani Makowieckiej, i pana Zagłoby.

Gdybyż mogli wiedzieć, co w sercu biednej pani Wołodyjowskiej powstawało.

Jedna Basia w dwie się zamieniła i te dwie w duszy rozmowę prowadziły bez chwili wytchnienia. Jedna modliła się: — Wybacz mi, Boże, nie strzymam, nie strzymam dłużej, czemuś mnie ukarał. Czemuś mi szczęście moje zabrał, dlaczegoś mnie ustrzegł z rąk Azji, bodajbym wtedy zginęła, szczęśliwsza o tyle…

A druga Baśka napominała tę pierwszą: — Jakże to tak? Nadzieję straciłaś, a to nie może tak być. Pan Bóg człowiekowi zabrać wszystko może, bo wszystko do Niego należy. Ale nadziei i wiary nie znajdziesz w komorze, do serca trzeba zajrzeć, odrzucić to, co złudą, mgłą nad stepem. Miłość wyroków Bożych pod sąd nie stawia, obrazy na Boga nie szuka, tylko otuchy.

A znowu pierwsza: — Byłbyż Bóg tak okrutny? Miłość do śmierci obiecywałaś, a teraz on tam sam, bez ciebie, po izbach niebieskich się tuła, do pokojów zagląda, Basiu moja! — woła, a cisza mu tylko odpowiada?

Idź do niego, idź — szeptało coś po kątach izby, z krzaków, z drzew, z rzeki, która piętrząc wody koło murów klasztornych, w dół rzucała się ze skały.

— Boże, nie dozwól — szeptała tedy Baśka w duszy i znak krzyża czyniła.

Kiedy słońce lubo wyjrzało zza traw, a cienie długie na ziemi pokładło, postać drobną ujrzeć było można, która drzwi kościoła uchyliła ze skrzypieniem straszliwym. Baśka to była, ubrana w suknię, która świetność małżeńską jej przypominała, i w chuście haftowanej przez plemię kozacze. Przemknęła do nawy bocznej. Klękła przed krzyżem i przeprosić raz ostatni Boga przyszła, że rękę przeciwko sobie podniesie. Jakoż dobrze przed wschodem słońca umknęła opiekunom, żeby w wir rzeki się rzucić i zapomnienia wśród fal szukać.

A Zagłoba tej nocy leżeć spokojnie nie mógł, jakby go kto pod odzieniem gałęzią jałowca ekscytował w tę i nazad.

— Czym ja zawiniłam — pytała Baśka, patrząc na figurę Chrystusową rozpiętą w witrażu kościoła — com Ci zrobiła, Panie?

Odpowiedzi nie było, słońce wychynęło bardziej, krwawe smugi przez witraż przeszły i spoza rąk Chrystusowych krwią zaświeciły. Wydało się Baśce, że oto na krzyżu człowiek żywy jeszcze wisi, którego ratować trzeba, grzech swój pojęła okropny, krzyknęła strasznie i jak długa na kamienną posadzkę padła bez ducha i stężała.

Na zmianę potem przy niej czuwali.

— Nic mi nie trzeba, nic — szeptała z cicha, a szept to był, jakby wiatr ruszył się w trzcinie niemrawie, niezdecydowan, czy wiać jeszcze, czy dać odetchnąć światu.

Dnia pewnego, pod wieczór, tętent z dala słychać było można, ktoś do drzwi klasztornych łomoce i z panem Zagłobą prosi. Otóż za chwilę wprowadzon przed oblicze starca, przybysz nisko się kłania.

— Mości panie — rzekł — spod Kamieńca przybywam.

Zagłoba ręką wskazał skóry niedźwiedzie, przed kominem położone na stołkach dębowych, ale serce jego nie ruszyło się, jeno niby orzeszek twardy, w wieloletnim zasuszeniu w bólu zamarło, skurczyło się i tak trwało.

Nie byłoż wiadomości na świecie, która mogłaby ten orzech roztłuc i przyprawę do ciasta znamienitą z niego zrobić.

— Ludzie żyć chcą, panie — mówił posłaniec, strudzon wielce — bo człowieka nie złamiesz żadną miarą. Jak po burzy przychodzi dzień, a po deszczu słońce, tak ludzie budzą się z otępienia…

Uniósł Zagłoba dłoń drżącą, usianą plamami jak strusie jajo, znak zbytków przeszłych, miodu wypitego i zacnego jedzenia, którym nie gardził, a które teraz do ust niechętnych siłą wkładał, na znak, że taka wiadomość nie ważniejsza niż zapalenie łuczywa na długim drążku, kiedy wieczór zakrada się z cicha po dniu długim.

— Kopać w gruzach my zaczęli — głos w gardle przybysza zahuczał od wzruszenia nagłego, któremu sprostać żołnierzysko nie mogło, i chrząknął parę razy, zanim na nowo zaczął. — Odrzucilim to, co pierwej leżało, oczom naszym widok dziwny się rozpostarł — dziura w ziemi czarna, ziejąca, jakby diabeł rowy kopać zaczął i skończyć nie mógł. Błysło coś, ludzie stanęli, blask spod ziemi szedł jakiś, jakby Najświętsza Panienka sama pod gruzami leżała, a teraz wstać zechciała, wszyscy stanęli jak grom strzelił, a w ciszy tej światłość do nieba szła. Cofnęli się ludziska, tylko Grochowiecki w otwór skoczył, z oczu nam zniknął, i szablę wyciągnął, która światło od promienia słonecznego dawała. A potem zapuścił się niżej, bośmy dźwięki jakoweś usłyszeli spod ziemi płynące — tu przeżegnał się żołnierz i powstał z kołka.

— Mości Zagłobo, popatrzże waćpan na mnie, bo ja tej wiadomości zanieść nikomu nie mogłem, jeno waćpanu jednemu, na Boga! — Przybysz stanął przed Zagłobą. — Nie ustaliśmy w naszej pracy, wszyscyśmy jak jeden mąż rzucili się na wyprzódki kopać kamień, a na koniec wyciągnęlim…

Zagłobie zdało się, że śni, tak nagła nadzieja przeszła przez komnatę, zagarniając wszystko, co zagarnąć się dało, dotykając jego samego wbrew niemu samemu.

— Wyciągnęlim pana Wołodyjowskiego, wasza miłość, bez tchu był, poranion wielce, tak że zrazuśmy nie wiedzieli, kogo Najświętsza Panienka rękami pana Grochowieckiego uratowała. A tam loch pod twierdzą kamieniecką z wybuchu się odsłonił i pana Wołodyjowskiego na chwałę Panienki Najświętszej rzucił w sam środek i schronił przed zgubą...

Zagłobie zdało się, że oto już kresu dobiegło życie jego i że krotochwilę ktoś sobie zrobił pod koniec, a ogień w kominku strzelił z polana jabłonnego w górę tak silnie, że niedźwiedzie łby ruszyły się w jego stronę cieniem, jakby ożyły nagle.

— Co waćpan gadasz! — stare członki roztrzęsły się, a żołnierzysko padło na kolana przed Zagłobą i z jego oczu trysnęły łzy, które Zagłobie w serce zapadały okruchami nieśmiałej radości.

Jak dziecko, które jeszcze nie wierzy, że piernik słodki, wyjęty spod klucza, będzie jego, tak Zagłoba dopuścić do siebie nie śmiał wieści, od której siła w jego lędźwie wstępowała.

— On żyw, żyw i cały, siedm dni bez przytomności leżał, tylko jęczał z cicha, ksiądz z namaszczeniem ostatnim przybył na próżno... Na trzeci tydzień dopiero usta otworzył, i od razu co koń wyskoczy pospieszyłem do waćpana... — i tu opadło z sił żołnierzysko, a Zagłoba powstał z ławy, do piersi go przytulił i zawył jak zwierz na godach:

— A bywajcież tutaj!!!

— Zali godziłoż się tak rozpaczać? — Zagłoba rozparł się jak hetman.— Ja zawsze mówiłem, że nadzieję w Bogu pokładać trzeba, a reszta już nie do nas należy...

W izbie tłoczno było od przyjaciół, nawet pan Grochowiecki, zaproszon specjalnie przez Baśkę, dzban wina w ręku dzierżył. Baśka na krok nie odstępowała męża. Będąc w błogosławionym stanie, ociężałą się stała, a mimo to płeć jej jeszcze piękniejsza się wydawała i delikatniejsza niż zwykle. Z oczu blask nie zniknął, policzki jak maliny z mlekiem roztarte w płatkach róż czerwieniły się na przemian i bladły, jedna dłoń spoczywała na kolanach, podczas gdy druga szukała obecności ręki męża. Pan Michał oczu nie spuszczał z żony i tylko szeptał jej do ucha:

— Baśka, nie poprzestaniem na tym... Nie poprzestaniem... — i wąsikiem dłoń na razie pieścił.

Pani Makowiecka nachylona do Ketlingowej szeptała, że Pan Bóg nierychliwy, ale sprawiedliwy, boć błogosławieństwo pańskie podwójne będzie, a i od strony Jeziorkowskich, i po kądzieli takie rzeczy już miały miejsce.

— Taki to czas i takie życie, że i ja myślałem, na nic wszystko. — Zagłoba kufel odstawił. — A teraz czuję, że i z Doroszeńką mógłbym pohałasować. Może i nie dożyję tej chwili, ale wiem na pewno, że wasze dziatki, a może dopiero ich dzieci, naszą ojczyznę z niedoli wyciągną. — Głos pana Zagłoby już w igrce nie poszedł, a nabrał powagi jakowejś, od której w komnacie aż zadrżało. — Potomki wasze Polskę z okowów wroga dobędą, do krainy szczęśliwości doprowadzą po wielu trudach, a kiedy nasze znużone głowy odpoczywać u Pana będą, nagle szum się zrobi, błogosławieństwo na nas spłynie, i pozwolą nam ten jeden raz spojrzeć, i z góry spojrzym na ojczyznę i uśmiechniem się z mieszkania Pana naszego.

Cisza zaległa, tylko trzaskanie ognia słychać było, łzy w oczach zaświeciły się niejednemu.

— Amen — powiedział Skrzetuski, a reszta powtórzyła — amen.

Głosy ich niskie, nabrzmiałe od trudów wojny, potoczyły się przez pola, lasy i jeziora, mięszając się w przyrodzie z odgłosami zwierza grubego, który przed wojną w lasach się zaszył. Nie rozpoznać już nikomu, gdzie głos ludzki, a gdzie inny jakowyś, splatały się i w świat pomruk poszedł,

ten sam, który w przyszłości miał wrócić wolność
udręczonej ojczyźnie".

*

Jak mawia moja ciocia, „poleciałam Grocholą".
Uznałam za stosowne dodać tu na wszelki wypadek, że autorka wie, iż plemiona kozacze nie zajmowały się hafciarstwem. Oraz że głos nie chodzi
w igrce itd., itp. Wyzwoliciel Wołodyjowskiego
miał się nazywać Grocholwiecki, ale Moja Mama
tak się skrzywiła na ten pomysł, że odważyłam się
tylko na Grochowieckiego.

Tak oto, po latach, wszystko wróciło na swoje
miejsce. Co prawda Laokoon nadal walczy przed
Palmiarnią z wężami, ale Wołodyjowski nie zginął,
zmieniłam historię, nawet jeśli tylko na własny
użytek, i właściwie, w jakimś sensie, tym zajmuję się do dzisiaj.

*

Ale wracając do tego matczynego czytania
i przerywania w najlepszym momencie, czy można się dziwić, że natychmiast nauczyliśmy się czytać w tajemnicy przed rodzicami? I czytaliśmy po
kolei wszystko, co nam wpadło w ręce. Szczególnie z jednej półki, którą wskazała nam Mama ze
słowami:

— Bardzo was proszę, żebyście nawet nie dotykali tych książek, bo one nie są dla dzieci.

Ależ się trzeba było nagimnastykować, żeby w okładkę takich na przykład opowiadań Czechowa wsadzić coś innego, a Czechowa czytać w łazience i chować albo w skrzyneczkę na pasty do butów, albo lepiej pod wannę, żeby tego nie nosić bez przerwy tam i z powrotem!

Obok Czechowa stał van de Velde, *Małżeństwo doskonałe* chyba, strasznie — naszym zdaniem — pornograficzna książka, która mówiła o seksie.

Przeczytałam ją z wypiekami na twarzy w łazience i nie rozumiałam tylko jednego zdania, które brzmiało: Małżonkowie, zanim podejmą decyzję o współżyciu seksualnym, powinni wiedzieć, ile chcą mieć dzieci.

Seks — rozumiałam, miłość — rozumiałam, ale co ma seks do dzieci — nie mogłam tego ani w ząb pojąć bardzo, bardzo długo.

Trochę się dziwiliśmy Mamie, że nie zauważa odłożonych inaczej książek z zakazanej półki i — naiwna — ciągle coś nowego dokłada, ufając, że tego nie dotkniemy, a przecież to wymagało natychmiastowego przeczytania.

Po latach przyznała się, że wszystko sobie ukartowała — zabraniając, miała pewność, że przeczytamy i tym sposobem ma z głowy nawet naszą

36

seksualną edukację. Dzisiejsi rodzice dwoją się i troją, żeby dzieci wiedziały, co to zygota, a w tamtych czasach wystarczyło trochę sprytu.

Kiedy w szkole średniej opanowała mnie niczym nieuzasadniona niechęć do lektur — a byłam wtedy na etapie zajmowania się inteligencją szczurów, które jako jedyne stworzenia, oprócz człowieka, mają nadzieję — Mama powiedziała:

— Szkoda, że nie chcesz przeczytać *Dżumy*, to przecież książka o szczurach.

*

Pisarka — brzmiało dumnie. Żeby być pisarką, należało pisać. Pisałam wobec tego zawsze i wszędzie — na lekcjach, na przerwach, w domu, w nocy, w zeszycie do matematyki. Pamiętniki, opowiadania, wiersze, a nawet powieść. Pierwsza powieść — oczywiście musiała być o Winnetou, w którym kochałyśmy się wszystkie na zabój. Miała odkrywczy tytuł *Na preriach Dzikiego Zachodu*, żywcem ściągnięty z Maya.

Moje literackie *alter ego* pokrywa się z moimi marzeniami. Byłam tam piękną siostrą Old Shatterhanda i po kryjomu kochałam się w jego czerwonym bracie. Czerwony brat, niestety, nie zwracał na mnie uwagi. Toteż przebrana za mężczyznę, o imieniu Gorejący Kruk, przyjaźniłam się z nim, jak tylko może się przyjaźnić mężczyzna z mężczyzną, żeby zaskarbić sobie jego życzliwość, a nie było to, przypominam, w czasach *Brokeback Mountain*.

Pewnego dnia, już na szóstej stronie, zauważyłam, jako mężczyzna, że szykują zasadzkę na mojego ukochanego Winnetou. Niestety, nie zdążyłam go ostrzec. W Dolinie Śmierci mój Winnetou został schwytany, a ja posłałam wiadomość przez Nszo-czi, żeby Old Shatterhand pospieszył na pomoc, sama zaś zostałam, by towarzyszyć z ukrycia mojemu lubemu. Mój luby został przywiązany do pala i odprawiano przed nim rytuały i taniec śmierci. Oczywiście banda, która go złapała, składała się z samych białych zbirów. Nie wiem, dlaczego tańczyli.

Nad ranem Winnetou miał zostać stracony, a ja w przebraniu mężczyzny (kapelusz, który ukrywał moje włosy, i obcisły strój męski, który ukrywał moje piersi) całą noc przesiedziałam (jako mężczyzna) w krzakach, czuwając aż do świtu. Kiedy wzniosły się strzelby, runąłem, runęłam, żeby osłonić Winnetou.

Strzał w pierś powalił mnie na ziemię. Wiedziałem, wiedziałam, że to koniec. Ale w tym samym momencie mój brat, razem z przyjaciółmi i dzielną Nszo-czi, w której się kochał, rozgromili bandę Wściekłego Byka. Oczy zaszły mi mgłą, umierałem, umierałam z poczuciem dobrze spełnionego obowiązku. Winnetou został uratowany przeze mnie. Ach, gdybyż wiedział! (Strona czternasta, zeszyt w trzy linie, jak dziś pamiętam).

Nagle jednak Winnetou, który właśnie został uwolniony, odepchnął wszystkich i krzyknął:

— Dajcie mi pomóc mojemu białemu bratu, który oddał swoje młode życie za mnie!

I pochylił się nade mną, jego piękne czarne włosy muskały moją twarz w kapeluszu, który nie zsunął się, mimo że padłem, padłam na ziemię.

Winnetou zdecydowanym ruchem rozciął mi ubranie.

Obawiam się, że ten rozdział napisałam pod wpływem *Czterech pancernych i psa*, po obejrzanym u znajomych odcinku, kiedy to Marusia dostała kulką w ramię i Janek ją ratował.

Winnetou natomiast, rozciąwszy mi bluzę, jęknął ze zdumienia, albowiem wychynęła spod niej moja dziewicza biała pierś; natychmiast okrył mnie, zdjął mi z głowy kapelusz, a wtedy moje kruczoczarne włosy rozsypały się po kamieniach Doliny Śmierci i…

Tu moja wena twórcza usiadła jak zraniony wróbel i nie chciała się podnieść.

Niestety, nie wiedziałam, co z tym fantem zrobić, z tą piersią dziewiczą, i na tym moja pierwsza powieść się skończyła.

Pisałam w Warszawie, w Wałbrzychu, gdzie mieszkali moi kuzynostwo, na wczasach, pod namiotem, w stołówce, nad jeziorem. Były to wstrząsające opowiadania, zaczynające się na przykład tak:

„Latarnie zapalały się leniwie, kiedy odchodził w dal".

Albo tak:

„Duszny zapach cyprysów wdzierał się w okna, kiedy wszedł lekarz i oświadczył, że oto ma przed sobą dwa tygodnie życia".

Albo tak:

„Jego dotknięcie poraziło ją jak prąd, zaczęła drżeć i aż się pośliniła".

Albo tak:

„Kochała go nad życie, jednak nie dane mu było się o tym dowiedzieć".

O leniwych latarniach wysłałam do „Na prze-łaj" — kiedyś było takie pisemko, które hodowało sobie przyszłych pisarzy i miało Klub Młodych Autorów. Należeć do KMA było zaszczytem. Niektóre z tych opowiadań były drukowane, inni autorzy zaś dostawali krótkie upomnienia w rodzaju:

„Droga Elu z Zamościa, próbuj dalej swoich sił, drzemie w tobie potencjał".

Albo:

„Drogi Witku P. z Warszawy, już teraz radzimy, zajmij się czym innym".

Niestety, moje leniwe latarnie nie zasłużyły nawet na wzmiankę, żebym zaczęła haftować lub robić szaliki. Obraziłam się na „Na przełaj" i zaczęłam podczytywać Ojcu „Forum", szczególnie że z tyłu zawsze było zdjęcie gołej pani.

*

W Warszawie od razu zaprzyjaźniłam się z dwiema dziewczynkami. Jedna miała na imię Ewa, druga Ania. Z Ewą chodziłam do tej samej klasy w szkole podstawowej, z Anią do tej samej szkoły.

Ania miała normalny dom, w którym zawsze był porządek i wszystko działo się o ustalonej godzinie. Wiadomo było, że ziemniaki wstawia się na ogień za dziesięć czwarta, że najpierw się odrabia lekcje, potem spotyka z przyjaciółką. Ponieważ ojciec Ani był specjalistą od BHP, w domu Ani wszystko było czyste i lśniło, a grzebienie odkażało się co tydzień w specjalnych specyfikach, które jej tata przynosił z pracy.

Z Anią przysięgłyśmy sobie w czwartej klasie szkoły podstawowej wieczną przyjaźń i braterstwo, czego ukoronowaniem było przecięcie nadgarstków do pierwszej krwi. Ania dbała o linię, chodziła na gimnastykę wodną do Pałacu Kultury, dopóki nie wpadła na to, że może przychodzić do mnie i moczyć kostium pod kranem.

41

Niestety, jej mama kiedyś wywąchała, że kostium nie śmierdzi chlorem, i wszystko się wydało. Musiałyśmy się przez jakiś czas spotykać w tajemnicy; nasi rodzice twierdzili, że źle na siebie wpływamy. Przykładem złego wpływu była spódniczka, którą Ania dostała od swojego ojca z Czechosłowacji, czyli z zagranicy, i to atrakcyjnej, bo w Czechosłowacji były fajne ciuchy oraz Jablonex, którego naszyjniki i broszki udawały prawdziwą biżuterię.

Więc (nie zaczynamy zdania od więc, chyba że musimy) Ania dostała od swojego ojca z Czechosłowacji śliczną spódniczkę, która wyglądała jak skórzana, i natychmiast mi ją oddała. Kiedy ją bowiem założyła, spódnica sięgała jej prawie do kolan i była w ogóle za duża, ja natomiast wyglądałam rewelacyjnie, ledwo zasłaniała mi pupę i musiałam natychmiast do niej schudnąć.

Nie wiem, dlaczego to też się nie spodobało jej rodzicom, niestety, moi również nie byli zachwyceni.

To właśnie Ania połknęła kiedyś szpilki, kiedy jej mama weszła do pokoju, a ona przypinała do maty wiszącej nad łóżkiem jakieś zdjęcia aktorów. Nie przyznała się jednak i szpilki pewno ma do dzisiaj w środku. Ale ponieważ wciąż się przyjaźnimy, to nic mi nie wiadomo, żeby jej to zaszkodziło. Jestem matką chrzestną córki Ani, a jej mama już dziś mnie lubi.

*

Ewa również miała normalny dom, była w trochę lepszej sytuacji niż my, bo jej mama pracowała jako fotograf, bardzo dobry zresztą, do dziewiętnastej, a ojciec pozwalał Ewie na prawie wszystko. Z Ewą albo kłóciłyśmy się na śmierć i życie (w szkole podstawowej), albo kochałyśmy się nad życie. Zawsze jej zazdrościłam długich, prostych czarnych włosów. Ja miałam kręcone i niesforne. I Ewa mi ich zazdrościła. Ewa w ogóle miała lepiej, bo poszła na operację wyrostka w szpitalu kolejowym na Brzeskiej i jakiś czas nie musiała chodzić do szkoły. Odwiedziłam ją dzień po operacji, żeby ją pocieszyć i zwilżyć jej usta szpatułką, bo nic nie mogła pić. Byłam wstrząśnięta, że taka smutna i nie ma ochoty w ogóle ze mną rozmawiać. Obok niej leżała pani w ciąży i spała.

Zapytałam Ewę, dlaczego położyli ją na ginekologii i kiedy ta pani będzie rodzić. Ewa wtedy dostała histerycznego napadu śmiechu, ponieważ pani obok miała siedemdziesiąt lat, była po prostu gruba i jeszcze uśpiona po operacji woreczka żółciowego. Napad histeryczny zaowocował u Ewy pęknięciem szwów. Ale przynajmniej zostawiłam ją radosną.

Z Ewą i jej mamą też zaliczyłam wpadkę, ale dużo, dużo później, kiedy byłyśmy już prawie dorosłe.

Kupiłyśmy wino Lacrima i postanowiłyśmy je wypić. Było rewelacyjne, siedziałyśmy u Ewy na podłodze i z magnetofonu puszczałyśmy po raz setny *Hello*. Jej pies, Aker, chłeptał lacrimę z naszych szklanek, czego nie zauważyłyśmy, dopóki nie zatoczył się na framugę. Wpadłyśmy w popłoch, pies musiał wytrzeźwieć do przyjścia mamy Ewy, a w ogóle nie zamierzał. Dostał czkawki i nie mógł ustać na nogach. Wyniosłyśmy go na dwór, ale dalej się zataczał.

Kiedy mama Ewy wróciła z pracy, natychmiast zauważyła, że coś jest z psem nie tak. Nachyliła się nad jego posłaniem, Aker westchnął i zacuchnął winem, a mama oskarżycielsko wyciągnęła w kierunku Ewy palec i powiedziała:

— Wiem, że piłaś z Kasią!

Ciekawy wniosek, swoją drogą.

*

Z Ewą przez dwa lata kochałyśmy się w tym samym chłopaku. Mieszkał w innym mieście, Ewa czasem spotykała go na wakacjach, a ja u mojego kuzyna. W ogóle nie był nami (z osobna, rzecz jasna) zainteresowany. Myślę, że to uczucie silniej nas z Ewą połączyło niż jakakolwiek inna więź. Współczułyśmy sobie bardzo, że nasza miłość jest taka nieszczęśliwa, pisałyśmy wiersze, które pokazywałyśmy tylko sobie, a jeśli którąś z nas spotkało to wyjątkowe szczęście, że na przykład ów chłopak był łaskaw powiedzieć: — Cześć, Ewka, albo napisać do mnie: — Kasik, jak będziesz, to daj znać, może się zobaczymy, z tym że mam małe kłopoty i duże problemy — byłyśmy obie wniebowzięte.

Szczytem naszego absolutnego oddania był wyjazd do Krakowa w godzinach szkolnych — Ewa powiedziała swojej mamie, że ma kółko geograficzne, a ja swoim rodzicom, że od razu po szkole jadę do Radości uczyć się biologii. Pojechałyśmy na lotnisko i za niespełna osiemdziesiąt złotych kupiłyśmy bilety lotnicze (w ostatniej chwili, plus zniżka dla osób z legitymacją szkolną). Już o jedenastej byłyśmy w Krakowie. Przeszłyśmy się pod jego oknami w nadziei, że chociaż zobaczymy cień, ale jaki cień można było w dzień zobaczyć?

O piętnastej wsiadłyśmy do powrotnego pociągu i tyle naszego.

Tylko że musiałyśmy się gęsto tłumaczyć w domu, dlaczego tak późno. Do dzisiaj piosenka Krystyny Prońko i Majki Jeżowskiej, którą oprócz *Hello* ćwiczymy w babskie wieczory, budzi w nas zrozumiały sentyment.

Przyjaciółko mego serca, wróć,
on nie jest wart,
by przez niego niewidzialny mur tak dzielił nas.
Szczęście miało jego kolor i wdzięk,
Jego oczy, jego śmiech.
Szczęście miało dla nas jedną twarz —
Tę samą twarz.

Ratował mnie gin,
Ty dawno byłaś już z nim.
A ja płakałam na dnie piekła,
Za mąż uciekłam.
On teraz ma dom o pięć tysięcy mil stąd.
Na sercu nosi numer konta, klucze od forda.

On nie kochał nas!

Ukochany nasz pojechał zresztą do Ameryki i byłyśmy przekonane, że tam kupił sobie forda.

Ale jeszcze przedtem miałam zostać przez niego zaproszona na drugi koniec Polski na sylwestra i wtedy miało się okazać, że moja przyjaźń z Ewą jest prawdziwa. Ale o tym później.

*

Oprócz *Małego Księcia* w okresie wczesnej młodości dwa opowiadania zrobiły na mnie piorunujące wrażenie i odbiły, za przeproszeniem, trwały ślad w mojej przyszłej twórczości.

Jedno z nich napisał O'Henry i było chyba zatytułowane *Przygoda*. Mówiło mniej więcej o tym, jak to pewien młody człowiek przechadzał się po jakiejś amerykańskiej ulicy i duży Murzyn wręczył mu kartkę, na której było napisane: „Zielone drzwi". Młody człowiek wziął kartkę i pomyślał: A cóż to może znaczyć, do jasnej cholery? (w oryginale było bez cholery, ale chodzi o emocje wszakże). I zaciekawiony wszedł do bramy, wbiegł na pierwsze piętro, drugie, aż zobaczył zielone drzwi. Zapukał, otworzyła mu cudna dziewczyna, która od razu zemdlała.

Młody człowiek ją ocucił, rzucił okiem na jej niewinną twarz, zakochał się natychmiast, ona mu się zwierzyła, że nie jadła czas jakiś, wybiegł po jedzenie i wtedy naszły go przykre myśli, że jeśli jego ukochana tak szukała pomocy, to co będzie z ich potomstwem (może jest to niedokładne streszczenie i potworny skrót, ale ostatecznie to nie wypracowanie). A on już przecież kocha.

I wtedy podszedł do Murzyna, który dalej rozdawał karteczki, i chciał od niego wydębić resztę, żeby już nie musiał z nikim walczyć o względy pięknej anorektyczki, a Murzyn popukał się w głowę:

— Dentysta mi dał te kartki, a na drugiej stronie teatr zaprasza na przedstawienie — machnął ręką i wtedy bohater zobaczył duży neon reklamujący sztukę *Zielone drzwi*. Tak oto przygoda zaowocowała dozgonną miłością.

*

Zielone drzwi zostały we mnie jako symbol czegoś więcej niż nieuważności męskiej — jako symbol tego, że w każdym momencie i na każdym rogu czyha coś, co może zaowocować pięknem, niespodzianką, przygodą, miłością, radością — i dalekie jest od reklamy gabinetu dentystycznego, jeśli tylko będziemy chcieli to COŚ zauważyć.

*

A potem przeczytałam *Szkarłatne żagle*.

Śliczną bajeczkę o pewnej dziewczynce, której kiedyś ktoś powiedział, że jak będzie duża, to przypłynie statek pod szkarłatnymi żaglami i po tym pozna, że na statku jest jej ukochany i przeznaczony od zawsze. Dziewczynka dorosła i gapiła się w morze, wypatrując szkarłatnych żagli, a cała wioska wyzywała ją od wariatek i nie lubiła bardzo. Aż pewnego dnia cudny młodzieniec, właściciel najpiękniejszego żaglowca, przybił do owej wyspy i przechadzał się po niej ot, tak sobie (streszczenie nie musi być dokładne, tak to zapamiętałam, a byłam dzieckiem zaledwie). Przechadzał się, aż tu nagle... pod krzakiem spoczywa dziewczę przecudnej urody. Ach, zatkało go z wrażenia, zdjął rodowy pierścień, wcisnął jej na paluszek wystający wdzięcznie spod policzka i wycofał się rakiem.

Kazał się swoim służącym dowiedzieć o niej wszystkiego, a ci przyszli nad ranem skacowani i powiedzieli, że to wariatka, która czeka na szkarłatne żagle. Dzielny młodzieniec opieprzył służących i popłynął do dużego miasta, gdzie zakupił tysiące metrów szkarłatnego jedwabiu. Załoga przez całą noc szyła czerwone żagle. Całą wioskę trafił szlag z zazdrości, kiedy on po nią przypłynął, i żyli długo i szczęśliwie (lub opowiadanie się przedtem skończyło).

Pomyślałam sobie i właściwie myślę tak do dzisiaj, że bardzo łatwo jest spełniać marzenia. Nie ma nic prostszego na świecie. I chciałabym to robić.

*

Ze szkoły podstawowej niewiele pamiętam, chyba głównie to, że w tym czasie nauczyłam się jeść flaki. Otóż kiedyś na wiosnę, w czwartej klasie, na lekcjach przestała pojawiać się Iwonka B. Była świetną uczennicą, pani pytała, czy ktoś z nas wie, dlaczego nie przychodzi do szkoły dzień, drugi, piąty, a myśmy nie wiedzieli. Po tygodniu postanowiłam, jako ta najlepsza i najwrażliwsza z całej klasy, odwiedzić Iwonę i zapytać, co się dzieje. Otworzyła mi jej mama i przez uchylone drzwi zapytała, w jakiej to ja sprawie.

Powiedziałam, że Iwonki nie ma od tygodnia w szkole i chcę wiedzieć dlaczego, bo może chora.

Wtedy jej matka otworzyła drzwi, rozpłakała się, przytuliła mnie i zaprowadziła do pokoju, gdzie siedziała Iwona i nie wyglądała na umierającą. Tym bardziej nie rozumiałam, dlaczego jej mama płacze. Kiedy tak sobie siedziałyśmy i opowiadałam jej, jaką Anka Ś. miała krótką spódnicę, weszła mama Iwony i postawiła przed nami dwa talerze jakiejś fajnej zupy, która bardzo przyjemnie pachniała i w której pływały smakowite farfocle.

— Jedzcie, kochane — powiedziała, pogłaskała mnie po głowie i rozpłakała się.

— Co to? — zapytałam niebacznie.

— Flaki — odpowiedziała mama Iwony B.

Flaki??? O matusiu moja, flaków się przecież nie je! Oni nie wiedzą takich podstawowych rzeczy? Flaki to flaki! I z czego te flaki? Z człowieka? To najgorsze obrzydlistwo na świecie i u mnie w domu nawet psu się flaków nie dawało!

Mama Iwony patrzyła na mnie bardzo miło.

— Jedz, kochanie — powiedziała.

Nie mogłam nie jeść, tym bardziej że mogła się w każdej chwili znowu rozpłakać, a ja zupełnie nie wiedziałam dlaczego.

Wzięłam do ust pierwszą łyżkę i powstrzymałam odruch wzdrygnięcia się.

Były rewelacyjne.

A więc wiosną 1968 roku nauczyłam się jeść flaki, a Iwonka B. wróciła do szkoły.

Po latach dowiedziałam się, że wtedy jej ojciec został przymuszony do dobrowolnej emigracji do Izraela, a mama nie zdecydowała się na wyjazd. I że wtedy, w drzwiach, nie płakała ze wzruszenia na mój widok, lecz dlatego, że ktokolwiek przyszedł do wyklętej żydowskiej rodziny. Tylko skąd ja miałam o tym wszystkim wiedzieć?

Byłam mało bohaterska, bo mi było wszystko jedno, jakie nazwisko nosi Iwonka B. i o czym to świadczy.

Dwadzieścia lat później spotkałam Iwonę. Dopowiedziała mi dalszy ciąg ich historii — ojciec czekał na matkę długo, chyba kilkanaście lat, zanim zdecydowała się pojechać za nim, i żyją tam szczęśliwie, mam nadzieję, do dzisiaj.

*

W szóstej chyba klasie szkoły podstawowej przeżyłam maleńką traumenkę, która zaowocowała lata później tytułami moich książek.

A mianowicie na lekcji polskiego dostaliśmy bardzo poważne zadanie domowe. Mieliśmy sami napisać dyktando z wyrazami z „h" i „ch". Najlepsze wypracowania miały być odczytane na głos w klasie. Wróciłam do domu podniecona do granic możliwości. Oto, po raz pierwszy w życiu, okaże się, kto najlepiej pisze. Okaże się nareszcie, kto jest najlepszy (ja), najmądrzejszy (ja) i kto w przyszłości będzie pisarzem (ja na pewno). Już słyszałam te pełne niedowierzania zachwyty, pochwały, mój Boże, to ty tak świetnie piszesz, a myśmy tego nie zauważyli, Kasiu, jesteś genialna, doprawdy kto by się spodziewał, zawsze przypuszczałam, że... Dyktando miało rzucić na kolana nawet dyrektora szkoły. Rozłożyłam słowniki. Koło ósmej genialne dzieło było skończone. Moja Matka popatrzyła przychylnie i poprawiła moje wypociny w dwóch miejscach. Poszłam spać szczęśliwa. Rozpoczynała się moja literacka kariera.

Następnego dnia siedziałam całą godzinę na polskim, zgłaszając się na ochotnika. Niestety, moja wyciągnięta w niebo ręka pozostała niezauważona. Wypracowanie pozostało ku pamięci wyłącznie w moim zeszycie. Niedocenione. Wracałam ze szkoły nieszczęśliwa.

Jeszcze zobaczycie. Jeszcze pożałujecie. Niedoczekanie. Ja wam pokażę. Nigdy w życiu! A nie mówiłam?

Moje wypracowanie wyglądało tak:

„Raz gdzieś na Helu
Chińczyk z Hiszpanem
Pili herbatkę sobie nad ranem.
Wiatr lekko huśtał ich hamakami,
Hasały mewy ponad falami.
Wtem hałaśliwie wiatr halny zawył,
Więc zawołali: hej, chcemy kawy!
Hania, co w hełmie grała w hokeja,
Woła z humorem: ale zawieja!
Na horyzoncie chmury ściemniały
I z nieba nagle spadł puch wspaniały.
Hieny, chomiki, hipopotamy,
Które hodował Hucuł nieznany,
Chore ze strachu uciekły z dachu.
Zrobił się wielki chaos na Helu,
Zgadnijcie, po co i w jakim celu,
Boby dyktando się nie udało,
Gdyby wyrazów z «h» było mało".

Rozczarowanie tamtego dnia było tak wielkie, że nauczyłam się własnego tekstu na pamięć, w głębokim przekonaniu, że jeszcze przyjdzie taki moment w moim życiu, że będę mogła publicznie je przeczytać.

I przyszedł.

Właśnie teraz.

Cierpliwość została nagrodzona.

Oto przykład na spełniające się marzenia.

*

Pod okiem czujnej profesor Krystyny Czernikiewicz, ukończyłam szkołę podstawową, a nawet zdobyłam pierwsze miejsce w olimpiadzie
polonistycznej, co pozwalało mi wybrać liceum
i bez zdawania egzaminów dostać się do szkoły. Dobrej. Z tradycjami. Liceum imienia Juliusza
Słowackiego. Ulica Wawelska, miasto Warszawa,
dzielnica Ochota.

O mały włos zresztą nigdy bym się do tej szkoły średniej nie dostała, ponieważ na galę z okazji
olimpiady nie pojechałam, dyplomu nie odebrałam, bo znowu działy się rzeczy dużo ważniejsze. Moja kochana klasa jechała wtedy na rowe-
rach do Palmir!

Mogło mnie zabraknąć na jakiejś uroczystości,
ale nie w Palmirach! (*Polka w Polsce zamknie oczy!*).

Cały następny tydzień próbowałam odebrać
w kuratorium zaświadczenie, że jestem zwolnio-
na z egzaminów, ale rozpoczęły się wakacje i nie
było to łatwe, a w Słowackim nie uwierzono mi
na słowo.

Cudem jakimś skompletowałam dokumenty
i zostałam przyjęta po terminie.

*

Czas w szkole średniej był czasem zabawy
i kompletnej nieodpowiedzialności. Trafiłam na

klasę złożoną z wielu indywidualności, ale, niestety, wszyscy razem byliśmy, jak sądzę, nie do zniesienia. Rzecz jasna, dla nauczycieli. Głównie wspaniałych. Którzy mieli więcej rozumu, o czym dzisiaj wiem, niż wszyscy uczniowie tej szkoły razem wzięci, a przyszli ministrowie również tam chodzili.

*

Na przykład lekcja łaciny.

Pamiętam jak dziś — cudowna Wiktoria Melech (po łacinie *victoria* — zwycięstwo, *melech* z hebrajskiego — król) próbowała nas nauczyć Horacego. Ale przyniosłam do szkoły Tuwima — i jego cudowności łacińskie w rodzaju: *carpe diem* — gdy jem karpia, *hora canonica* — gdy żona księdza kanonika niedomaga itd. Na tej podstawie próbowaliśmy, zamiast *exegi monumentum aere perennius* oraz *sursum corda*, stworzyć łacinę współczesną, śmieszną i na naszym poziomie.

Bardzo się ucieszyliśmy, gdy Jacek (który miał mi za mniej więcej jedenaście lat uratować życie) wykrzyknął: *pueri, sursum aves!* — co w tłumaczeniu nawet nie dowolnym znaczy: chłopaki, w górę ptaki!

I ten okrzyk stał się hasłem naszej wyjątkowej klasy humanistycznej, dzieci rodzin inteligentów, wówczas jednego z najlepszych liceów w Warszawie, imienia Juliusza Słowackiego.

Pueri, sursum aves! wywoływało strach na korytarzu, bo chłopcy z naszej klasy stworzyli tak zwane klopkomando — na mocy porozumienia z dyrekcją, która nie radziła sobie z uczniami palącymi.

Dyrekcja mianowicie, kiedy dotarliśmy do klasy trzeciej licealnej, zaproponowała, aby uczniowie starszych klas pilnowali, żeby uczniowie młodszych klas nie palili, za to te starsze klasy nie będą pociągane do odpowiedzialności za palenie.

Klopkomando złożone z naszych chłopaków wbiegało wobec tego do łazienek męskich z okrzykiem łacińskim: *pueri, sursum aves!*, albo po prostu: chłopaki, w górę ptaki! — i wyciągało biednych pierwszo- i drugoklasistów, którzy nieopatrznie zapalili sporta, rozbierało ich do rosołu od pasa w dół i wynosiło spodnie na korytarz szkolny.

Wpółrozebrani delikwenci musieli czekać, aż dzwonek na lekcję przegna uczniów do klas, żeby złapać swoje gatki i dołączyć do reszty. Straszne. Ale w imię nauki i zdrowego życia.

*

Po szkole chodziłam z Ewą, mimo że ona uczyła się w innym liceum, na tak zwaną koszykówkę. Czasem nawet udawało mi się dotrzeć do szkoły i zagrać, ale na ogół koszykówka musiała poczekać, bo po drodze była „Halinka", na ulicy Filtrowej, prawie przy placu Zawiszy. Świetna

i tania knajpka, gdzie podawano znakomite wu-
zetki z prawdziwą bitą śmietaną i gdzie można
było spotkać kolegów z klasy, którzy również chodzili na jakieś sportowe zajęcia, takie jak piłka
ręczna czy nożna. Tą samą trasą. Chodzili i czasem nie dochodzili.

A nieco później zorientowaliśmy się również,
że koniak Słoneczny Brzeg nie kosztuje zbyt wiele.

*

W tym mniej więcej czasie obejrzałam z Ewą
Kanał Wajdy. Śniły mi się po nocach sceny, kiedy
Stokrotka z biednym Janczarem dociera w końcu
do wyjścia do Wisły, ale ono jest okratowane.

Postanowiłyśmy z Ewą sprawdzić, jak naprawd-
dę w kanałach jest.

Dzisiejsze Aleje Jerozolimskie między dawnym
dworcem Warszawa Główna (dziś Muzeum Ko-
lejnictwa) i Zachodnia były wtedy pasmem tak
zwanych wertepów. Trzy bunkry służyły pijakom
za schronienie, gęste wysokie krzaczory gęsto po-
rastały pagórki, tworząc znakomity teren zabaw
dla wszystkich dzieciaków z okolicy i również
z naszych nowych bloków przy Alejach Jerozolimskich.

Pośrodku tego kompletnie zdziczałego tere-
nu stał mały wiejski domek. Mieszkała w nim sta-
ruszka, która hodowała kwiaty i nie dawała się
władzy ludowej wyprowadzić ani wykupić. Sta-

ruszka nas goniła, ale czasem, na Dzień Matki, można było za pięć złotych dostać od niej śliczny bukiet.

Z okien naszego mieszkania na ósmym piętrze widziałam tory kolejowe ciągnące się donikąd, a za nimi całą Warszawę-Wolę.

Znalazłyśmy wejście do kanałów tuż przy tych torach, na wysokości mniej więcej Spiskiej. Rzecz jasna, ukryte w chaszczach. Do odwalenia płyty musiałyśmy poprosić znajomych chłopców ze Spiskiej, była ciężka jak sto dwadzieścia... Po chwili zastanowienia, kiedy Kotwa powiedział: — Na pewno się boicie! — ruszyłyśmy w dół, po identycznych jak w filmie metalowych uchwytach.

A potem znalazłyśmy się w wodzie po kostki. Też było tak samo jak w filmie. Okrągłe tunele, echo powtarzało nasze słowa, śmierdziało odpowiednio. I kiedy zdecydowałyśmy się ruszyć naprzód, w stronę Wisły, płyta nad nami trzasnęła głucho, zapadła ciemność i cisza. Zaczęłyśmy na oślep szukać metalowych poręczy i wrzeszczeć ile sił w płucach. Przez maleńką dziurkę usłyszałyśmy głos:

— Zapłacicie po dziesięć złotych, to was wypuszczę.

Przysięgłyśmy na wszystko, na głowy rodziców, psa i brata, że natychmiast po wyjściu zapłacimy.

I na tym skończyło się zwiedzanie kanałów, słowa dotrzymałyśmy, dziesięć złotych poszłooo!

*

A w szkole, rzecz jasna, były również inne ciekawe lekcje, oprócz łaciny, na przykład lekcje przysposobienia obronnego, prowadzone przez naszego ulubionego nauczyciela, Bąbla.

Przed każdą lekcją, w trosce o nasze bezpieczeństwo, nauczyciel przeprowadzał ćwiczenia obronne, na przykład na wypadek wybuchu bomby atomowej na Mokotowie. Musieliśmy się wtedy rzucić na podłogę, nogami do wybuchu, i przykryć głowę rękoma. Atomowe grzyby mokotowskie atakowały nas przed każdą lekcją. Czasem Bąbel rzucał bombę gazową i wtedy się nie kładliśmy, albowiem obrona w przypadku tej bomby jest zupełnie inna niż w przypadku atomowej. Wtedy należało zatkać nos i odwrócić głowę w stronę przeciwną do bomby.

Ku wielkiej swojej uciesze przed każdą lekcją ćwiczyliśmy pady wprawiające na korytarzu.

Ale potem wchodziliśmy do klasy.

Jedna krótkofalówka w klasie, połowa klasy na boisku z krótkofalówką numer dwa. Biedny nauczyciel po setnym przypomnieniu, że w razie wybuchu nakrywamy się białymi prześcieradłami i odczołgujemy w stronę przeciwną do wybuchu jądrowego, wymyślił zabawę w zaatakowane zgrupowania, które muszą się porozumieć.

Jacek na boisku darł się w naszą klasową krótkofalówkę:

— Ja Świerk jeden, ja Świerk jeden, Głąb, jak mnie słyszysz? Odbiór!

I nasz biedny Pan od Przysposobienia Obronnego, odkrzykiwał:

— Ja Głąb, ja Głąb, słyszę cię dobrze, odbiór!

— Nic nie słyszę, tu Świerk jeden, Głąb, jak mnie słyszysz? — darł się Jacek na boisku, a myśmy ze śmiechu w klasie leżeli pod ławkami.

— Ja Głąb, ja Głąb! — wrzeszczał Pan od Przysposobienia Obronnego coraz głośniej i głośniej, aż przyszedł dyrektor i też strasznie zaczął krzyczeć, że co my sobie myślimy, że obok są lekcje i gdzie jest nauczyciel, a nauczyciel, czerwony jak burak, próbował udowodnić, że to wymóg strategiczny ten krzyk, bo nic nie słychać.

I dyrektor wziął do ręki urządzenie i powiedział poważnie:

— Ja Głąb, ja Głąb, słyszycie mnie? Odbiór!

A ucieszony Jacek z boiska cicho odpowiedział:

— Głąb, teraz cię słyszymy dobrze.

Ileż radości nam przynosiły te lekcje! Do historii z Głąbem przyznaje się również klasa mojego brata, ale niewykluczone, że we wszystkich klasach ta sytuacja miała miejsce. Pan od Przysposobienia Obronnego nie miał zbyt wielu nowych pomysłów i na pewno powielał je w klasach od pierwszej do czwartej do znudzenia, przez pokolenia, dopóki nie przyszła reforma i nie stworzyła klas od pierwszej do trzeciej. Ale myśmy jeszcze chodzili na strzelnicę i uczyli się trafiać do tarczy z prawdziwych kabekaesów. Co za rozkosz!

Lekcje przysposobienia obronnego podobno są wycofane, a szkoda, bo naprawdę przysposobienie obronne jest koniecznością w każdej sytuacji, nie tylko w szkole.

Bąblowi wynagrodził los naszą klasę, ponieważ parę lat później zagrał w totolotka i wygrał milion złotych.

Dowiedziałam się właśnie od swojej siostrzenicy, że te lekcje nie są jednak zlikwidowane! Całe szczęście! Strach pomyśleć, co by to było, gdyby dzisiejsze dzieci nie wiedziały, co robić, kiedy blisko ich szkoły spadnie bomba atomowa!

*

Albo biologia w naszej klasie. Wyglądała tak.

Nauczycielka mówiła:

— Temat „Ryby", powtarzam, temat „Ryby", zapiszcie, temat „Ryby". Nie będę więcej powta-

61

rzać, powtarzam, nie będę więcej powtarzać. Ryby mają następujące płetwy — tu nauczycielka chwytała się za piersi i mówiła — piersiowe. — Odwracała się i kładła rękę na karku — grzbietowe. — A wtedy ktoś z nas podnosił rękę:

— Przepraszam, jaki jest temat?

— Ryby! Ryby! — odpowiadała nauczycielka i łapała się za pośladek. — A to ogonowe, powtarzam, zapisujcie, bo nie będę powtarzać.

Nie interesowały mnie ryby. Znajomość krwiobiegu lancetnika nigdy do dnia dzisiejszego mi się nie przydała. Jak również układ wydalniczy pantofelka.

— Zapisaliście? — pytała pani B. nieopatrznie.

Wtedy Andrzej K. podnosił rękę i niewinnie pytał:

— Przepraszam, a jaki był temat lekcji, bo ja nie zdążyłem zapisać.

I nauczycielka powtarzała:

— Ryby! Ryby! Wy durnie, taki krótki temat, a wy nie zdążyliście! Nie będę powtarzać więcej!

Im bardziej była zdenerwowana, tym bardziej nam było wesoło. Kiedy się już wyśmialiśmy i wydawało się, że najlepsze minęło, weszła wietnamska delegacja z dyrektorem na czele.

Wszyscy wstaliśmy grzecznie, w milczeniu, dyrektor wskazał na nas i na naszą nauczycielkę i zapytał:

— A jaki jest temat lekcji?

Wtedy nie wytrzymała również nauczycielka — położyła głowę na stole i tak już została razem z nami do końca lekcji, wytaczaliśmy się z pracowni osłabli ze śmiechu, a w dodatku Piotrek przewrócił się na akwarium i wypuścił niechcący wszystkie patyczaki, które się rozlazły po szkole i do dzisiaj ich nienawidzę, bo udają gałązki, a są żywe i wyszły nawet kiedyś w pracowni chemicznej z dziury na atrament w mojej ławce. I nic nie mogłam zrobić, ponieważ lekcja chemii wyglądała zupełnie inaczej niż lekcja biologii.

*

Lekcja chemii. Absolutna cisza, jak makiem zasiał. Słychać brzęczenie muchy. Żadnego oddechu głośniejszego, szurnięcia, nic. Klasa nieżywych uczniów. Wszyscy sparaliżowani strachem. Nasza nauczycielka jest najgroźniejsza w całej szkole. Na piątkę chemię umie Pan Bóg, ona na czwórkę, jej klasa na tróję, u nas pogrom, debile, nieuki, humaniści niedouczeni. Klopkomando mocno osłabione również. Tragedia.

Kiedy na nas patrzy, spojrzenie jej pali, kiedy otwiera dziennik, niektórym robi się słabo, bolą nas brzuchy, jesteśmy nagle pozbawieni żywotności, poczucia humoru, resztek wiedzy i wrodzonej inteligencji. Wszystkiego.

Ogólnie wiadomo, że Chemiczka lubi tylko swoją klasę: biologiczno-chemiczną, a nas tylko uczy chemii, bo musi, ale nie liczy na nic. Nie mamy ani jednego zadatku na Marię Curie, nie wspominając o Skłodowskiej.

Choć moja koleżanka z ławki szkolnej, Beatka Herzog, przypomniała mi niedawno, że kiedy na klasówce mieliśmy zadane jakieś skomplikowane wzory benzenu i coś tam jeszcze, to ja w desperacji narysowałam wzór benzenu, ale to było wszystko, co umiałam, więc dodałam mu warkoczyki, uśmiech i krótkie nóżki oraz podpisałam — benzenek. I oddałam. Nie mam pojęcia, dlaczego odważyłam się na coś tak bezsensownego, bo byłam kompletnie trzeźwa i zdrowa.

Na następnej chemii otrzymałam kartkówkę z powrotem — ładna dwója (wtedy najniższy stopień) miała dorysowane nóżki, skrzydełka i dzióbek. Podpis pod nią — a to kaczuszka.

Czyli miała nasza profesorka poczucie humoru, ale nie dawała sobie wejść na głowę. Jako jedyna.

Kiedyś nie przyszła na lekcję i na zastępstwo dostaliśmy profesorkę rosyjskiego. Rozejrzała się po pracowni i kazała nam posprzątać.

Marek M. podniósł rękę:

— Czy możemy wszystko zlać do jednej kolby? — zapytał niewinnie i wiedzieliśmy, że to będzie przyjemna lekcja. Czekaliśmy w napięciu na odpowiedź Rusycystki.

— Będzie łatwiej potem sprzątnąć — powiedziała niewinnie Anka I., która jako jedyna z całej klasy mogła bez mrugnięcia okiem, z miną Bustera Keatona, powiedzieć każdą rzecz, nie wzbudzając podejrzeń.

— Oczywiście — zgodziła się Rusycystka.

Zlaliśmy wszystkie resztki do jednej kolby, która wybuchła.

Huk i smród rozniósł się po całej szkole. Nikomu nic się nie stało, ale kiedy przybiegł dyrektor, dzielna Rusycystka powiedziała:

— To ja im pozwoliłam, nie wiedziałam…

Sprzątaliśmy przez następne dwie lekcje.

To była najprzyjemniejsza lekcja chemii w naszej klasie.

*

Parę razy w życiu byłam na wagarach, bo musiałam. Ze trzy razy musiałam, bo grali *Kabaret*, mój ukochany film, i nie było żadnego racjonalnego powodu, żeby nie iść rano, kiedy kina były puste, jeszcze raz i jeszcze raz, i jeszcze raz. Byłam na tym filmie dwadzieścia sześć razy. Znałam na pamięć każdą kwestię i grymas. I zawsze przechodził mnie dreszcz, kiedy ten śliczny, anielski chłopaczek o jasnych włosach zaczynał *„tomorrow belongs to me"* i kamera ześlizgiwała się z anielskiej twarzyczki na mundur i opaskę ze swastyką.

Nie mam żadnych wyrzutów sumienia, że wagarowałam, niestety. A właściwie, niestety, nie mam żadnych wyrzutów sumienia. To były najlepsze lekcje historii, jakie pobrałam w życiu.

Ale czasami nie musiałam wagarować, bo akurat nic ciekawego w kinach nie grali, tylko na przykład nie nauczyłam się chemii, a miałam jak w banku, że tym razem padnie na mnie.

Moje najdłuższe w życiu wagary trwały trzy dni. Zwagarowałam ze strachu przed chemią i tego żałuję. Włóczyłam się sama po mieście, zmarzłam, wróciłam do domu wcześniej, rozedrgana, że co zrobię następnego dnia? Jak się wytłumaczę? Wiadomo było, że nie przyniosę usprawiedliwienia, bo rodzice mi nie napiszą, a sama tego nigdy nie robiłam.

Następnego dnia, ze strachu, że nie mam usprawiedliwienia, wycofałam się sprzed szkoły chyłkiem. Cały dzień spędziłam na baniu się i rozmyślaniu, co to będzie, jak się rodzice dowiedzą, przy czym rodzice ani razu w życiu nie podnieśli na nas ręki, a doraźne kary w rodzaju — nie wyjdziesz dzisiaj albo nie pójdziesz do Ewy, dopóki... były krótkotrwałe.

Trzeciego dnia nie poszłam do szkoły, bo bałam się, że dwa dni już nie byłam. Jeden dzień jeszcze może by uszedł, jakbym szczerze porozmawiała z wychowawczynią, ale dwa? Nikt nie uwierzy, że nawet żadnej przyjemności z tych wagarów nie miałam.

Czwartego dnia rano zrozumiałam, że myśląc w taki sposób, mogę od razu zrezygnować ze szkoły i pójść pracować na pocztę. Wtedy do dziewcząt mówiono: na poczcie będziesz pracować!, a do chłopców: śmieci będziesz wywoził!

Na poczcie pracować nie chciałam, bo nie znałam żadnego pisarza, który by tak zaczynał karierę. Nawet London nie pracował na poczcie.

Podjęłam decyzję o powrocie. Do szkoły przyszłam blada jak trup. Wychowawczyni natychmiast zapytała, co się ze mną działo od poniedziałku do środy i gdzie mam usprawiedliwienie.

— Nie mam i nie będę miała nigdy — powiedziałam odważnie, chociaż bardzo cicho.

Wychowawczyni wzięła mnie na bok i wydusiła ze mnie przyznanie się do winy i do strachu, a potem wzięła dziennik i odfajkowała mi całe trzy dni, usprawiedliwiając tym samym moją nieobecność bez informowania rodziców o tym, jaka byłam niedobra i przestraszona własną głupotą.

*

Lekcja polskiego.

— Rola songów w *Matce Courage* — mówi Pani Profesor. — Przygotujecie odpowiedź sami.

Niestety, sami mieliśmy inne plany.

Jeśli dobrze pamiętam, w tym okresie, jako przyjaciel chłopców z naszej klasy, pojawił się niejaki Średnik. Średnik był absolutnie rewelacyjny jako kumpel. Podprowadził na przykład ojcu czapkę milicyjną i zatrzymał na ponad godzinę ruch przy pomniku Lotnika — bo postanowił pokierować pojazdami. I nie przepuszczał pieszych. Dopóki nie podjechał jakiś radiowóz i go nie zwinął. Albo bawił się na prywatkach tak, że wyrzucał lampy przez okno i mierzył na stoperze czas, mówiąc, że mierzy prędkość światła. Albo pojechał z naszą klasą — do dziś nie wiadomo w jaki sposób — na wycieczkę szkolną do Wrocławia. Mieszkaliśmy w jednostce wojskowej dzięki uprzejmości jednego z rodziców. Raz nam się tylko udało z tej uprzejmości skorzystać, bo potem już poszła fama. Chłopcy zaraz pierwszej nocy ruszyli zwiedzać jednostkę i zamknęli jednego z kolegów w dość dużym sejfie, po czym przekręcili to olbrzymie koło i okazało się, że nie ma ani szyfru, ani możliwości otwarcia i całe dowództwo zostało postawione na nogi.

Ale wracam do lekcji polskiego — przez trzy dni pod rząd wszyscy byli odpytywani z roli songów w *Matce* i po kolei dostawaliśmy dwóje. Nikomu nie przyszło do głowy nawet przeczytać, a co dopiero rozumieć, mimo że humaniści, a poza tym nawet jeśli ze dwie osoby były przygotowane, to nie miały prawa się odezwać — staraliśmy się być wobec siebie lojalni.

Kiedy każde z nas otrzymało mniej więcej po dwie do trzech dwój za jeden temat — byliśmy doprawdy wkurzeni. Ja nie bardzo, bo nie przywiązywałam się do stopni, ale na przykład Aśce, prymusce, bardzo zależało na świetnej średniej i ona jedna z całej klasy czytywała Tatarkiewicza, a nawet umiała kląć po francusku.

Nadeszły jednak szczęśliwie święta i Nowy Rok, po feriach spotkaliśmy się w szkole. Nauczycielka polskiego chciała zatrzeć niemiłe dla nas wszystkich wspomnienie Brechta i odpytała nas, jak spędziliśmy sylwestra.

Chłopcy powiedzieli, że nie pamiętają, ktoś się zwierzał, że był u cioci, znalazła się jedna idiotka, która mówiła, że nadrabiała zaległości, bo to wspaniały czas na naukę, lizuska jedna, a Aśka, śmiertelnie obrażona na wychowawczynię za tę dwóję z songów, nic.

— Ciebie, Asiu, widziałam chyba w Grand Hotelu — powiedziała wreszcie pani profesor od polskiego.

— Chyba przez szybę — warknęła nieopatrznie Aśka, która jako jedyna z nas spędzała sylwestra jak dorosły człowiek.

Cud, że nie wyleciała ze szkoły. Wczoraj do niej zadzwoniłam i przypomniałam tę lekcję. A ona mówi:

— Tylko nie pisz po nazwisku, ja teraz uczę w szkole, wiesz, co to będzie, jak moi uczniowie przeczytają?

A potem zadzwoniła drugi raz.

— Właściwie to ja im to opowiadałam, więc możesz.

Dzisiaj rano przysłała mejla:

— Daj tylko imię, przecież mnie ze szkoły wyrzucą.

Nic się nie zmieniło. Ciągle, widzę, ma ten sam problem. Kiedyś jako uczennica, dziś jako nauczycielka.

*

Życie szkolne bardzo mnie pochłaniało. W dalszym ciągu spotykałam się z Anią i Ewą, które chodziły do innych szkół, ale grono moich przyjaciółek powiększyło się o Agnieszkę, Aśkę, Ewkę Gałecką, Beatkę Herzog. Beatka była moim absolutnym fizycznym przeciwieństwem. Malutka, szczuplutka blondyneczka, po szkole baletowej i muzycznej. Utalentowana, z poczuciem rytmu. Nie można się dziwić, że usiadłyśmy w tej samej ławce. Gałecka miała podobne poczucie humoru i niestety, podobnie głupie pomysły. Siedziała obok, razem z Anką I. Aśka malowała się, bardzo dobrze uczyła i miała niewyparzony język. Podpadała na każdym kroku, ale nie można jej było stawiać dwój, ponieważ ze wszystkiego była genialna. Agnieszka zaś była niezwykle spokojną, lojalną, wspaniałą dziewczyną. Powtarzała nam:

— To tylko jeszcze cztery lata, trzy lata, dwa lata, rok, wytrzymamy. A potem — nigdy więcej szkoły.

Dziś jest dyrektorem jednej z najlepszych szkół w Warszawie. Wstaje rano i robi właśnie to, czego tak nie znosiła — idzie do szkoły. Być może bycie dyrektorem różni się od bycia uczniem, ale jeśli ma w swojej szkole choćby jedną taką klasę jak ta, do której chodziła, to jej współczuję z całego serca.

Agnieszka nie paliła z nami papierosów, a mimo to przesiadywała w damskich toaletach. Nigdy nie była prowodyrem wagarów, ale kiedy ustaliliśmy, że zwiewamy z lekcji, szła razem z nami do kina. Nie trzepała ozorem po próżnicy tak jak Gałecka, ja i Aśka, a mimo to mogłam z nią pogadać. Nigdy nie zawiodła niczyjego zaufania. Jedyną jej wadą było to, że jadła, jadła kanapki albo jabłka, albo pączki i była szczupła! Jakby nie dość tego, że ładna!

Ale na razie jeszcze jesteśmy wszyscy w szkole, tym razem na lekcji geografii.

Nasza szkoła mieściła się (a nawet jeszcze dzisiaj się mieści) w starym, przedwojennym gmachu. Stare budynki mają to do siebie, że są zbudowane z cegieł i mury są bardzo grube. Tak grube, że w wykuszach okiennych mogą się zmieścić przynajmniej dwie osoby i wcale ich nie widać.

Pani od Geografii, w przeciwieństwie do innych profesorów, którzy nijak nie mogli usiedzieć na miejscu, nigdy nie chodziła po klasie, wobec tego Piotrek z Andrzejem K. weszli na parapet — byli widoczni dla całej klasy, tylko nie dla pani profesor, która stojąc pod mapą, próbowała nam, już licealistom, uświadomić, gdzie na przykład leży Azja.

— Tu nad moją głową, widzicie?

Kiwaliśmy głowami w zadumaniu, że to fantastyczne, że Azja leży nad głową. Coś podobnego. Czasem któreś z nas mówiło:

— A Ameryka Północna koło pani brzucha, prawda?

— Można tak powiedzieć — potwierdzała Pani od Geografii, a myśmy radowali się niepomiernie.

W tym czasie, kiedy usiłowaliśmy ze skutkiem dość dobrym i bez specjalnego wysiłku robić z siebie głupków, Piotrek i Andrzej K. wsadzili sobie w spodnie trzymetrowe czerwone szarfy, zwykle używane w pochodach pierwszomajowych. Pochody były obowiązkowe w naszej szkole, sprawdzano obecność przed i po, a z szarf musieliśmy się rozliczać. Te dwie, z których chłopcy robili właśnie wesoły użytek, były nierozliczone.

W rytm słów profesorki rozpinali spodnie i wyciągali po kawałeczku szarfy, kręcąc się przy tym jak tanie tancerki go-go, przytuleni do ściany.

Byliśmy zachwyceni, albowiem widok wygłupiających się na parapecie chłopaków oraz nauczycielki, która nie miała pojęcia, co się dzieje, był wart każdych pieniędzy. Dusiliśmy się ze śmiechu. Jeśli komuś czasem wyrwało się jakieś parsknięcie, profesorka marszczyła się i pytała:

— Czy mogę wiedzieć, co jest tak wesołego w zasobach węgla brunatnego na terenie ZSRR?

Wtedy szarfy zamierały i chłopcy wciągali je szybko z powrotem, jakby sama nazwa zaprzyjaźnionego kraju była już mocno pouczająca. Była to jedna z weselszych lekcji, niestety, zakończona dość szybko wizytą dyrektora.

On nas bez przerwy sprawdzał, ponieważ sprawialiśmy kłopoty wychowawcze. Miałam wrażenie, że dyrektor szkoły jest zatrudniony jako pomoc dla naszej klasy.

Pierwsze, co zobaczył po nagłym otwarciu drzwi, to Piotrka i Andrzeja w wykuszu okiennym naprzeciwko wejścia, z wiszącymi z rozporków długimi czerwonymi szarfami.

Obaj zostali zawieszeni w czynnościach ucznia, co ich bardzo uradowało, bo przez trzy dni nie mogli przychodzić do szkoły, nawet gdyby chcieli, choć nie chcieli, rzecz jasna. Potem ich pouczono i odwieszono.

*

Ale byli też nauczyciele, którzy nie budzili w nas uprzedzeń. Na przykład fizyczka — urocza i dobra profesor Skorupińska. Co prawda na jej lekcji czasem kładliśmy ławki do góry nogami, że się tak wyrażę, i siedzieliśmy przy tych sterczących nogach, ale fizyczka w ogóle nie stanowiła przedmiotu naszych głupich zabaw, czy nie daj Boże drwin.

Czasem zwracała uwagę na sterczące w sufit nogi stołów i wydawała się lekko zdziwiona.

— Dlaczego tak siedzicie?

— Bo tak było, pani profesor — mówiliśmy bezczelnie.

— Skoro tak chcecie — mówiła i przechodziła do wykładów na tematy nam nieznane i zupełnie przez nas lekceważone. Czasem próbowała ustalić, czy wiemy, co się stanie, jeśli jakaś siła wybije elektron z jednej powłoki, i pytała nas o to.

— Spadnie na ziemię? — zgadywaliśmy.

Ale jednak wypadało zachowywać się przyzwoicie na jej lekcjach, ponieważ, niestety, lubiła młodzież w ogólności i nie odróżniała nas od normalnej reszty uczniów. Po prostu lubiła wszystkich, *a prori* i bez uprzedzeń.

Kiedy któreś z nas, wyrwane do tablicy, pieczołowicie pisało p r a c a, patrzyła na delikwenta i mówiła:

— Wiem, że jesteście humanistami, ale na fizyce posługujemy się symbolami. Jaki symbol ma praca?

— Nie było! — krzyczeliśmy zgodnie.

Kręciła głową z niedowierzaniem, podchodziła do tablicy i rozwiązywała skomplikowane zadanie sama. Bardzo ją miło wspominamy. W przeciwieństwie do matematyczki.

*

Matematyczki w naszej klasie pojawiały się jak grzyby po deszczu. Ledwo któraś zdążyła wejść, to, że tak się wyrażę, schodziła ze sceny. Pierwsza z nich nie lubiła nas od razu, bez powodu, czym zasłużyła sobie natychmiast na podwójną wzajemność. Traktowała nas źle, a były jeszcze wtedy w klasie osoby, które matematykę lubiły i które wyniosły tę brzydką przypadłość ze szkoły podstawowej.

Matematyczka, niestety, w ogóle nie zwracała na to uwagi. Odczytywała nam z podręcznika lekcję, a potem na przykład kazała narysować trapez, dokładnie taki jak w podręczniku. Jedno z nas, zawołane do tablicy, ilustrowało ten skomplikowany twór kredą, a reszta potulnie przerysowywała.

Gałecka od razu podpadła, bo sympatię do matematyki i geometrii wyssała z mlekiem swoich podstawowych nauczycieli. A pani K., ubierająca się zwykle w jadowity róż, w ogóle nieznany kolor w tamtych czasach (różowe były wyłącznie majtki), odwracała się czasami do nas i, palcem wskazując na tablicę, pytała retorycznie:

— Widzicie? Tak dobrze?

Należało milczeć.

Ale Gałecka nie wytrzymała przy trapezie i powiedziała:

— Nie jestem pewna, w książce ten trapez jest bardziej na lewo.

Pani K. dostała szału.

Dostawała szału często i bez powodu, a tu powód sam się jej podłożył. Gałecka ze swojej miłości do matematyki szybko została wyleczona bezwzględnością pani K., której ulubionym powiedzonkiem stało się:

— Czy wiesz (tu następowało nazwisko któregoś z nas, na kogo padnie, na tego bęc), czym ty się różnisz od prostej? Prosta jest nieograniczona!

Zdecydowanie jej nie lubiliśmy. Nie mogła więc mieć z nami łatwo. Kiedyś wszyscy zrobiliśmy od razu głupie miny tępaków, gdy tylko weszła do klasy. Półotwarte usta, mętny wzrok wbity w okolice orła wiszącego nad tablicą (*Polką żeś ty świat ujrzała*).

Spojrzała na nas i przystąpiła do wykładu, to znaczy do czytania rozdziału z książki, a my nic, gęby otwarte, oczy szukające rozumu. Rozzłościła się:

— Ale co z wami jest, jak tak można!

— A bo pani profesor ma bluzkę na lewą stronę — powiedział odważnie ktoś spostrzegawczy.

Wybiegła z klasy i przebrała się. Wróciła obrażona. Zaczęła nas tępić za tę swoją bluzkę. W tej walce okazaliśmy się słabsi, dwój przybywało, a jej złość wzrastała wprost proporcjonalnie do naszej szczerej, choć ukrywanej nieudolnie niechęci.

A przecież staraliśmy się!

Pewnego dnia Sławek P. — dziś jeden z najbogatszych ludzi w Polsce, przyniósł do szkoły jo-jo na baterie, przywiezione z głębokiego Zachodu. W życiu takiego nie widzieliśmy i bawiliśmy się nim cały dzień. Kiedy jo-jo się opuszczało albo podnosiło, światełka świeciły i to była naprawdę przednia zabawa dla szesnastolatków.

— Proszę mi to dać! — powiedziała pani K., która zauważyła błysk światła pod ławką.

Obejrzała z uznaniem zabawkę, podrzuciła jo-jo parę razy i powiedziała pojednawczo:

— Za moich czasów takich nie było.

— Bo wtedy jeszcze prądu nie było — wyszło komuś za głośno, zupełnie niechcący.

Obraza zaowocowała w dwójnasób.

Poszliśmy do wychowawczyni i próbowaliśmy przez nią jakoś załatwić zawieszenie broni. Wychowawczyni po prostu powiedziała:

— Kupcie kwiaty, przeproście, a potem zobaczycie, co będzie.

Złożyliśmy się solidarnie na kwiaty w celu przeprosin, pierwszy i ostatni raz. Kwiaty zostały kupione i zaczęliśmy szukać wśród nas kogoś, kto je wręczy. Chętnych nie było, nikt po prostu nie chciał! Krakowskim targiem położyliśmy te kwiaty na biurku nauczycielki bez słowa.

Uczyła nas jeszcze przez jakiś czas, potem odeszła. Odetchnęliśmy z ulgą.

*

Prawdę powiedziawszy, jako klasa humanistyczna byliśmy lekceważeni przez nauczycieli matematyki. Kiedy w drugiej klasie stara, emerytowana matematyczka zachorowała, zastępstwo dostały tylko klasy biologiczno-chemiczna i matematyczna. Humaniści, jako „incydentalni debile", których prawdziwa nauka nie interesuje, zostali na lodzie.

Od czasu do czasu ktoś się zjawiał i pytał, w którym punkcie nauczania jesteśmy.

— Czy były różniczki?

— Nie było! — krzyczeliśmy zgodnie.

— Rachunek prawdopodobieństwa?

— Nie było!

— Funkcje?

— Nie było!

Matematyk podnosił wysoko brwi, a potem mówił:

— Ja tu tylko na jedną godzinę jestem, to przygotowujcie się do innych lekcji.

W zależności od potrzeb albo uczyliśmy się, albo przygotowywaliśmy jakiś plan. Na początku drugiej klasy zostaliśmy powiadomieni, że przychodzą do nas dwie nowe osoby. Mieliśmy je przyjąć godnie i po przyjacielsku, pomóc im się zaadaptować do nowych, trudnych warunków i wykazać możliwie najdalej idącą empatię.

Kiedy więc w drzwiach pojawiła się śliczna, zgrabna czarna dziewczyna, Marek M. (ty się tym różnisz od prostej, że prosta jest nieograniczona!) podskoczył do niej, klepnął ją przyjaźnie w apetyczny tyłeczek i krzyknął:

— Mogę cię dzisiaj zaprosić na kawę, kochanie, i radzę skorzystać, póki mi zależy!

„Kochanie" podeszło do stołu nauczycielskiego, oblało się czerwienią, położyło na stole dziennik, który przyniosło pod pachą, a w klasie po raz pierwszy i ostatni na lekcji matematyki zapanowała cisza.

Niestety, ta młoda dziewczyna, która okazała się świeżo upieczoną nauczycielką, nie wykorzystała należycie wrażenia, jakie na nas zrobiła. Zamiast zabić Marka oraz natychmiast kontrolnie wezwać przynajmniej trzy pierwsze osoby do tablicy i postawić z sześć dwój, powiedziała rzecz straszną, która uświadomiła nam, że nigdy, ale to przenigdy nie musimy już się martwić matmą.

— Kochani. Nie przyszłam tu utrudniać wam życia. Chciałabym, żebyście polubili ten przedmiot tak jak ja. Nie będę stawiać wam dwój. Jeśli jesteście nieprzygotowani, zgłoście to, uczciwość nagrodzę tylko minusem. Trzy minusy mogą, ale nie muszą przeobrazić się w stopień niedostateczny. Przedtem obiecuję uczciwie odpytać was z tego materiału. Dwójka nie jest końcem świata, ponieważ może być unieważniona, jeśli wykażecie dobrą wolę i napiszecie sprawdzian. Dopiero trzy dwójki niepoprawione mogą zmienić się w ostrzeżenie, że jesteście zagrożeni. Ale jeśli będę wiedziała, że wam zależy, jeśli nie opuścicie żadnej lekcji i przyjdziecie na kółko matematyczne, które dla was specjalnie poprowadzę, nie macie się czego bać.

I my, gamonie, odetchnęliśmy z ulgą. Anka I. otworzyła zeszyt do francuskiego i zaczęła zrzynać od Aśki, ja natychmiast wyciągnęłam łacinę, chłopcy błyskawicznie wyjęli karty i sekretnie stworzyli czwórkę do brydża, a Jarek B. trzymał na wyciągniętych rękach wełnę dla Agnieszki, która lubiła w szkole robić na drutach.

Wiedziałam, że matura z matematyki to będzie cud nad Łazienkowską. W klasie już zaszumiało.

— Cisza! — zawołała pani.

Ale było za późno.

Niestety, już załapaliśmy, że w ogóle nie musimy się liczyć z tą dziewczyną, niewiele starszą od nas.

Próbowała nas jeszcze dwa razy opanować. Biedna, postraszyła nas kartkówką, klęknęliśmy wszyscy koło ławek i — był to pomysł Gałeckiej — schyliliśmy głowy do ziemi. Pani A. już była zdenerwowana. Krzyknęła, że idzie po dyrektora.

Kiedy wróciła razem z dyrektorem, siedzieliśmy grzecznie w ławkach, a przed każdym z nas leżała karteczka. Cisza jak makiem zasiał. Dyrektor był podejrzliwy. Usiadł w tylnej ławce i dotrwał do samego dzwonka. Wszyscy dostaliśmy dwóje, ale jak wiadomo, dwój nie trzeba było brać poważnie, bo jeśli tylko zechcemy łaskawie bywać na lekcji, to… patrz wyżej.

W listopadzie chłopcy już jawnie grali w brydża na dwa stoliki, a dziewczyny robiły, co chciały. Aśka uczyła nas malować oczy.

— Herzog, do odpowiedzi! — Pani A. była na nas zła.

— Zgłaszałam nieprzygotowanie — wzruszała ramionami Beatka i dalej uczyła się łaciny.

— Małolepszy!

— Trzy bez atu — mówił Marek. — Przepraszam, ale rozgrywam.

— Jacek! To chociaż ty!

— Kontra — powiedział Jacek.

I tu pani A. nie wytrzymała.

— Jutro pojawisz się z ojcem!

Jacek podniósł się i powiedział:

— Ale ja nie mam ojca.

W klasie zapanowała cisza. Spojrzeliśmy na Jacka z zainteresowaniem. Wczoraj miał, dzisiaj nie ma? I my nic nie wiemy?

— To z matką! — krzyknęła pani A.

Ale widać było, że wiele ją to kosztowało.

— Ja matki też nie mam — powiedział cicho Jacek, a pani A. łzy zabłysły w oczach.

Cisza jak makiem zasiał rozsypała się po klasie.

— Ja jestem kompletny sierota — dodał Jacek zupełnie niepotrzebnie, bo dopiero wtedy pani A. sięgnęła do dziennika, w którym były jego dane.

— Kłamiesz! — powiedziała cierpko.

— Oczywiście — Jacek był zgodny.

— Pójdziesz do dyrektora i o wszystkim mu opowiesz.

— Dobrze, pani profesor, przepraszam — powiedział Jacek, który za czas jakiś uratuje mi życie, i odłożył karty.

I wyszedł z klasy. Za sekundę uchyliły się drzwi i wszedł dyrektor. Jak gdyby nigdy nic przeszedł do ostatniej ławki i usiadł. Zamieniliśmy się w anioły. Za mniej więcej dziesięć minut wrócił Jacek.

— I co? — zapytała pani Ania.

Dawaliśmy mu rozpaczliwe znaki, żeby się rozejrzał po klasie, wskazywaliśmy na tył sali, robiliśmy straszne miny. Chcieliśmy go ratować, ale się nie dało, albowiem Jacek patrzył poczciwie swoimi niewinnymi, dużymi niebieskimi oczyma tylko na nauczycielkę.

— Nic. Pan dyrektor kazał mi panią przeprosić i obiecać, że to się nigdy nie powtórzy.

I spokojnie usiadł w swojej ławce. Rozejrzał się po nas triumfalnie. W klasie było dosłownie s ł y - c h a ć jego spojrzenie oraz chwilę później szurnięcie krzesłem.

Nad Jackiem stanął dyrektor. Jacek podskoczył i wyprostował się jak struna.

— A więc byłeś u mnie i co ci kazałem powiedzieć...

— Żebym przeprosił... — wyjąkał Jacek.

Czuliśmy, że tym razem granica została zdecydowanie i nieodwołalnie przekroczona.

— Ja? — dyrektor tym razem w ogóle nie był zabawny.

— No tak... — szedł w zaparte Jacek, a my z zapartym tchem śledziliśmy tę scenę.

— Ja? — powtórzył dyrektor.

— Pan? — zapytał Jacek, jakby sobie nie mógł przypomnieć.

I pomyśleć, że nie za to wyleciał ze szkoły, nie, chociaż gdybym nie miała zewnętrznej pamięci w postaci Aśki, Beaty, Agnieszki, tobym pewno się przy tym upierała.

Matematyczka, pani A., zrezygnowała z pracy w naszym liceum. Mam nadzieję, że znalazła coś dużo fajniejszego i że nam wybaczyła, że byliśmy tacy durni.

*

Lekcja historii to już zupełnie co innego.

Znakomita profesorka — starsza, siwa pani, ze słabością do historii i słodyczy. Po pierwsze, powiedziała nam, że podręczniki możemy wyrzucić do kosza. Po drugie, zdejmowała reformy (długie bawełniane majtki w kolorze różowym) i wieszała na kaloryferze obok swojego biurka. Wkładała je po skończonej lekcji, jak się nagrzały (mam trzydziestu świadków). Po trzecie, kazała nam przeczytać *Mitologię* Parandowskiego, więc z historii nie byłam najgorsza, bo *Mitologię* Mama nam czytała, jak byliśmy w pierwszej podstawowej.

Z historią, okazało się, sprawa była prosta, tylko musieliśmy zasięgnąć języka od poprzednich pokoleń.

Już piętnastego września Gałecka ogłosiła na historii swoje urodziny (zupełnie prawdziwe), przynosząc na lekcję kilogram krówek. Profesorka rozjaśniła się, powiedziała, że wobec tego nie będzie pytać. Traf chciał, że szesnastego kolega Andrzej kończył kolejne naście lat. Przyniósł kilogram krówek. I tak poszło!

Wystarczyło kupić pączki lub krówki i ogłaszać kolejne urodziny bądź imieniny jednego z nas. Czasem zaś w desperacji, że oto żadne z nas nawet nie zbliża się do urodzin, imienin, ani imienin swojego drugiego imienia, ogłaszaliśmy Święto Klasy. Ze trzy razy w okresie.

Pani profesor miękła na naszych oczach, zrzucała majtki, wrzucała w siebie sześć pączków i nie miała serca odpytywać. Tak to się toczyło mniej więcej do maja, wszyscy kilka razy w roku świętowaliśmy swoje urodziny i imieniny, nie licząc różnorakich świąt klasowych ogłaszanych na bieżąco i w miarę potrzeb. I dopiero w maju okazywało się, że lekko nie jest. Ale historię musieliśmy umieć.

W przeciwieństwie do astronomii.

*

Lekcja astronomii. Do klasy wchodzi młody, przystojny nauczyciel. Mężczyzna. Rzadkość w naszej szkole. Nie wiemy, czego możemy się spodziewać, on wie. Jesteśmy pod wrażeniem i na nasłuchu.

Nauczyciel omiótł nas spojrzeniem bez słowa. Cisza.

— Klasa humanistyczna? — zapytał, jak nam się wydawało, z niesmakiem.

Kiwnęliśmy nieśmiało głowami. Patrzył, patrzył, patrzył. Długo. A potem zapytał:

— Czy ktoś z was ma może niedorzeczny pomysł i chce zdawać maturę z astronomii, bo tak ten przedmiot się nazywa?

Spojrzeliśmy po sobie w milczeniu. Nikomu nie odwaliło.

— Dla ułatwienia, ci, którzy chcą zdawać astronomię, niech podniosą rękę.

Nikt nie podniósł, natomiast nauczyciel zaprezentował nam książkę zatytułowaną *Astronomia dla klas czwartych* i powiedział:

— Książka ma dwieście sześćdziesiąt stron, okładkę przednią i tylną, kolor granatowy. Macie taki podręcznik?

Wszyscy grzecznie wyciągnęliśmy nasze podręczniki i sprawdziliśmy, czy są takie same. Były.

— To teraz schowajcie.

Zgłupieliśmy. Schowaliśmy. Milczeliśmy.

— Połączcie ławki tak, żebyście mogli przy nich usiąść czwórkami.

W klasie zapanował rozgardiasz. Umiarkowany, bo nie wiedzieliśmy, czego możemy się spodziewać po astronomii w czwórkach. Pan otworzył dziennik i po kolei zaczął wyczytywać nasze nazwiska.

— Kto gra w brydża, ten się przyznaje — zapowiedział przedtem.

Ogarnęła nas niepewność, że oto kroi się jakiś podstęp. Przy grających pan stawiał ptaszka. Przeleciał przez całą listę i zamknął dziennik. Podszedł do tablicy, wszyscy nie odrywaliśmy od niego wzroku.

Wziął kredę i dużymi literami napisał: Lekcja numer 1, zasady wistowania.

Było wiadomo, że żartów tym razem nie ma. Pokornie uczyliśmy się grać w brydża, z tym że ja już grałam od dziesięciu lat, więc razem z Markiem, Jackiem, Andrzejem, w czasie kiedy inni dopiero stawiali pierwsze kroki, miałam nauczycielskie pozwolenie na kolejne robry.

Tuż przed końcem pierwszego semestru Pan od Astronomii zaskoczył nas po raz kolejny.

— Będę wystawiał stopnie z astronomii za pierwszy semestr. Wyjmijcie kartki.

Powiało grozą.

Nerwowo wydarliśmy kartki z innych zeszytów, bo do astronomii zeszytów nie mieliśmy.

Zresztą tak samo jak do matematyki. I historii. W ogóle mieliśmy niewiele zeszytów.

— Proszę napisać podanie o stopień z astronomii.

Zgłupieliśmy.

Co to znaczy?

Chyba ktoś się odważył o to zapytać.

— To znaczy, że jeśli chcesz mieć tróję, napisz uprzejmie, że chcesz mieć tróję i uzasadnij dlaczego.

A jednak impas! Napiszę, że piątkę, to może będzie pytał. Tylko z czego, jak o astronomii dotychczas nie było mowy? Trzeba się będzie jednak czegoś nauczyć. A po co, skoro było tak przyjemnie?

Na wszelki wypadek poprosiłam o czwórkę i uzasadniłam swą prośbę tym, że będzie to doprawdy jedna z niewielu moich czwórek, która podniesie mi średnią na świadectwie maturalnym.

Szum w klasie odrobinkę się wzmógł, dochodziły do mnie szepty:

— Ty, o co chodzi?

— Ty, co piszesz? Trója czy czwórka? Jak uzasadniasz?

Tylko Beatka poprosiła o piątkę. Ryzykantka.

Pan zebrał kartki i czytając tylko uzasadnienia, wstawił do dziennika stopnie. Dostałam czwórkę,

Beata piątkę. Było to doprawdy niesprawiedliwe, ponieważ grałam w brydża na pewno dłużej i lepiej niż ona. Ona do dzisiaj nie wie, co to jest czterotreflówka. Pocieszał mnie tylko fakt, że jednak były to stopnie z astronomii, a nie z brydża.

Ten proceder powtórzył się pod koniec roku, tym razem poprosiliśmy o lepsze stopnie. Niestety, Pan od Astronomii już sprawdzał oceny z innych przedmiotów, żeby nie odbiegać od normy, i co gorsza, brał pod uwagę stopnie z astronomii za pierwszy semestr.

Dwa lata temu, na spotkaniu z okazji jakiejś bardzo zaawansowanej rocznicy istnienia naszej szkoły, Pan od Astronomii wyciągnął swój notesik z naszymi stopniami, który skrzętnie przechowywał przez lata, tak zapadliśmy mu w pamięć, oraz przeszedł z nami na „ty".

*

Lekcja propedeutyki nauk o społeczeństwie. Profesorka od Propedeutyki była młoda i zasadnicza. Próbowaliśmy na różne sposoby wyprowadzić ją z równowagi, na przykład przynosząc do szkoły teksty źródłowe z zupełnie innych źródeł niż podręczniki. Pytaliśmy ją o siedemnasty września trzydziestego dziewiątego i o Katyń. O odwieczną przyjaźń polsko-radziecką i o pakt

Ribbentrop–Mołotow. Przytaczaliśmy publikacje zagraniczne i opowieści rodzinne. Wzięliśmy ją nawet nie w dwa ognie, ale w trzydzieści dwa. Kiedy zapytaliśmy o uczciwość wobec młodych i bezkompromisowych ludzi, takich jak my, popatrzyła na nas uważnie i powiedziała:

— Jesteście inteligentni. A ja mam trzydzieści dwa lata, dwoje dzieci, mój mąż zmarł na serce w zeszłym roku. Czy chcecie mnie pozbawić jedynej pracy, czy umieścicie własne tyłki w ławkach i będziecie udawać, że to, czego się uczycie, to prawda? Być może to, czego się od was wymaga, kiedyś się przyda. Może dożyjemy takich czasów, że wasze dzieci nie uwierzą, czego musieliście się uczyć. Życzę wam tego z całego serca. Macie jakieś pytania?

Nie mieliśmy. Nikomu nie powtórzyliśmy, co nam powiedziała. Na jej lekcjach panował spokój.

*

Ale były jeszcze lekcje rosyjskiego, przymusowe. Ach, jaka szkoda, że nie wiedzieliśmy, iż już wkrótce runie mur berliński i znajomość rosyjskiego będzie na wagę złota!

Lekcje rosyjskiego nie były skomplikowane. Pani Profesor czytała nam na przykład fragment jakiejś książki, a jako pracę domową zadawała zaprojektowanie okładki do dowolnie wybranej rosyjskiej lub radzieckiej książki.

Żeby uściślić — do książki, którą — jak domniemywała Pani Profesor — już przeczytaliśmy.

Z rysowaniem nie mieliśmy problemów, ale z czytaniem po rosyjsku dość duże. Na przerwie podkradliśmy się do zeszytu pewnej prymuski, która bardzo ładnie wpuściła niebieską rzekę z jednej strony kartki, a wypuściła z drugiej i podpisała „Tichyj Don".

Kolega Andrzej K. całą łacinę poświęcił na narysowanie podobnie cudnej rzeki, tylko jeszcze ładniejszej, i podpisanie jej jeszcze ładniejszym podpisem, aczkolwiek tym samym. Koledze Andrzejowi K. groziła dwója z rosyjskiego, więc chciał się wykazać. I prawie by mu się udało, gdyby nie to, że koledzy z klopkomanda wyciągnęli mu zeszyt na przerwie i każdy z nich coś dorysował. A to palmę, a to kociołek z gotującym się Murzynkiem na brzegu, a to duże ognisko z podskakującymi Indianami, a to gołą pupę wystającą z rzeki, a to samotną rączkę, a to idący od tej rączki dymek z napisem „Help".

Po uzupełnieniu właściwego rysunku radosną twórczością kolegów zeszyt został schowany do teczki, żeby Andrzej K. nie miał cienia podejrzeń.

Kiedy pani profesor zapytała:

— *Kto sdiełał zadaczu?*

Wszyscy chórem odpowiedzieliśmy:

— *Wsie!* Ale Andrzej K. *oczeń krasiwo!*

Andrzej spuchł z dumy. Profesorka łaskawie skinęła głową. Andrzej podszedł z zeszytem. Profesorka spojrzała na rysunek, a Andrzej patrzył na nas dumnie. Mieliśmy w jednym kadrze zmieniającą się na naszych oczach Profesorkę i niczego nieświadomego kolegę.

— *A eto czto???* — zagrzmiała.

— *Tichyj Don* — powiedział z dumą Andrzej.

— *Czto eto, czto eto!* — krzyknęła Profesorka i podetknęła Andrzejowi pod nos zupełnie nie jego rysunek oraz podniosła do góry zeszyt, tak żebyśmy mogli jeszcze raz zobaczyć gotującego się Murzynka i tyłek topielca.

Andrzej sczerwieniał jak nigdy. Nie mógł wydusić z siebie słowa. Nie wierzył własnym oczom.

To chyba przekonało ostatecznie Profesorkę, że winnego należy szukać gdzie indziej. Powiodła spojrzeniem po klasie i wstrzymała się przed niedostatecznym.

— Narysujesz co innego na następną lekcję — powiedziała. — *Czto nibud'.*

— Może być lodołamacz „Lenin"? — ucieszył się Andrzej.

— Ty chiba jesteś nienormalnyj — powiedziała Profesorka, mówiła to zdanie mniej więcej trzydzieści razy na każdej lekcji — czasem kilkakrotnie do tej samej osoby.

Jeśli dzisiaj, jako dorośli ludzie, spotykamy się czasami i ktoś powie coś, co nie od razu zyskuje nasz aplauz — zawsze się znajdzie jakaś poczciwa dusza, która przypomni: „ty chiba jesteś nienormalnyj".

*

Normalni nie byliśmy, ale za to nad podziw rozwinięci. Ponieważ liceum nasze dzieliła niewielka odległość od alei Żwirki i Wigury — czyli miejsca strategicznie ważnego — mieliśmy też inne zadania do spełnienia w ramach obowiązków uczniowskich. Aleja Żwirki i Wigury to jedyna droga, którą z lotniska można przejechać do centrum Warszawy. Kiedy tylko pojawiała się ważna delegacja zagraniczna — przylatywał zaprzyjaźniony z naszym krajem przywódca innego zaprzyjaźnionego kraju — byliśmy spędzani na trasę przejazdu zaprzyjaźnionego dyplomaty, żeby w spontaniczny sposób dać upust naszej wyjątkowej radości z przyjazdu owego zaprzyjaźnionego dygnitarza. Jako jedyni śledziliśmy dzienniki i jako jedyni wypatrywaliśmy z radością wizyt ze Związku Socjalistycznych Republik Radzieckich, Węgier lub Bułgarii.

Bardzo lubiliśmy się cieszyć i machać chorągiewkami zaprzyjaźnionych państw. Bardziej niż siedzieć w szkole.

Niestety, przez własną głupotę zostaliśmy tego pozbawieni. Pewnego dnia, kiedy gorąco witaliśmy Fidela Castro (tak, tak, wtedy już też żył i też był zaprzyjaźnionym przywódcą, choć dziś trudno mi w to uwierzyć), chyba Marek M. wpadł na pomysł, żebyśmy zamiast chorągiewek wyjęli klucze lub inne urządzenia metalowe, potrząsali nimi i wydawali onomatopeiczne dźwięki. Tym pomysłem zaraziliśmy sąsiednie klasy.

Kiedy czarna limuzyna z ochroną przejechała wolno koło nas, rozległo się tylko sromotne:

— Meeeeee, meeeee, meeeee...

I dzwonienie kluczy.

Nie wiem, czy socjalizm od tego upadł, ale mam nadzieję, że nasz wkład był bezcenny.

*

Spędzanie młodzieży w jedno miejsce zawsze musi zaowocować jakimś nieprzewidzianym kłopotem. Zawsze. Tak było i tak będzie, po prostu.

Całą szkołą zostaliśmy zapędzeni na film *Westerplatte* do kina Relax, najelegantszego wtedy kina w Warszawie. Było wiadomo już w tramwaju, że to się dobrze nie skończy.

Kiedy wreszcie usiedliśmy na widowni, wystąpił chyba dyrektor z kierownikiem kina, żeby przypomnieć nam, że film wiąże się z niezwykle ważnym w naszej historii bohaterstwem i że obaj mają nadzieję, iż będziemy z należytym szacunkiem i obudzonym patriotyzmem na film ten patrzeć i że nie będzie głupich komentarzy, śmiechów i zabawy.

Dopóki nam nie podpowiedziano, co możemy robić, byliśmy nawet trochę poważni. Ale po tym upomnieniu ogarnęła nas głupawka.

Nie wiem, czy ktokolwiek był kiedyś w kinie dużym na kilkaset miejsc, gdzie siedzą sami znajomi. I wiadomo jest, że jeśli ktoś niechcący kichnie w pierwszym rzędzie, to z drugiego rozlegnie się:

— Na zdrowie!

Z trzeciego pytanie:

— Co powiedziałeś?

Z czwartego upomnienie:

— Bądźcie cicho!

Z piątego:

— Jak jesteś głuchy, to kup sobie aparat.

Z szóstego:

— Jaki aparat?

Z siódmego:

— Jak się nie uspokoicie, to zaraz przerwiemy projekcję.

Z ósmego:

— Co ona powiedziała?

Z dziewiątego:

— Przestańcie gadać.

Z dziesiątego:

— Jak ty mówisz do pani profesor!

Z jedenastego:

— Ale jaja!

Z dwunastego:

— Proszę o ciszę!

Z trzynastego:

— To nie ja, tylko on.

Z czternastego:

— Klasa trzecia de ma się uspokoić, bo zostanie wyprowadzona.

Z szóstego:

— Trzecia de siedzi w szóstym...

I tak dalej, i tak dalej.

Tak również stało się na tym nieszczęsnym przymusowym *Westerplatte*. Wystarczyło, że ktoś się niechcący roześmiał, a śmiech jak wirus ebola w dwie minuty ogarniał całą salę. Film był dwukrotnie przerywany. Za każdym razem zapalało się światło — wychodził dyrektor i coraz bardziej patriotycznie przywoływał nas do porządku, co odnosiło skutek przeciwny do zamierzonego. Powoływanie się na moralność socjalistyczną nie było zbyt dobrym pomysłem. Po drugim przerwaniu filmu postanowiliśmy się jednak uspokoić. Każde z nas miało przecież jakiegoś dziadka albo babcię, kogoś, kto walczył z niemieckim hitlerowcem. Kiedy po raz trzeci zgasło światło, umilkliśmy.

I wtedy na ogromnym ekranie pojawiła się ponownie twarz majora Sucharskiego, który patrząc nam prosto w oczy, wypowiedział owo nieszczęsne zdanie:

— A co tu tak cicho?

Jeden ryk śmiechu, który przetoczył się przez wszystkie rzędy, nie pozwolił nam zobaczyć, kto wygrał na Westerplatte.

Zostaliśmy wszyscy jak jeden mąż karnie usunięci z kina.

*

Trzeba nam jednak uczciwie oddać, że nie przez cały czas byliśmy debilami. Na przykład — jeśli decydowaliśmy się całą klasą uciec z lekcji, co zdarzyło się parę razy, to uciekaliśmy na próby do Hanuszkiewicza — wystawiał wtedy słynną *Balladynę* na motorach. Nie dość, że nas wpuszczał na salę, to dawał nam usprawiedliwienia. Ostatnio Beatka mi przypomniała, w jaki sposób próbowałyśmy zgodnie z przyzwoitością zwalniać się z lekcji. Naprędce trzeba było coś skombinować, żeby nie zostać na klasówce, która nie była zapowiedziana, a jednak klasy sąsiednie w jakiś przedziwny sposób informowały nas, że to dziś. Postanowiłam iść na całość. Na przerwie zobaczyłam dyrektora schodzącego ze schodów. Podbiegłam do niego zgięta prawie wpół. Na twarzy grymas bólu, obok przejęta Beatka trzymająca mnie za rękę.

— Panie dyrektorze, czy mogę pójść do domu?

— A dlaczego? — pytał dyrektor bezdusznie.

— Bo strasznie mnie jajniki bolą — strzeliłam.

Dyrektor oblał się rumieńcem. Słowo „jajniki" nie istniało w tamtych czasach.

— To niech cię Beata odprowadzi — wystękał i szybko zniknął nam sprzed oczu.

Do dziś nie rozumiem, w jaki sposób z tej naszej klasy wykluli się mądrzy ludzie, lekarze, inżynierowie, nauczyciele, minister, dyrektorzy szkół, biznesmeni. Wiem, że fajni, bo spotykamy się do dzisiaj co jakiś czas, od matury regularnie co parę lat. Nasza klasa istnieje bez portalu Nasza Klasa. I kiedy trzeba, pomagamy sobie. Wspomnienia niegdysiejszych lekcji budzą w nas nadzieję, że z naszych dzieci też wyrosną ludzie.

*

Prócz szkoły były jeszcze wakacje. Ach, wakacje! Wakacje na Mazurach z rodzicami, obozy, najpierw zuchowe, a potem harcerskie, kolonie, wyjazdy do dziadków na wieś!

Migające barwne obrazeczki, martwy kos znaleziony na polu, z honorami pochowany przy studni, maleńki krzyżyk i kolorowe szkiełka od butelki w charakterze nagrobka. Z dumą prowadzimy dziadzia nad grób, żeby zmówił *Wieczne odpoczywanie* — był organistą, więc dla nas, naszej piątki kuzynów, prawie księdzem.

— Krzyż można postawić tylko ludziom — mówi dziadziuś niezrozumiale. — Krzyż to jest ważny symbol wiary.

Och, jaka byłam obrażona na dziadzia. To było takie niesprawiedliwe, że mały ptaszek nie mógł się dostać do raju tylko dlatego, że nie chodził do kościoła!

— Wcale Boga nie ma — powiedziałam dziadziusiowi. Wiedziałam, że to najgorsze, co mogę zrobić. Butna stałam w kuchni, a dziadziuś dużym nożem z czarnym trzonkiem robił znak krzyża na chlebie, zanim ukroił pierwszą kromkę.

— Nie szkodzi, że tak myślisz — patrzył na mnie, małą i niegrzeczną dziewczynkę, z miłością. — Będę się za ciebie modlił. Wiara to łaska, którą Bóg obdarza.

Wakacje na wsi pod Rzeszowem były dla nas rajem. Paśliśmy razem z Marynią od sąsiadów krowy, włóczyliśmy się po łąkach, zbieraliśmy kąkole i chabry, siedzieliśmy w stajni, do dzisiaj kocham ten zapach, a kiedy nabroiliśmy, babcia stawiała nas w kącie, tyłem do pokoju, ale nigdy w pojedynkę, tylko parami albo całą piątką, więc też było wesoło. Nikt nie słyszał o telewizorach, więc musieliśmy sami zadbać o rozrywki — robiłam z Elą i Marylką lalki ze świeżych kolb kukurydzy, a babcia dawała nam szmatki, z których kombinowałyśmy sukienki.

Gotowanie też zabierało nam sporo czasu — wyrywałyśmy nać marchewki i pietruszki z ogródka, stawiałyśmy garnek na kamieniach i czekałyśmy, aż w słońcu się ugotuje, i gotuje się pewno do dzisiaj.

*

Z kolonii zuchowych zapamiętałam mrożącą krew w żyłach historię. Spaliśmy w szkole podstawowej gdzieś pod Puławami, w wioseczce, której nazwy nijak sobie nie mogę przypomnieć, w salach, w których mieściło się nawet piętnaście łóżek.

Kiedy tylko ogłaszano ciszę nocną, zaczynało się nasze nocne życie, polegające na opowiadaniu sobie różnych historyjek. Trzeciego albo czwartego dnia wypadła kolej na mnie. Nie miałam pojęcia, o czym mówić, ale wiedziałam, że to musi być niesamowita opowieść. Przypomniałam sobie wszystkie straszne historie, począwszy od *Wahadła* Edgara Allana Poe, *Psa Baskerville'ów*, liczne przeczytane, rzecz jasna, w tajemnicy przed Mamą, przy latarce, kryminały i rozpoczęłam, po-

mna nauk Maminych, że w najciekawszym miejscu należy przerwać i dokończyć dnia następnego, tylko po to, żeby rozpocząć kolejny wątek,
który i tak nie będzie miał rozwiązania, dopóki
kolonie się nie skończą.

To była fascynująca opowieść. Pamiętam w ogól-
nych zarysach, że rozpoczynała się od tragiczne-
go morderstwa w pewnym angielskim hrabstwie,
kiedy to mój główny bohater odkrył, wbijając
gwóźdź w ścianę, zwłoki kobiety, ponieważ odpadł kawał tynku, ukazując jego zdziwionym
oczom prawie nienaruszone ciało. Na piersi za-
mordowanej leżały świeże kwiaty, mimo że okazała się ona ciotką bohatera, która zaginęła w Kenii
ponad sześćdziesiąt lat wcześniej. Ów mężczyzna przestał spać po nocach, zaczął nosić maskę,
i chociaż ściany jego sypialni pomniejszały się
z nocy na noc, on czuł tylko narastający niepo-
kój. Nad ranem zaczęło go budzić wycie psa, wychodził wtedy do dwudziestohektarowego parku, ale nie znajdował tam żywej duszy. Dopiero
po paru dniach zdał sobie sprawę, że nie tylko
nie ma w okolicy psów, ale nawet nie słychać ptaków. Kiedy udał się do wsi, zarejestrował piątym
zmysłem, że żaden chłop nie ma koni ani krów,
ani świń, ani kur. Rozkopał ogródek i okazało się,
że w ziemi nie ma dżdżownic, robaków ani mró-
wek. Ogarniało go przerażające uczucie, że to nie

jest prawdziwe życie, i bardzo chciał się obudzić, myśląc, że to tylko sen, ale kiedy budził się z westchnieniem ulgi, że nocny koszmar się skończył, wchodził służący. Mój bohater śmiał się i radował, wstawał rześki, schodził po mahoniowych schodach do kuchni i prosił o śniadanie. Kucharka pokaźnych rozmiarów podawała mu chleb i dżem, a wtedy on prosił o jajecznicę. Nagle zapadała cisza, kucharka nie śmiała się już rubasznie, nagle kuliła się z przestrachem w oczach.

Nie rozumiał, co było niewłaściwego w jego prośbie.

Wtedy kucharka rzucała spojrzenie w stronę drzwi i cicho mówiła:

— Przecież pan wie, że w naszym hrabstwie nie ma już kur.

A jemu ze strachu włos się jeżył na głowie, ponieważ to, co brał za przebudzenie, okazywało się dalszym ciągiem koszmaru.

Ze trzy dni snułam tę straszliwą opowieść, zastanawiając się cały dzień, co będzie wieczorem, mało tego, coraz bardziej bałam się tego, co wymyślam i kompiluję. Cała kolonia zaczęła przychodzić do naszej sali i słuchała, co nowego przydarzy się mojemu biednemu hrabiemu. Który oczywiście miał przyjaciela toczka w toczkę podobnego do doktora Watsona. Szczęściem dla mnie inne zuchy nie były tak oczytane i nie wiedziały, że cytuję prawie wszystko, co dotychczas przeczytałam, a powstrzymuję się resztkami inteligencji, żeby do Anglii nie sprowadzić na pomoc Kmicica.

Kolejnej nocy, a nikt mi nie przerywał, wszyscy słuchali z zapartym tchem, zawiesiłam głos:

— Kiedy stanął przed lustrem i zaczął przyglądać się swojej twarzy, nagle rozpoznał w odbiciu rysy psa. I wtedy usłyszał trzykrotne pukanie do okna.

W tym momencie w dużej sali gimnastycznej szkoły podstawowej w podpuławskiej wiosce, gdzie spaliśmy, zresztą z dala od okien, rozległo się trzykrotne stukanie w szybę.

Wszyscy zamarli, przekonani wszakże, że to mój pomysł, żeby zwiększyć dramatyzm opowieści.

Niestety, ja wiedziałam, że to nie ja pukam.

— I co dalej? — doszły mnie zduszone szepty.

Nie mogłam wydusić ani słowa. Uświadomiłam sobie, że tylko moje łóżko jest ustawione tak, że wprawdzie z trudem, ale mogłabym, mając na przykład kij, w to okno uderzyć. Nie miałam jednak kija.

Wtedy po raz pierwszy zrozumiałam, że słowo ma moc sprawczą.

Nie pamiętam, jak skończyłam swoją opowieść, obawiam się, że ten trup, który spoczywał zamurowany, okazał się samym hrabią, a wszystko to było wytworem wyobraźni i majakiem jakiegoś syna hrabiego, który postanowił wbić gwóźdź i wtedy odpadł kawał tynku, i on spojrzawszy w dziurę, zobaczył... ale nie przysięgnę.

Pod koniec obozu, kiedy biegałam ze swoim pamiętnikiem (*Polką żeś ty świat ujrzała*), żeby mi się wszyscy na pamiątkę wpisali, druh komendant napisał: „Niezrównanej lektorce pasjonujących opowieści — komendant obozu".

Wprawiło mnie to w lekkie zakłopotanie, ponieważ akurat komendantowi nie opowiadałam żadnych historii.

Wtedy przyznał się, że robiąc obchód i sprawdzając, czy jesteśmy bezpieczni, stanął którejś nocy pod oknami sali gimnastycznej i zwyczajnie podsłuchiwał. I nie mógł się nijak powstrzymać przed wtrąceniem się i zilustrowaniem mojej opowieści.

Na całe szczęście był uprzejmy mi o tym opowiedzieć, co nieco osłabiło, ale nie zlikwidowało mojego przekonania, że jednak słowo ma moc sprawczą.

*

Po koloniach zuchowych przyszedł czas na prawdziwe obozy harcerskie. Nie wiem, jak dzisiaj wygląda obóz harcerski, ale wiem, jak wyglądał wtedy. Wtedy w Składnicy Harcerskiej na Marszałkowskiej, naprzeciwko hotelu Polonia, kupowało się wszystkie niezbędne na taki obóz rzeczy.

Po pierwsze — saperki, po drugie — sienniki, po trzecie — gwoździe, menażki, bidony, sznurek.

A przed obozem jechało się na tak zwaną kwaterkę. Na kwaterkę jechali druhowie i druhny wyżsi stopniem, żeby przygotować kawał lasu, najczęściej nad jeziorem, pod okiem leśniczego, na obóz harcerski. Leśniczy znaczył drzewka do wycięcia, chłopcy ścinali je i budowali z nich bramy, dziewczyny budowały prycze (a właściwie ramy pryczy, na których wiązało się sznurki, a na tych sznurkach kładło się wypchany sianem siennik), latryny oraz kuchnię. Wiadomo było, że w obozie harcerskim nie myje się garów detergentami, bo wszystko idzie z powrotem do ziemi, tylko czyści się kotły piaskiem, takoż menażki i kubki, śmieci się zakopuje w specjalnie do tego przeznaczonych dołach (śmieci były papierowe i organiczne), nie chodzi się za krzaczek, tylko do latryny z saperką, a myje się w jeziorze rano i wieczorem.

Spartańskie to były warunki, ale też obozy harcerskie stanowiły prawdziwy sprawdzian dzielności w tamtych czasach.

Przygodę z obozami harcerskimi rozpoczęłam dość nieszczęśliwie — od obcięcia małego palca prawej dłoni druhowi oboźnemu. Cała kadra, całkiem niegłupia zresztą, miała dość w sumie głupi, jak się okazało, pomysł noszenia bagnetów przymocowanych do nogi. Bagnety nie były zabawkami, tylko najzupełniej prawdziwe. Wszyscy im zazdrościliśmy. Do tego deszczowego dnia.

Padało od rana tak zawzięcie, że zawieszony nad stołówką spadochron, który jeszcze rano ochraniał nas na śniadaniu przed deszczem, nabrał wody i runął. Obiad wobec tego mogliśmy zjeść w namiotach. Wszystkie dziewczyny z naszego zastępu poszły więc do namiotu chłopców z zastępu zaprzyjaźnionego i tam wcinaliśmy grochówkę z ziemniakami.

Wtedy do namiotu wkroczył druh oboźny Krzysztof. Popatrzył na nas, dziewczyny, siedzące grzecznie na pryczy, podszedł bliżej, pech chciał, że stanął naprzeciwko mnie, i powiedział:

— Przyszłyście tu poleżeć? — I odruchowo pchnął mnie na pryczę.

Menażka wypadła mi z ręki, poleciałam do tyłu, ale w ostatnim przebłysku wściekłej świadomości chwyciłam za bagnet przy jego udzie. Niestety, w tym samym momencie on próbował temu zapobiec i od razu tego pożałował. Bagnet już był lekko wyciągnięty, więc próba uchwycenia go za ostrze była ze wszech miar nieodpowiedzialna. Bagnet przeszedł przez jego dłoń, odsuwając nadmiernie mały palec od pozostałych. On krzyknął, trysnęła krew, a ja uciekłam w las, nie czekając na dalszy rozwój wypadków.

Przesiedziałam schowana w krzakach prawie do wieczora. Nie reagowałam na wołania poszukujących mnie druhów i druhen. Przed kolacją byłam już tak zmoknięta i zziębnięta, że postanowiłam się ujawnić, mimo iż wiedziałam, że kara będzie straszna. Karne odesłanie do domu albo wykluczenie mnie z harcerstwa, albo w najlepszym wypadku więzienie.

Druh Krzysztof wyszedł mi naprzeciw z ręką w gipsie (w każdym razie w szynie gipsowej) i opatrunku. Stanął przede mną i powiedział:

— Całe szczęście, że jesteś, bardzo chciałem cię przeprosić za swoje nieodpowiedzialne zachowanie. Nigdy tak się nie zachowałem w stosunku do żadnej kobiety, możesz mi wierzyć.

Po pierwsze, wtedy, jako piętnastolatka, zostałam pasowana na kobietę. Po drugie, zrozumiałam, że to nie ja jestem winna.

Od tego dnia kadra miała zakaz noszenia bagnetów.

Jak się okazało, w szpitalu w Szczytnie przyszyto mu ten palec, ale musiał trzy tygodnie chodzić z temblakiem. Rok później uratował trójkę topiących się dzieci i został opisany w gazecie, i choć to nie miało żadnego związku ze mną, byłam z niego bardzo dumna.

*

I jeszcze jeden obóz harcerski zapadł mi w pamięć. Byłam zastępcą druhny drużynowej, którą była moja kuzynka Magda; prowadziłyśmy obóz dla instruktorek zuchowych Hufca Warszawa-Śródmieście. Dziewczyny były niewiele od nas młodsze, ale myśmy już miały białe podkładki pod krzyżem — czyli prawdziwy stopień instruktorski. Jedyna rzecz, którą z Magdą ustaliłyśmy, to że będziemy zdecydowanie tępiły palenie, albowiem harcerz nie pije i nie pali. Chyba że należy do kadry.

A nasze zuchówny paliły. Postanowiłam być restrykcyjna, postawić jasno granice, nie dopuszczać, żeby mnie lekceważyły, stosować kary. Złapane na paleniu druhny miały w dwie minuty stawić się na placu apelowym w pełnym umundurowaniu, ze zrolowanymi kocami, i na przykład wysyłałam je do Czarnego Pieca, sześć kilometrów dalej, żeby zameldowały się u sołtysa i wróciły, podczas kiedy inne druhny, a lato było gorące tego roku, na przykład plażowały albo zajmowały się zdobywaniem sprawności, albo były na wycieczce, albo pływały łódką.

Kara wydawała mi się dotkliwa, a poza tym chciałam bardzo zaimponować Magdzie, która złapane na paleniu dziewczyny zapraszała tylko do namiotu. Phi! Też mi kara! Moje winowajczynie na pewno zapamiętają, że palenie jest szkodliwe.

Jakież było moje zdumienie, kiedy te same dziewczyny zobaczyłam z papierosem następnego dnia w latrynie.

— Zameldujecie się u druhny Magdy — powiedziałam, bo nie miałam pojęcia, jaką karę dla nich wymyślić, skoro wczoraj zrobiły dwanaście kilometrów, a na potwierdzenie przyniosły od sołtysa podpis na karteczce: „Druhny u mnie były — sołtys".

I wtedy ku swojemu zdumieniu zobaczyłam, jak bieleją.

— Druhno, tylko nie u druhny Magdy, prosimy, tylko nie to! My możemy zaraz być na placu apelowym, niech nam druhna zrobi musztrę albo wartę całonocną, tylko nie do druhny Magdy!

Pomyślałam sobie, ki diabeł? Co im ta Magda takiego robi? Musiało to być coś strasznego, skoro w trzydziestostopniowym upale wolały się czołgać wśród igliwia albo wędrować przez lasy.

Poszłam do Magdy i zapytałam ją wprost. Magda popatrzyła na mnie swoimi piwnymi oczami i powiedziała:

— Ja im po prostu tłumaczę, że palenie jest szkodliwe.

Do dziś tego nie rozumiem.

*

Obóz, niestety, nie dlatego wbił mi się w pamięć, że nie miałam żadnych umiejętności dydaktycznych, ale z powodu słabości do mnie pewnego druha z sąsiedniego zgrupowania.

Otóż druh ten przychodził codziennie wieczorem i próbował mnie namówić a to na spacer, a to na przejażdżkę łódką, a to na wspólne oglądanie księżyca, co wydawało mi się dziwne. Właściwie podejrzewałam, że jest nienormalny, skoro nagle się mną interesuje. Było to męczące i nie bardzo wiedziałam, jak temu dać odpór.

Wtedy przypomniałam sobie opowiadanie *Kirke*. Z grubsza rzecz biorąc, chodziło o to, że narzeczeni porzucali pewną młodą kobietę, pełni wstrętu i lęku, dlatego że karmiła ich znakomitymi wypiekami, kruchymi ciasteczkami, niezwykłej słodyczy cukierkami, niesamowitej konsystencji specjałami — z zawiązanymi oczami musieli zgadywać smaki i zapachy — a potem okazało się, że ona to wszystko przyrządzała z robactwa. Te kruchości to były skrzydełka, a miękkości — brrrr, aż strach pomyśleć.

W namiocie przy świecy znalazłam owada. Był już martwy, co mnie trochę usprawiedliwia. Ostrożnie, nad świecą, roztopiłam masę cukierka z nadzieniem i delikatnie przekroiłam nożem.

Wyjęłam masę i zjadłam.

Potem w puste miejsce włożyłam robaka.

Nie mieścił się.

Oderwałam skrzydełka.

Pasował jak ulał.

Dokleiłam górną część cukierka.

Wystudziłam.

A potem bardzo elegancko zawinęłam w papierek.

Kiedy druh przyszedł w nocy do naszego namiotu, wyciągnęłam rękę z cukierkiem. Uśmiechnął się.

Rozwinął cukierek.

Zadrżałam.

Wpatrywałam się w niego, kiedy włożył go do ust i... natychmiast wypluł.

Wziął finkę i na moich przerażonych oczach rozciął cukierek na pół. Wysunął się obrzydliwy kadłub.

Nie śmiałam na niego spojrzeć.

— Czytałaś Cortazara! — ucieszył się.

Do końca obozu mieliśmy o czym gadać. Do świtu pływaliśmy po jeziorze i kłóciliśmy się na tematy literackie. Mówiliśmy sobie wiersze, rozmawialiśmy, posługując się cytatami. Podrzucał mi książki, których na obóz wziął całe naręcze, bo lubił czytać. Wybaczył mi przede wszystkim tego robala, a na pożegnanie mnie pocałował. Była to moja najbardziej fascynująca przygoda literacka oprócz...

*

...oprócz głupich dowcipów, które robiłam z koleżanką z klasy, Gałecką (dzisiaj świetnym prawnikiem). Gałka miała tak samo głupie pomysły jak ja, ale również tak jak ja uwielbiała Tuwima. Tuwim był dla nas nie tylko poetą, znałyśmy na pamięć jego prozę, a szczególnie krotochwilne zabawy, które proponował w króciutkich odsłonach. Opiszę je, jak zapamiętałam.

Na przykład wchodzisz do cukierni, zamawiasz dwanaście drukowanych czekoladowych liter „n" i dziesięć czekoladowych liter jakichś tam. Czekasz, niecierpliwisz się. Po dwóch godzinach przynoszą ci zamówione czekoladowe litery, robisz awanturę, że prosiłeś wyraźnie o drukowane, bez ozdób, a co dostałeś? Cukiernik cię przeprasza, wychodzi, ty przebierasz nogami, po kolejnej godzinie przynosi właściwe, drukowane. Płacisz. Pyta, czy zapakować, a ty wtedy spokojnie mówisz: dziękuję, zjem na miejscu.

Druga, o tym, jak denerwować ludzi, była jakaś taka: wchodzisz do sklepiku żelaznego, w czasie kiedy właściciel je obiad, kolację względnie śniadanie i zastępuje go subiekt. Grzecznie prosisz o wydanie Staffa w przekładzie Mortkowicza. Subiekt jest zdezorientowany i przypomina ci, że jest to sklep z towarami żelaznymi.

— No właśnie — podnosisz głos — przecież wyraźnie mówię, przekład Mortkowicza!

Subiekt jest coraz bardziej niespokojny, a ty, coraz bardziej rozdrażniony, upierasz się przy swoim. Kiedy subiekt decyduje się przerwać właścicielowi kolację, obiad względnie śniadanie oraz opowiedzieć o kliencie i jego dzikich żądaniach, i właściciel, wściekły, że mu się przerwało obiad, kolację względnie śniadanie wychodzi do ciebie i groźnym głosem pyta, o co chodzi, ty mówisz spokojnie: — Chciałem prosić o śrubkę.

Cukierni, która wyrabiałaby na zamówienie czekoladowe litery, nie mogłyśmy znaleźć, ale było dużo sklepów pod tytułem 1001 drobiazgów. Udawałyśmy się do tych sklepów i prosiłyśmy o Staffa, wydanie Mortkowicza, rok tysiąc dziewięćset trzydziesty czwarty. Panowie byli zdumieni, prosili, żebyśmy poczekały, wracali, mówili, że to chyba pomyłka, ja wyjmowałam kartkę ze ściągą i z miną niewiniątka mówiłam:

— Nie, proszę pana, na pewno, tata nas prosił, tu jest napisane, Mortkowicz, może to jakiś przyrząd.

Pan wracał na zaplecze, przyprowadzał kierownika, a wtedy prosiłyśmy o śrubkę i zaśmiewając się, uciekałyśmy. I tak w kolejnych sklepach.

Aż pewnego pięknego dnia doszłyśmy do Świętokrzyskiej. Koło sklepu Młoda Para przy Marszałkowskiej otworzono nowe 1001 drobiazgów. Spojrzałyśmy na siebie i wkroczyłyśmy do sklepu. Udałyśmy, że czegoś szukamy, w końcu podeszłyśmy do starszego pana, który stał przy kasie.

— Przepraszamy bardzo — dusząc się od skrywanego śmiechu, zaczęłyśmy — ale mamy tu kupić Staffa w przekładzie Mortkowicza, a nie możemy znaleźć, a tata nam powiedział, że na pewno tu jest. Rok tysiąc dziewięćset trzydzieści cztery.

Starszy pan popatrzył na nas, Gałka zagryzała z uciechy usta.

— Na pewno mam — powiedział.

O mały włos nie upadłyśmy z radości. To dopiero będzie zabawa!

— Mortkowicz? — upewnił się pan.

Przytaknęłyśmy, ale tylko głowami, bo rozrywała nas radość od środka.

— Tysiąc dziewięćset trzydzieści cztery? — upewniał się.

Takiego rozwoju sprawy nie brałyśmy pod uwagę w naszych najśmielszych marzeniach! Ale ubaw!

— Poczekajcie chwilę, wczoraj pan Tuwim zostawił coś dla was — dokończył starszy pan i roześmiał się pierwszy.

*

À propos śmiechu. Mama Aśki miała przepiękny prawdziwy gorset, z fiszbinami, z cudownego aksamitu w kolorze bordo, który Aśka mi pożyczyła właśnie mniej więcej w okresie zabaw w Tuwima. Związała mnie w szkole tak, że z trudem doszłam do domu, w domu zrzuciłam ubranie, włożyłam szpilki Mamy, pończochy Mamy, szminką przeciągnęłam po ustach i postanowiłam udać się do pokoju Ojca, gdzie było największe lustro w naszym domu.

Ech, wiedziałam, że do tej krótkiej opowieści o tym, że kiedyś byłam najpiękniejsza, potrzebny jest wstęp. Wstęp jest taki, że na dziesiątym piętrze w naszym bloku mieszkał Weterynarz z pięknym długowłosym wilczurem, a było to w czasach, kiedy w powszechnym używaniu były ratlerki (powód kpin wszystkich), cocker spaniele oraz Lassie. Takiego wilczura, jakiego miał Weterynarz, nie było w przyrodzie nigdzie. Pies to pies, ale on! Boże, jaki on był cudny, ten facet. Kochałyśmy się w nim wszystkie. Był co prawda stary, miał ze czterdzieści lat, ale jaki był przystojny! Jakie miał oczy, jak pięknie patrzył! I w dodatku jego pies nienawidził naszego Kuby strasznie. Pogryzł go kilka razy i wtedy Weterynarz ratował naszego psa, nawet przyszedł do nas ze dwa razy przeprosić, że jego pies jest takim psem dla naszego psa, z koniakiem.

I nie miałam bladego nawet pojęcia, że oto właśnie jest ten dzień specjalny, kiedy jego pies znowu naszego psa… Byłam tak podekscytowana gorsetem, że nie zauważyłam, że Kuba nie powitał mnie w progu.

Prosto z łazienki, prężąc dumnie umalowane na czerwono usta, w szpilkach czarnych z kokardką, gorsecie, który uwydatniał itd. — a wyglądałam tak, jak nigdy w życiu już nie miałam wyglądać — weszłam do pokoju Ojca, żeby się sobą pozachwycać, bo lustro w łazience było malutkie.

Siedzieli tam obaj — Mój Ojciec i Weterynarz. Kuba leżał przy małym stoliku i miał zabandażowaną łapę. Nie podniósł głowy na mój widok, był po środkach znieczulających. Niestety, bez środków znieczulających byli obaj panowie, w tym moja miłość.

Stałam sparaliżowana w drzwiach, w gorsecie, pończochach, wymalowana, a Mój Ojciec robił się coraz bardziej czerwony, aż przeszedł w róż. Nie mogłam się ruszyć. Weterynarz był na progu zawału.

— A to Kasia — wykrztusił wreszcie Ojciec i przełknął ślinę — córka moja.

Matko Przenajświętsza! To była kolejna trauma w moim życiu, aczkolwiek nie najgorsza. Zamknęłam się w łazience i nie wyszłam, aż wróciła Mama z pracy.

Odtąd na widok Weterynarza na podwórku z psem uciekałam, gdzie pieprz rośnie. Kiedy tylko spotykaliśmy się przy windzie, odwracałam się i biegłam na ósme piętro piechotą. Marzyłam przez następne lata, żeby się wyprowadził.

Ale kiedy rozniosło się, że popełnił samobójstwo z miłości, a i psa otruł, ponieważ młoda żona, której zazdrościłam z całego serca, wyjechała do USA i napisała, że nie wróci — i tak bardzo serdecznie się popłakałam.

*

Mniej więcej od piętnastego roku życia namawiałam rodziców, żeby mnie puścili samą na wakacje. Nie i nie — słyszałam zawsze. — Jesteś za młoda, jest zbyt niebezpiecznie. Ponawiałam tę prośbę co roku w okolicach maja i suszyłam głowę rodzicom niemiłosiernie. Kiedy prawie ukończyłam osiemnaście lat, Moja Mama powiedziała:
— W tym roku możesz jechać sama, ale musisz zarobić na swoje wydatki.

Natychmiast po skończeniu roku szkolnego zatrudniłam się w Horteksie, róg Marszałkowskiej i Świętokrzyskiej, jako pomoc cukiernika.

W arkana zawodu wprowadzała mnie szesnastoletnia Dziewczyna z żylakami na nogach, która tam pracowała od dwóch lat, bez umowy. Po pierwsze, zjechała ze mną na dół, gdzie mieściły się ogromne jak pokoje lodówki. W nich stały rzędem tysiące kremówek, które uwielbiałam, tortów czekoladowych, waniliowych, orzechowych, ciastek, których nazw nie pamiętam. Stałam olśniona. Ona wyciągnęła rękę, wsadziła w pierwszą z brzegu kremówkę i przeszła dalsze dwa metry, wybierając z kremówek ustawionych w pierwszym rzędzie krem. Byłam przerażona, a ona podała mi na dłoni górę kremu, a potem oblizała rękę.

— Zasada jest taka — nie wynosisz, ale jesz, ile chcesz.

Spojrzałam na kalekie kremówki.

— A co z tymi?

— A to są braki — stwierdziła Dziewczyna i cały rząd naruszonych przed chwilą kremówek zrzuciła na podłogę.

Byłam wstrząśnięta.

— Nie żałuj, oni mi tak płacą, że przynajmniej tyle mojego — powiedziała Dziewczyna. — Co lubisz?

— Ananasy — wyjąkałam. A trzeba pamiętać, że wszystko to działo się w czasach, kiedy Hortex jako jedyny w Polsce miał pyszne lody, melbę na przykład i ambrozję, kremówki, a także non stop kolejki. Obowiązkowe dla turystów były zwiedzanie Pałacu Kultury i lody w Horteksie.

Dziewczyna zaprowadziła mnie do pomieszczenia pełnego słoików z ananasami, brzoskwiniami i innymi wspaniałościami — nie mogłam uwierzyć, że są takie rarytasy na świecie — i otworzyła słoik z ananasem.

— Jedz, niech cholery mają.

Pożarłam cały.

Do moich obowiązków należało zbieranie naczyń ze stolików, przecieranie tychże stolików dla nowych gości, czasem przyrządzanie melby i przynoszenie z lodówek torcików i ciastek. Byłam zachwycona. Jadłam wszystko, co mi wpadło w ręce, a kierowniczka sali tylko się uśmiechała i zachęcała:

— Jedz, ile tylko będziesz mogła.

Już drugiego dnia poczułam, że ciastka śmierdzą. Śmierdzą cukrem, wanilią, orzechami i to jest nie do zniesienia. Przerzuciłam się na lody.

— Jedz, jedz — mówiła kierowniczka i do podwójnej melby, którą sama sobie mogłam przyrządzić, dorzucała kawałeczki czekolady.

Trzeciego dnia nie mogłam spojrzeć w stronę lodów. Czwartego myślałam, że zwymiotuję, otwierając puszkę ananasów. Piątego ubłagałam kierowniczkę, żebym mogła stać na zmywaku. Po dwóch tygodniach dostałam pensję i z sześcioma kilogramami więcej wyjechałam z przyjaciółką ze szkoły podstawowej, Ewą, na pierwsze samodzielne, dorosłe wakacje. Autostopem.

Oczywiście w stronę ukochanego Krakowa i Zakopanego.

*

Kiedy trzy dni później dotarłyśmy do schroniska na Ornak, byłyśmy już porządnie zmęczone. Zachwycone górami, postanowiłyśmy zrobić następnego dnia wycieczkę do Jaskini Mylnej. Przeczytałyśmy wszystko, co było do przeczytania, bardzo nas podekscytował fakt, że kiedyś tam zbłądził i zginął ksiądz, że na tysiąc sto metrów tylko trzysta ma wyznaczony szlak turystyczny, i zameldowawszy w recepcji, że udajemy się do Mylnej, wyruszyłyśmy po przygodę, zaopatrzone w dwudziestometrową linkę do wieszania prania, kromki chleba z cukrem, wodę, świece i latarkę.

O dziesiątej byłyśmy na miejscu. Odważnie wspięłyśmy się do góry po łańcuchach, najpierw rzuciłyśmy okiem na Grotę Raptawicką, a potem zeszłyśmy niżej, ku Mylnej, i zapuściłyśmy się w ciemność.

Setki przestraszonych nietoperzy przemknęło nam koło głów. Bałam się straszliwie, ale wstyd mi było zrejterować. Tyle przygotowań na nic? Bo mnie strach obleciał? Nigdy w życiu! Świeciłam przed siebie latarką, z ciemności wysuwały się ostre skały albo olbrzymie bloki, pod nogami zaczęło być mokro, tu i ówdzie kapała woda, zrobiło się zimno.

Panowała absolutna cisza, tylko nasze kroki odbijały się echem od ścian. Korytarze robiły się coraz węższe i niższe, posuwałyśmy się wolno, schylone, ja pierwsza. Czasem przystawałam, udając, że mi się rozwiązał but, bo wydawało mi się, że oprócz dalekiego odgłosu kropli padających na skałę słyszę coś jeszcze. Nie wiem, jak długo szłyśmy, kiedy nagle odgłos naszych kroków zmienił się, a światło latarki wydłużyło się w nieskończoność. Przystanęłam. Ewa również. Omiatałam latarką przestrzeń wokół siebie, nieskończoną. Znalazłyśmy się w olbrzymiej kamiennej sali. Nie byłyśmy pewne, czy to sala Chory, ale wiedziałyśmy, że tu gdzieś Kowalski znalazł studniczka, maleńkiego białego raczka, ślepego mieszkańca jaskiń tatrzańskich. Ale pewności, że to sala Chory, nie miałyśmy wcale. Światło latarki ginęło gdzieś w górze, nie opierając się nawet o sufit. Nasze głosy brzmiały głucho. Zapaliłyśmy świeczkę. Uspokoiłam swoje trzęsące się nogi i spojrzałam na Ewę. Była blada jak trup. Powiedziała:

— Wiesz, gdyby nie twoja odwaga, w życiu bym tu nie weszła.

Serce chciało mi wyskoczyć z piersi. Nie było już żadnego szlaku, nie mogłam sobie przypomnieć, kiedy ostatni raz widziałam znaczek na ścianie i w którą stronę mamy iść. Mało tego, już nawet nie wiedziałam, z której strony przyszłyśmy.

— Jestem głodna — oświadczyła Ewa i rozpakowała chleb.

Usiadłyśmy na kamieniach, świeczka rzucała nikłą poświatę na to, co najbliżej. Wydawało nam się, że kamienne bloki wiszą nad nami i za sekundę runą, że nikt nas nigdy nie odnajdzie.

I wtedy bardzo wyraźnie usłyszałyśmy, że oprócz nas ktoś jeszcze tutaj jest. To już nie był zwid, bo Ewie zamarła kromka w połowie drogi do ust, a ja również stężałam.

Wstrzymałyśmy oddech. Słychać było skwierczenie palącego się knota i...

Eeee, wydawało się nam tylko.

Cisza.

Cisza absolutna.

Cisza zimna, wilgotna, ale cisza. Trwałyśmy tak dłuższą chwilę... Nic...

I w tej ciszy znowu odległe... jakby tupanie?

Nikt nie mógł tupać. Szelest? Duch księdza?

— Słyszałaś? — zapytała Ewa, a jej głos sprawił, że powstały mi wszystkie włosy na głowie.

Szuranie było coraz bliżej. Spojrzałyśmy na siebie — i jakby umówione, zdmuchnęłyśmy świeczkę.

Zapanowała absolutna ciemność. Byłam przekonana, że skała, na której siedzimy, drgnęła. Sięgnęłam do pasa, nie ruszałyśmy się nigdzie bez noży, jedną ręką chwyciłam finkę, a drugą moją rękę chwyciła Ewa, wbijając mi pazury aż do kości. Wstrzymałyśmy oddech.

W ciemności ewidentnie zbliżało się do nas COŚ. Niebezpieczeństwo. Niewiadoma. COŚ było coraz głośniejsze i coraz bardziej przerażające, a co najgorsze, niewidoczne. Nigdy w życiu tak bardzo się nie zmniejszyłam jak wtedy. Chciałam się zamienić w człowieka-ścianę, stopić ze skałą, zniknąć. Nie słyszałam nawet oddechu Ewy, a tym bardziej swojego, serce tłukło mi się w piersiach miarowo i dosadnie, jakby chciało wyjść na zewnątrz.

To nie było przywidzenie.

Moje ciało zamieniło się w słuch. Wszystkie inne zmysły przestały działać, słuch zaś wyłapywał delikatne ocieranie się czegoś o mokre ściany, ciężkie kroki, chlupot wody pod tym Czymś, czyjś oddech.

Och, gdybyż to byli turyści, mieliby przecież światło! A to Coś parło przez ciemność, było duże i chciało nas zniszczyć.

A potem nagle zapanowała na powrót cisza. Ale to Coś było blisko nas, czułam to, Ewy paznokcie przebijały niemal na wylot moją dłoń. Było tuż, tuż. I udawało, że Go nie ma.

Ile czasu to trwało? Nie mam pojęcia. Miałam wrażenie, że kamieniejemy i przechodzimy do historii. Widziałam duże nagłówki: „Dwie nastolatki zaginione w Jaskini Mylnej. Mylna znowu dopomniała się o ofiarę. Trzydzieści lat temu w Dolinie Kościeliskiej zaginął ksiądz, teraz mimo poszukiwań nie natrafiono na ciała dwóch dziewczyn, które w pogodny lipcowy poranek udały się...".

Pomyślałam o Mamie, że jej będzie przykro, i o Ojcu, że nawet nie powie: a nie mówiłem? *Polką będziesz umierała* — tłukło mi się w głowie. A potem usłyszałyśmy przyjemny męski głos:

— Halo, dziewczyny, jesteście gdzieś?

Chwyciłam latarkę i skierowałam w stronę głosu. Oślepiłam dwóch chłopaków — jeden czarny jak Włoch, drugi blondyn, zdecydowanie starsi od nas.

— Całe szczęście, że was dogoniliśmy, bo nie mamy światła — powiedział blondyn z ręką przy oczach. — Możemy do was dołączyć? Jutro zjeżdżamy do Wrocławia. Weź tę lampę, bo nie widzę, z kim gadam.

Ulga, jaka nas ogarnęła, nie przypominała niczego, co w swoim krótkim życiu przeżyłam, nawet tej błogiej radości z wyciągnięcia się w ostatnim momencie z dwói z rosyjskiego.

M. i B. okazali się najlepszymi kompanami, jakich tylko mogłyśmy sobie wymarzyć. Obaj należeli do Klubu Wysokogórskiego i głównie biegali po graniach, ale zobaczyli nas z drogi w Dolinie Kościeliskiej, jak niknęłyśmy w czeluściach Mylnej, i zapuścili się bez światła tak daleko w nadziei, że nas dogonią.

— A jakbyśmy gdzieś skręciły? — zapytałam przytomnie, bo przecież w planach miałyśmy zapuszczanie się w rozliczne korytarze, z pomocą, rzecz jasna, linki bieliźniarskiej.

— Zawsze można wrócić, wiesz, zasada prawej ręki — powiedział B.

Zasada prawej ręki w Mylnej nie działa, o czym mieliśmy się przekonać. Z każdego labiryntu jest wyjście, jeśli trzymasz jedną dłoń przy ścianie, ale w Mylnej od ściany czasami dzieli cię przepaść, wyszlifowane przez wodę skały nikną gdzieś w dole, a zejść nie możesz, bo się zaklinujesz.

W Mylnej spędziliśmy następne osiem godzin, zapuszczając się w nieoznakowane korytarze, które kończyły się nagle spadkiem albo były zatarasowane jakimś głazem. B. i M. wspinali się w kominy, dopóki mogli, i często znikali nam z oczu. Podzieliłyśmy się z nimi chlebem i wodą, wróciliśmy razem do schroniska przed jedenastą wieczorem w ulewie, w głębokim przekonaniu, że oto cały GOPR jest postawiony na nogi i nas szuka. Z głębokim poczuciem winy zgłosiłyśmy na recepcji, że już jesteśmy i że przepraszamy.

I wtedy okazało się, że nikt nas nie szuka i nikogo to nie obchodzi.

To było jedyne rozczarowanie tego dnia.

*

Z B. pisaliśmy do siebie przez następny rok listy. Był niezwykle dowcipnym człowiekiem. Drugi list napisał do moich rodziców, zwierzył im się, że jest pedagogiem specjalnym, pracuje w więzieniu i w związku z tym nadaje się na mojego przyjaciela wyjątkowo.

W lutym pojechałyśmy z Ewą do Brzegów. Kiedy zadzwoniłam do domu, Mama powiedziała, że dzwonił B., że jedzie do Betlejemki na Gąsienicowej — prowadzi tam kurs wysokogórski i szkoda, że nie wie, gdzie jesteśmy, boby nas odwiedził.

Jak tylko wstałyśmy następnego dnia, od razu ruszyłyśmy na Kasprowy. Niestety, spało się dobrze, zima była piękna, śnieg po pas, zanim dojechałyśmy do Kuźnic, żeby wjechać na Kasprowy, było późne popołudnie. Ostatnia kolejka jechała już tylko do góry. Chwilę się wahałyśmy, trzeba to uczciwie przyznać, ale tylko chwilę. Z Kasprowego przecież jest rzut beretem na Gąsienicową! Przenocujemy w Murowańcu i zobaczymy chociaż na chwilę B.

Kiedy wjechałyśmy na Kasprowy razem z dwoma pracownikami GOPR-u, słońce zachodziło. Świnica, oświetlona ostatnimi promieniami, wyglądała nieprawdopodobnie wspaniale i groźnie, nieco niżej wszystko otulała szara mgła. Wystająca z tej szarej nicości góra — to widok, który pamiętam do dzisiaj. Pierwszy raz w życiu byłam na Kasprowym, wszystko, jak okiem sięgnąć, było białe i nie miałyśmy pojęcia, w którą stronę iść. Zaczepiłyśmy jakiegoś pana, który obsługiwał wagoniki. Spojrzał na nas niedbale i powiedział:

— Najkrócej to prosto, wzdłuż wyciągu krzesełkowego, a potem w lewo.

Mam niesłabnące wrażenie, że ktoś na górze opiekuje się mną od zawsze. Bo jak inaczej wytłumaczyć, że do dziś jestem żywa? W śniegu po pas zaczęłyśmy stromym stokiem narciarskim schodzić coraz niżej i niżej. Kiedy weszłyśmy w białe mleko, nic nie było widać oprócz szarzejących przęseł wyciągu krzesełkowego. Oddalałyśmy się od nich jak najbardziej, potem Ewa zostawała, a ja kierowałam się w dół, żeby zobaczyć następne, potem krzyczałam do niej i ona po moich śladach schodziła coraz niżej. Aż przęsła się skończyły, mgła nagle zniknęła i zobaczyłyśmy, że wokół nas jest biało, cudownie, wyszedł księżyc, żywego ducha ani schroniska, ani nic. Skierowałyśmy się w lewo, po czym przypomniałyśmy sobie wszystkie przeczytane opowieści tatrzańskie. O turystach, którzy się zgubili i schodzili na skuśkę, i najpierw trawersy były łagodne, potem coraz bardziej strome, a potem nagle zsuwali się z półek trzysta metrów w dół. Albo zatrzymywali się i chcieli wrócić, ale już nie mieli jak. Przypomniałam sobie, jak wygląda na zdjęciach Kasprowy, i zrobiło mi się niedobrze. Wiedziałam, że popełniłyśmy największą głupotę w naszym życiu (cóż za optymizm, swoją drogą).

Popatrzyłyśmy na siebie i jednocześnie zdecy-dowałyśmy:

— Zostajemy do świtu tu, gdzie jesteśmy, za-nim będzie za późno na ratunek.

W śniegu wykopałyśmy dość dużą dziurę i przytuliłyśmy się do siebie.

Ponieważ od Wawrzyńca Żuławskiego (jakże przydaje się, że człowiek czyta) dowiedziałyśmy się, że absolutnie nie możemy spać, zabronione, a w tym śniegu było nam tak dobrze i cieplut-ko, ale on wiedział, co pisze, mus to mus — wsta-wałyśmy raz na dwadzieścia minut i chodziłyśmy w kółko. Opowiedziałyśmy sobie wszystko, co zasługiwało na opowiadanie. Skończyły się nam zapałki i wtedy zobaczyłyśmy dużego czarnego stwora.

Duży czarny stwór w górach nazywa się niedź-wiedź i żera wszystko, co widzi, i nie ma przed nim ratunku. Zerwałyśmy się na równe nogi i wte-dy niedźwiedź powiedział:

— O, macie może ogień?

Byli to mężczyzna i kobieta — wybrali się na ro-mantyczny spacer z Murowańca, pod którym, nie wiedząc o tym, się ulokowałyśmy. Światła schro-niska zasłaniała górka, zresztą nie wszystkie się paliły, ponieważ była już pierwsza w nocy. Miejsc w schronisku nie było, odnalazłyśmy Betlejemkę, rozespany B. skombinował nam pryczę, na której mogłyśmy do rana przetrwać. Nie był zachwycony naszym widokiem, tym bardziej że o czwartej szli zdobywać jakieś Kominy czy inne, a szef Betlejemki, niejaki Szlachetny, w ogóle nie pozwalał wpuszczać obcych.

Miałyśmy tak do butów przymrożone spodnie, że mogłyśmy się tylko położyć w ubraniu, ktoś litościwie narzucił na nas koc i usnęłyśmy jak zabite.

*

W owym czasie w Dolinie Roztoki grasował sobie niedźwiadek, nierozsądni turyści byli zachwyceni, on podchodził czasem aż do rozstawionych przed schroniskiem stołów i potrafił porządnie wystraszyć ludzi i zrobić kipisz w plecakach. Pewnego dnia Słowak, który przemieszkiwał w schronisku, narobił strasznego alarmu.

Przybiegł przerażony do kuchni, krzycząc:

— Miś, miś!

Zapanowało poruszenie, bo jednak niedźwiedź w samym schronisku nie był zjawiskiem częstym, a mógł być śmiertelnie niebezpieczny. Po krótkim wahaniu gospodarz schroniska uzbroił się i zawołał na pomoc kolegów. Słowak zaprowadził ich do swojego pokoju, na stole walały się resztki jedzenia. Po niedźwiedziu ani śladu. Tym gorzej. Zaczęli Słowaka wypytywać, jaki to miś, czy duży, brunatny, czy na czworakach, czy może na dwóch, stary, młody? A Słowak się zdenerwował:

— Miś, miś, mała szara miś w jedzeniu!

*

Jeszcze niejedna przygoda przydarzyła nam się w górach, ale teraz przypomnę właśnie tę. W Brzegach, gdzie zamieszkałyśmy u gazdów, przesympatycznych — on pił od południa i od rana następnego dnia, ona gotowała najlepszy na świecie rosół z grulami, a żyli chyba tylko z wynajmowania pokoi — poznałyśmy Ankę, Andrzeja i Ewę. W piątkę postanowiliśmy ruszyć przez góry do Morskiego Oka, tam się przespać i wrócić następnego dnia. Nie wzięliśmy pod uwagę zimy i tego, że parę ładnych kilometrów dzieli nas od właściwego szlaku. Przy Wodogrzmotach Mickiewicza postanowiliśmy skrócić sobie drogę i iść jak do Doliny Pięciu Stawów, tylko potem skręcić w lewo i przez Świstówkę zejść do Morskiego.

Powoli zapadał zmierzch. Byliśmy w górach sami, niebo rozgwieżdżone, śnieg jak posypany diamencikami, drzewa jak z bajki, cisza i tylko my. Przodem ruszyła Anka, my czworo z tyłu. Kiedy doszliśmy do Świstówki — krajobraz nagle się zmienił. Łagodna białość była tylko tłem dla groźnej, potwornej, czarnej, wiszącej nad nami skały Opalonego Wierchu. Było stromo, szliśmy na czworakach, zostawiając za sobą w śniegu głębokie ślady, wiedząc jednak, że jeszcze trochę i będziemy schodzić w dół, do Morskiego. Że skończy się nasza całodniowa wędrówka.

I wtedy Anka krzyknęła. Krzyknęła tak przerażająco, że struchleliśmy. Odwróciła się i zaczęła rozpaczliwie zbiegać, przewracając się i wstając, minęła nas i pobiegła dalej. Nie mieliśmy pojęcia, co zobaczyła, co się stało, co ją przeraziło, ale wiedzieliśmy, że w górach nie wolno się rozdzielać. Pierwsza, święta zasada: wracasz w takim składzie, w jakim wyszedłeś na wycieczkę, bez względu na to, co się dzieje. Nie krzyczeliśmy za nią, ponieważ nawisy ze śniegu wyglądały groźnie, w górach się nie krzyczy, choć dzisiaj myślę, że gdyby coś miało na nas polecieć, to wtedy, kiedy ona tak przerażająco wrzasnęła.

Ruszyliśmy za Anką, przeklinając w duchu ją, góry, noc, zimno, śnieg. Trudno w to uwierzyć, ale dogoniliśmy ją dopiero przy szosie. Siedziała na słupku, już spokojna. Powiedziała:

— Nie mam pojęcia, co mi się stało, musiałam uciekać.

Parę lat temu Europejskie Forum Właścicielek Firm uhonorowało mnie mianem Kobiety Wybitnej. Wtedy poznałam inną Kobietę Wybitną — Monikę Rogozińską, niezwykłą zupełnie kobietę, wspaniałą i czarującą, która kiedyś była goprowcem. Opowiedziałam jej o tej naszej niezwykłej nocnej wyprawie, a Monika popatrzyła na mnie:

— To ta Anka wam życie uratowała. Południowy stok jest tam niezwykle niebezpieczny. Tego szlaku się w zimie nie używa, jak leży śnieg. Szkoda, że o tym nie wiedzieliście, tam nawet nie chodzi o lawiny, po prostu śnieg się nie ma czego trzymać i zjeżdża się z całym stokiem. I nie ma co zbierać, nikt nie przeżyje. Wiem, bo zwoziłam stamtąd ludzi na toboganach.

*

Anka, tam w górach, była prezentem od Losu. Do dzisiaj mam wrażenie, że bez przerwy otrzymuję od niego prezenty. Czasem ich sens widzę dopiero po jakimś czasie, szczególnie jeśli ktoś lub coś odchodzi i w pierwszym momencie wydaje mi się, że świat oszalał, że to niemożliwe, zbyt bolesne, niesprawiedliwe. Potem okazuje się, że otwierają się jakieś nowe, nieprawdopodobne przestrzenie, niezwykłe możliwości, że to, co uważałam za stratę, jest darem, to, co było smutkiem, zamienia się w radość, to wszystko są prezenty od Przeznaczenia.

Pierwszy niezwykły prezent dostałam pod choinkę od babci. Był nim kurczak. Martwy kurczak, z dwiema nogami i przepysznym farszem w środku. Właśnie taki, na jakiego czasem zapraszała nas babcia — ale rodzinę miałam czteroosobową, a kurczak faszerowany był jeden. Kiedy miałam trzynaście lat, czasy były ciężkie dla łakomych małych dziewczynek, ponieważ panował socjalizm, a w tym socjalizmie kurczak był rarytasem.

A ja marzyłam o dniu, kiedy cały kurczak będzie wyłącznie dla mnie i mój brat nie będzie się ze mną kłócił o farsz lub o nogę. Było to marzenie prozaiczne, które kiedyś wyartykułowałam przy stole i które spotkało się ze zrozumiałym potępieniem ze strony mojej rodziny.

I oto przyszedł grudzień, oto kolacja wigilijna zjedzona, kolęda odśpiewana, świeczki na choince zapalone, rzucamy się więc zgodnie na kolana w celu rozwijania mnóstwa paczuszek, i co się dzieje? Dzieje się kurczak, przepiękny, upieczony, z chrupiącą skórką, z farszem, zapakowany w pudełko po butach, w szary papier i sznurek. Ach, jaka byłam szczęśliwa! Babcia przepraszająco rozłożyła ręce w kierunku moich rodziców, a ja wąchałam swojego kurczaka i czekałam do północy, żeby już minął postny 24 grudnia i żebym mogła go zjeść!

Dostałam wtedy bardzo dużo innych prezentów. Jakich — nie pamiętam. Ale kurczaka pamiętam. Bo kurczak był prezentem serca.

Postanowiłam tego mojego kurczaka oddać Judycie, żeby też miała przyjemność. W taki sposób pojawił się w *Nigdy w życiu!*

*

Ale wracam do szkoły i nauczycieli, którym jestem wdzięczna nawet za to, że oblałam maturę z chemii i fizyki.

Byłam jedyną istotą ludzką w tej szkole, która będąc w klasie humanistycznej, mogła wymyślić na maturę tak niehumanistyczne przedmioty. Starannie mnie od tego odwodzono. Przez nauczycielki przemawiała głęboka troska. Nic z tego. Im bardziej mnie od tego odwodzono, tym bardziej chciałam. Byłam jak Kubuś Puchatek, który zagląda do słoiczka z miodem, a im bardziej zagląda, tym bardziej miodu tam nie ma. Oto ja udowodnię, że spokojnie można zdać chemię! Bo fizyka to pryszcz. Te dwa przedmioty były konieczne, żeby zdawać na medycynę, a już wtedy wiedziałam, że droga do pisarstwa zaczyna się od ukończenia medycyny. Van der Meersch, Cronin, Bułhakow, Lem, Boy-Żeleński, Korczak — wszyscy skończyli medycynę. Więc ja także musiałam. Profesorka chemii wezwała mnie przed swoje oblicze:

— Wiesz, że oblejesz, bo musisz? Wy nawet w czwartej klasie nie macie chemii, nie rozumiesz? To jest inny program nauczania!

Ja im pokażę! Ja sobie nie dam rady? Jeszcze zobaczycie!

Koleżanka, która studiowała chemię i była nią zafascynowana, przez parę tygodni u mnie pomieszkiwała. W nocy uczyła mnie, jak rozpoznawać właściwości pierwiastków, na które Mendelejew zostawił puste miejsca na swojej tablicy, podejrzewając słusznie, że gdzieś są, tylko jeszcze nieodkryte. Obliczałam powłoki elektronowe tych nie odkrytych pierwiastków i liczbę elektronów krążących wokół jądra. Uwielbiałam chemię.

Pytanie na maturze brzmiało: Co to jest mangan?

Mangan był pierwiastkiem dawno odkrytym i poza tym, że nadmanganian potasu farbował wodę w wannie na fioletowo — nie miałam bladego pojęcia, co można jeszcze powiedzieć o manganie.

Musieli mnie oblać, niestety.

Nie żałuję, bo gdybym się nauczyła wtedy, że jądro atomu jest najmniejszą elementarną cząstką, to nigdy nie przyjęłabym do wiadomości istnienia kwarków i innych biegających po wszechświecie cząsteczek, a przecież warto wiedzieć, w jakiej przestrzeni człowiek żyje.

Z fizyką, niestety, nie było lepiej. Nauczyłam się nawet wyprowadzać wzór Bohra, ale pytanie na maturze (jak sądzę, specjalnie dla mnie) brzmiało: Czy możesz wskazać układ równoległy?

Na stole przed komisją leżały różne fajne rzeczy, żaróweczki, pręciki, druciki, urządzonka, tygielki i tysiące innych, których nazw nie znałam. Opuściłam rękę i wodziłam nią nad stołem, pilnie wpatrując się w oczy nauczycielki. Kiedy mrugnęła, podniosłam przedmiot, który w moim mniemaniu mi wskazała. Nie był to układ równoległy, ani nawet połączenie szeregowe, tylko ebonitowa laska, służąca do niczego.

I też bardzo dobrze, bo gdybym wtedy umiała taką fizykę, to nie uwierzyłabym potem, że materia i energia to jedno i to samo i że obiekt obserwowany inaczej się zachowuje pod wpływem obserwatora.

Nie wróciłam do domu, tylko pojechałam do Ewy. Stanęłam przed lustrem i tępymi nożyczkami obcięłam sobie włosy. Wyglądałam rozpaczliwie, potwornie, idiotycznie. Ukarałam się.

Kiedy wróciłam do domu, Mama z prawdziwą troską zapytała:

— Jezus Maria, co ty zrobiłaś z włosami?

Zamiast z prawdziwą złością spytać, co ja zrobiłam z chemią i fizyką.

Poza moimi plecami odbyła się długa debata z udziałem wychowawczyni, chemiczki, fizyczki i Mojej Matki. Zgodnie ustaliły, że fizyki się na-

uczę, a zamiast chemii będę zdawać propedeuty-
kę nauk o społeczeństwie. Którą to maturę zdałam we wrześniu godnie i na czwórki.

*

Wtedy zrozumiałam, że koledzy i koleżanki
z klasy są już po egzaminach wstępnych i w paź-
dzierniku zaczynają studia. Byłam zrozpaczona.
A ja? Przecież ja muszę na medycynę! Muszę zostać pisarką!

— Nic się nie martw — powiedziała Matka —
i tak byś się nie dostała bez punktów.

W dawnych czasach punkty (czyli dodatko-
wy bonus na egzaminach) były koniecznością. Jak
ktoś miał kiepskie (czyli inteligenckie) pochodzenie, to punkty mógł zarobić, pracując w szpitalu
jako salowa. Jeśli był kobietą, rzecz jasna. Lub jako
sanitariusz, jeśli był mężczyzną.

Zgłosiłam się do szpitala na ulicy Kasprzaka.
Przyjęli mnie.

I tak skończyło się moje dzieciństwo.

*

Pierwszego dnia w szpitalu Oddziałowa po-
prowadziła mnie przez cały oddział.

— Tu brudownik, odnosisz baseny, kaczki, myjesz, dezynfekujesz, odkładasz, tu brudna bieli-
zna, pościel, koce. Tu lizol i chloramina, dodajesz

137

wody, jak myjesz podłogi. Tu łazienka dla dam, tu dla mężczyzn — szorujesz kible dokładnie, przysługują ci rękawiczki, po wyszorowaniu przemywasz lizolem, okna myjesz, jak są bardzo brudne albo przed świętami, choć pochód chodzi inną stroną — pozwoliła sobie na dowcip — buty wygodne, bo się naganiasz, zaczynasz rankiem od mycia podłóg na salach chorych, potem, po rozdaniu termometrów, froterujesz, żeby błyszczały. Przed śniadaniem pomagasz Pani Śniadankowej pokroić chleb i, ewentualnie, rozwieźć śniadania, sprzątasz po. To na razie tyle, reszta w praniu. Do roboty.

Włożyłam biały, ładnie wyprasowany fartuch, wzięłam lizol i udałam się do damskiej łazienki. Kiedy zobaczyłam, że będę się musiała porządnie do sprzątania przyłożyć i że wyszorowanie łazienek to wcale nie w kij dmuchał, zaczęłam szukać Oddziałowej, która rozpłynęła się jak sen złoty.

Zajrzałam do kuchni, gdzie obok pani Alinki, czyli Pani Śniadankowej, rozsiadła się salowa Krycha, starsza, gruba pani.

— Przepraszam bardzo, a gdzie mogę dostać rękawiczki?

Pani Krycha spojrzała na Panią Śniadankową i zaczęła się śmiać.

— Patrz, Alinka, rękawiczek nie ma, no coś podobnego, a kapelusika nie zapomniałaś?

Poczułam, że czerwienieję z upokorzenia, ale przecież własne prawa znam i Oddziałowa powiedziała, że rękawiczki mi się należą, więc nie zważając na przytłaczające uczucie poniżenia, wyszeptałam:

— Oddziałowa powiedziała, że mogę myć w rękawiczkach...

A pani Krycha wzięła się pod boki na tym małym kuchennym stołeczku i aż się zatrzęsła z radości.

— Patrz, Alinka, rękawiczek się jej zachciało! Bo paznokietki sobie zniszczy, no, patrz Alinka!

I wtedy popełniłam zasadniczy błąd, bo po wzięciu głębokiego oddechu powiedziałam:

— To nie jest mój pomysł i nie chodzi o paznokcie, tylko o sanepid. Mam prawo do rękawiczek.

I wtedy pani Krycha podniosła się, a górowała nade mną, i zaczęła krzyczeć na cały oddział:

— Wynocha mi stąd, ale już, wynocha, do roboty!

Zaczęłam się wycofywać, a ona nacierała na mnie.

— Ty księżniczko pierdolona, ciebie nie było, to i sanepidu nie było! Wynocha mi stąd!

I wtedy zobaczyłam, że już jestem na korytarzu, a z sal wychylają się ciekawskie głowy pacjentów.

Jak niepyszna wróciłam do łazienki i zaczęłam swoją karierę od mycia kibli bez rękawiczek. Myślałam, że na pierwszy dzień to będzie wystarczająco dużo.

Ale nad męską salą zapaliło się światełko i brzęczący dźwięk dawał znać, że ktoś wzywa pomocy. Poszłam do dyżurki i powiedziałam, że na szóstce ktoś potrzebuje pielęgniarki.

Dziewczyna w czepku podniosła głowę znad leków.

— To czego się gapisz? Leć!

Stanęłam w progu sali i wyłączyłam dzwonek.

— Słucham — powiedziałam przyjaźnie, chociaż mdlałam ze strachu.

Odpowiedziała mi cisza.

— Który z panów dzwonił?

Cisza.

Wróciłam do kuchni. Za chwilę wpadła tam pani Krycha.

— Ty księżniczko pierdolona, co, ja będę na twoje dzwonki latać! Zapierdalaj z kaczką na szóstkę!

Poszłam do brudownika, sięgnęłam po kaczkę i odważnie stanęłam ponownie w drzwiach szóstki.

— Któremu z panów potrzebna...? — zawiesiłam głos, bo słowo kaczka nie chciało mi przejść przez usta, zupełnie jak dzisiaj.

— Koledze... — ulitował się wreszcie pan przy drzwiach.

Podeszłam do łóżka obok i, jakbym to robiła całe życie, postawiłam odważnie kaczkę na stołku w zasięgu ręki chorego.

Już przy drzwiach złapał mnie głos:

— Księżniczko, ale jemu trzeba pomóc...

Udałam, że nie słyszę, i schowałam się w łazience dla personelu. Oparłam głowę o okno i pomyślałam, że w ogóle się do tej pracy nie nadaję i że naprawdę nie dam sobie rady.

*

We wtorek okazało się, ku mojej wielkiej radości, że w tym samym szpitalu, tylko na innym oddziale, pracuje Jacek, który również nie mógł liczyć na punkty za pochodzenie, a który zawsze chciał zostać lekarzem. Jacek pracował na etacie sanitariusza, więc głównie woził gdzieś chorych, na przykład na rentgen albo na konsultacje na inne oddziały, albo przynosił wyniki, albo nic nie robił. W każdym razie nie musiał sprzątać.

Szpital Wolski na Kasprzaka jest szpitalem starym i rozległym. Ma kilka pawilonów rozsianych po całym parku, odległości między nimi są duże, prawie przy bramie jest kostnica. Wózek na trupy musi przejeżdżać alejkami, wśród chorych, chyba że ktoś umrze w nocy, wtedy łatwiej jest przewieźć ciało, ale i straszniej.

Najgorsze były dla mnie nocne dyżury. Nie same dyżury, rzecz jasna, bo mogłam szybko sprzątnąć i pokręcić się po oddziale, ale jeśli przywożono chorego, trzeba było zrobić natychmiast badania krwi i wtedy musiałam z nią wyjść w nocy z oddziału i iść ciemną aleją, gdzie wszystko straszyło, pod laboratorium, dzwonić na górę, ktoś łaskawie schodził, uchylał drzwi, brał ode mnie krew, potem drzwi się zatrzaskiwały, a ja ile tchu w nogach biegłam do siebie, nie patrząc na cienie, które jak żywe wyciągały po mnie swoje macki, ani na drzewa i krzaki, które próbowały mnie dotknąć, ani na blade, niebieskawe światła, świecące trupim blaskiem z bloków operacyjnych.

Nie znosiłam wychodzić w nocy ze swojego pawilonu. A wiedziałam, że za kilkadziesiąt minut muszę przebyć tę samą drogę ponownie po wyniki.

Na moim oddziale była jeszcze jedna dziewczyna, bardzo piękna, ruda, o kocich, wspaniałych oczach, wyrzucona z pierwszego roku, Małgosia. Nie miała zamiaru rezygnować z medycyny, do następnych egzaminów zaczęła się przygotowywać od razu, jak ją skreślono z listy studentów, a od września pracowała na takim samym poważnym stanowisku salowej jak ja. Postanowiłam wytrwać, wiedząc, że nie jestem sama.

*

Właściwie przez pierwsze dni wszyscy mnie oszczędzali, z czego nie zdawałam sobie sprawy.

Dzielnie szorowałam ubikacje i korytarze, biegałam ze ścierką, pomagałam kroić chleb Pani Śniadankowej, lub jak kto woli Kuchenkowej, salowa Kryśka już nie budziła we mnie lęku, choć nie rozumiałam, jak można przynosić basen za dwa złote, a bez dwóch złotych nie. Drażniło mnie, że za zagotowanie wody Krycha brała pięćdziesiąt groszy.

My z Gośką obiecałyśmy sobie, że nigdy, ale to przenigdy nic nie weźmiemy od chorego.

Zdecydowanie nie lubiłam Krychy. Przez pierwsze dni. A potem pani Alinka, która przesiadywała w kuchni, wyjęła mleko, zagrzała je na prawie nieużywanej kuchence i powiedziała:

— Ty się, Anuś (albowiem w szpitalu byłam Anią), mlika lepiej napij, ciepłego ci zagrzeję, to siły więcej będziesz miała. Ty sobie odpocznij, chore sobie poradzo bez ciebie. Ty do tej Kryśki to miej serce, bo Kryśka to tylko tak wygląda, że ona taki herod. A serce ma miękusieńkie, tylko ona musi piniądze od chorych brać. Bo co ona z pensji przeżyje? Mąż pijak jeden, żeby on się tak na śmierć zapił, co daj mu Boże, choć ja nie życzę źle nikomu, Boże broń, toby jej lepiej było. Córka jej się zepsuła, troje dzieci wydała, a potem w świat poszła. I Krycha te dzietczyny chowa. Znikąd pomocy, znikąd ratunku. A ona dyżury zlecone bierze, ona na oczy własne czasem nie widzi. Ty, Anulka, do lepszej pracy jesteś przeznaczona. Ty w urzędzie możesz sobie robić, papiery przewracać. A tu tylko na choroby się napatrzysz i co z tego będziesz miała? Nic, ja ci mówię, Anuś, mlika wypij i rzuć te robote, bo to nie dla ciebie praca. Takoż i Gosia, po co komu lekarzem być? Ludzie i tak będą umierać. A tu na zmarnowanie idziecie, takie ładne dziewuszki. A popatrz, córka Kryśki, jak się zepsuła, to poszła hen, i zobacz, co ta Kryśka ma z życia. To się nie dziw, że jak wy nie bierzecie, to ona zła. A tu dwa złote, tu pięćdziesiąt groszy — i na chlebek jest. A was rodzice karmnią, wy sobie na dyskoteki te pieniążki wydajecie.

I właściwie dopiero wtedy zrozumiałam, że nie zawsze jest tak, jak nam się wydaje.

*

Mój pierwszy trup jęknął, kiedy ściągałam z niego ubranie.

Umarł na trójce, zwanej „wymierzalnią" przez Kryśkę i „wymieralnią" lub „wykańczarnią" przez wszystkich innych, oprócz lekarzy rzecz jasna. Było wiadomo, że jak kogoś przenoszą na trójkę, to koniec, nie ma nadziei. Mężczyzna umarł po południu, do kuchni zajrzała Oddziałowa i krzyknęła:

— Ale raz na trójkę, przygotować mi go do kostnicy, na co czekasz!

Spojrzałam na panią Alinkę.

— Anuś, sama widzisz, po co ci to? Idź, bo zaraz odwiedziny się zaczną.

— Co to znaczy: przygotować? — Aż dziw, że usłyszała pytanie, bo miałam wrażenie, że wszystko we mnie się ściągnęło i że usta mam również zasznurowane.

— Poodpinaj mu, dziecko, wszystko, rurki, jak ma, wyciąg, rozebrać go trzeba, żeby przed Panem bez niczego stanął, ściągnij mu raz-dwa obrączkę, jakby miał, albo sygnet, bo potem będzie kłopot, oczka zamknij, połóż watkę mokrą, żeby się nie otworzyły, i bandażem brodę podwiąż. Ale leć szybko, kochana, bo oni w minutę tężeją, kłopot tylko potem będziesz miała. I pościel od razu do brudownika, i koce, parawan postawisz, a za dwie godziny przyjadą go zabrać. Dwie godziny poleżeć u nas musi, taki przepis.

Weszłam na trójkę i zamknęłam za sobą drzwi. Na łóżku leżał Mężczyzna. Nie żył. Pasiasta szpitalna piżama była rozpięta, spod kołdry wystawała rurka od cewnika, worek z moczem wisiał smętnie, przywiązany bandażem do ramy łóżka. Podeszłam bliżej. Nigdy wcześniej nie widziałam martwego człowieka. Bałam się go dotknąć, bałam się rozebrać, bałam się ruszyć. Przygotowałam waciki i stanęłam obok zlewu. Do sali zajrzała pielęgniarka Basia.

145

— Dajesz sobie radę?

Pokręciłam przecząco głową.

— To chodź — powiedziała litościwie.

Sprawnym ruchem ściągnęła kołdrę, odrzuciła na podłogę, odsunęła łóżko od ściany.

— Chwytaj z drugiej strony i na siebie!

Wyciągnęłam rękę i delikatnie przyciągnęłam Mężczyznę w swoją stronę, opadł na lewy bok. I właśnie w tym momencie jęknął. Odskoczyłam jak oparzona.

— On żyje... — powiedziałam i oparłam się o ścianę, — Boże, on żyje!

— Aleś ty niemądra — pielęgniarka spojrzała na mnie ze współczuciem — jakie żyje, o, powietrze z płuc wychodzi — docisnęła ręką bark Mężczyzny i ostatni świst wyszedł z jego ust. — Dawaj, szybko, z tamtej strony! Ściągaj koszulę do siebie, no! Bo mu ręce trzeba będzie połamać!

Trzęsło mi się wszystko, ręce, nogi, ramiona, nawet rzęsy. Basia precyzyjnie rozebrała Mężczyznę, nie patrzyłam, nie widziałam jeszcze wtedy żadnego nagiego faceta (oprócz Laokoona), byłam przerażona i nieszczęśliwa.

— Cewnik wyjmuj, dziewczyno!

Nie patrząc w jego stronę, odwiązałam worek i pociągnęłam. Razem z workiem ruszyło się całe łóżko.

— O matko, ale ty jesteś wyrobiona! — Pielęgniarka Basia sprawnie wsadziła w rurkę strzykawkę, coś zrobiła, a potem odrzuciła cewnik na podłogę. Przykryła Mężczyznę prześcieradłem i powiedziała:

— Brodę przynajmniej podwiąż, bo będzie wyglądał w trumnie nieprzyjemnie!

Kawałkiem bandaża przewiązałam brodę i na głowie zrobiłam kokardkę. Trzęsącymi rękami zamknęłam oczy, otworzyły się, zamknęłam je raz jeszcze i położyłam mokre waciki. Naciągnęłam prześcieradło na głowę.

— Wprawiaj się, wprawiaj, codziennie będziesz to robić — powiedziała Basia i poklepała mnie po ramieniu. Kopnęła w pościel na podłodze. — I sprzątnij to raz-dwa, niech nie leży.

Zamknęłam się w brudowniku, wśród basenów i metalowych kaczek, i dopiero wtedy serdecznie się rozpłakałam. Choć nie była to najgorsza rzecz, jaka mnie spotkała.

*

Po raz pierwszy w życiu wstawałam o szóstej rano, nieprzynaglana, przez nikogo niebudzona, cały dom spał, kiedy wychodziłam, ponieważ już pierwszego dnia Oddziałowa zapowiedziała, że żadnych spóźnień tolerować nie będzie.

I od razu w pierwszym tygodniu przydarzyły mi się wpadki.

Już w środę zerwałam się i jak zwykle bez śniadania (jadłam w szpitalu) o wpół do siódmej byłam w tramwaju.

Za dwadzieścia siódma przy Kasprzaka mój tramwaj uderzył w inny tramwaj. Drugi wagon się wykoleił. Ludzie krzyczeli, drzwi nie chciały się otworzyć, swąd palącej się instalacji elektrycznej powiększał panikę. W końcu wysypaliśmy się z wagonu. Nie miałam czasu się bać — bałam się tylko tego, że się spóźnię. Biegłam resztę drogi (trzy przystanki), ponieważ tramwaje nie jeździły, zdenerwowana.

Wpadłam na oddział spóźniona i oczywiście pierwszą osobą, którą spotkałam, była Oddziałowa. Stała w korytarzu jak posąg. Gniewna i chmurna. Zaczęłam stękać o wypadku, popatrzyła na mnie z lekką niechęcią i kazała szorować łazienki.

Przysięgłam sobie, że już nigdy nie dam jej powodu do patrzenia na mnie w taki sposób.

W czwartek wstałam o piątej trzydzieści. O szóstej dziesięć wyszłam z domu — było ciemno, szaro i mgliście — i piechotą pomaszerowałam do szpitala. Wiedziałam, że nie mam szans na spóźnienie. Przy dużym skwerze na rogu Płockiej (dzisiaj stoją tam trzy ogromne bloki) ludzie czekali na autobus. Autobus przyjechał, ludzie wsiedli, ostatnia kobieta już stawiała nogę na stopniu, kiedy podbiegł mężczyzna i wyrwał jej torebkę. Kobieta przewróciła się i zaczęła krzyczeć. Podbiegłam do niej, za uciekającym facetem rzucili się mężczyźni z autobusu, przyjechała milicja. Mowy nie było, żebym mogła się wymknąć. Przebierałam nogami i błagałam, żeby mnie spisali, ale wcale im się nie spieszyło. Dopiero za piętnaście siódma milicjanci wyciągnęli notes, żeby spisać świadków zajścia. Samo przeglądnięcie mego dowodu osobistego trwało a trwało. O siódmej dwadzieścia osiem podjechali radiowozem pod bramę szpitala — bo ich o to ubłagałam.

Biegłam przez park, licząc na to, że o tej porze nie wpadnę na Oddziałową. Oczywiście pierwszą osobą, na jaką się natknęłam, była ona.

— Znowu się spóźniłaś? — zaatakowała mnie, jakby nie wiedziała, która godzina.

Opowiedziałam, o której wstałam, na rogu jakiej ulicy byłam spisana na świadka, powiedziałam, że przywiózł mnie radiowóz, i że naprawdę, przysięgam, i że nigdy, i że zawsze.

Wysłuchała mnie bez zmrużenia oka i kazała mi myć baseny.

Następnego dnia wstałam o piątej trzydzieści. Wsiadłam do autobusu, który podwoził mnie tylko jeden przystanek, bo padało. Wysiadłam, mu-

siałam tylko przejść przez Wolską i dojść do Kasprzaka już na piechotę. Stanęłam na krawężniku
i czekałam na zielone światło. Obok mnie stanęli
ludzie, którzy też spieszyli się do pracy.

Nagle jeden z mężczyzn zrobił krok na jezdnię,
upadł, zaczął drżeć, bić głową w asfalt, z ust lecia-
ła mu ślina. Drugi, młody facet wciągnął go z powrotem na chodnik i krzyknął:

— Niech mi ktoś pomoże, to atak padaczki.

Ludzie się odsunęli, ja stałam jak wryta.

— Niech pani tak nie stoi — krzyknął młody
człowiek — niech pani zadzwoni po pogotowie.

Światło zrobiło się zielone, ludzie ruszyli przez
ulicę, stałam jak głupia, a potem oczywiście odwróciłam się na pięcie i poszłam szukać telefonu.
Jedyna budka telefoniczna przed pocztą na Płockiej była oczywiście uszkodzona, a poczta jeszcze zamknięta. Pobiegłam więc do szpitala chorób
płucnych na Płocką i próbowałam wymóc na le-
karzu dyżurnym, żeby wyszedł do chorego. Nic
z tego. Wróciłam, że się tak wyrażę, na ulicę, w do-
słownym tego słowa znaczeniu. Razem z młodym
człowiekiem wsadziliśmy tego chorego, który powoli przytomniał, do czyjegoś prywatnego auta.

Całkowicie przemoczona, ale z poczuciem dobrze spełnionego obowiązku, w szpitalu byłam
pięć po wpół do ósmej.

Nie muszę mówić, że pierwszą osobą, którą
spotkałam, była Oddziałowa. Korytarz zawirował

150

mi przed oczami. A ona spokojnie i złośliwie zapytała:

— A co się dzisiaj stało? Pożar? Trzęsienie ziemi?

Wtedy popatrzyłam na nią i powiedziałam:

— Przepraszam, dzisiaj zaspałam.

Rozjaśniła się. Uśmiechnęła. Wypogodziła.

— No widzisz? Na drugi raz nie kłam. No, to zabieraj się do roboty.

Trudno w to uwierzyć, prawda? Wtedy sobie obiecałam, że zawsze będę wierzyć w to, co inni mówią. Nie wiem, dlaczego łatwiej jest nie wierzyć komuś, niż założyć, że mówi prawdę. Nawet najbardziej nieprawdopodobną. Tą historią obdarzyłam Judytę, tak jak wieloma innymi, które miały mi się przydarzyć dużo później. Czytelnicy *Nigdy w życiu!* myśleli, że owe zdarzenia są wytworem mojej wyobraźni, ale w życiu zdarzyły się naprawdę.

*

Coś się takiego stało ze mną, że czas na zewnątrz szpitala przestał się liczyć, przestał być ważny, przestał istnieć. Nie pamiętam swoich rodziców ani brata, czasem tylko rejestrowałam, że Mój Ojciec wychodzi po mnie ze starzejącym się psem Kubą, kiedy kończyłam dyżur o dziesiątej wieczorem i nieprzyjemnie było samej wracać przez puste miasto.

Jeśli Gośka miała dyżur po mnie, zostawałam w szpitalu, żeby jej pomóc, było wtedy więcej czasu na gadanie, jak to będzie, kiedy to my będziemy lekarkami, czasem schodziłyśmy do piwnicy, gdzie w niezliczonej ilości szaf były stare zdjęcia rentgenowskie, i bawiłyśmy się w stawianie diagnozy pod kiepską, sześćdziesięciowatową żarówką. Jedna z nas losowała jakieś zdjęcie, a druga natychmiast chowała opis badania — starałyśmy się z białych plamek na płucach odczytać, czy to rak, czy POChP, czy tylko zapalenie.

Na oddziale pracowało na stażu trzech młodych lekarzy. Szczególnie jeden z nich, Piotr, zachowywał się wobec nas niezwykle uprzejmie: mówił do nas per „koleżanko", co wprawiało pielęgniarki w stan przedzawałowy, a salowe w stan wścieku. Uczył mnie i Gośkę, szczególnie na dyżurach nocnych, jeśli nic się nie działo, robienia EKG, albo tłumaczył, jaki powinien być hematokryt. Któregoś dnia kazał nam wziąć z dyżurki strzykawki i przyjść do niego.

Poszłyśmy obie, zupełnie niespeszone, mimo że doktor Piotr był przystojny i krążyły dziwne opowieści o lekarzach i pielęgniarkach, o tym, co robią na dyżurach. Niestety, nigdy tego na własne oczy nie mogłyśmy zobaczyć, ale byłyśmy przecież tylko salowymi.

Jak się okazało, tego wieczoru Piotr chciał nas nauczyć robić zastrzyki. Dał nam obu po ohydnej plastykowej poduszce i kazał wbić strzykawkę mocno, zdecydowanie.

Starałyśmy się, jak tylko to możliwe.

Zniechęcony naszą delikatnością (wsadzałyśmy igłę wolno, dobijając delikatnie, czyli przeciwnie do tego, jak każe sztuka), powiedział w końcu:

— Kurwa, koleżanki! To spróbujcie na własnym udzie, zobaczycie, kiedy będzie mniej bolało!

Wyszłyśmy z pokoju lekarskiego, zapaliłyśmy światło w kuchni, karaluchy rozpierzchły się w szpary, na oddziale panował spokój, nikt tej nocy szczęśliwie nie umierał, zrobiłyśmy sobie herbatę, a potem zdjęłyśmy rajstopy. Odsłoniłyśmy uda i dawaj!

Przy piątym czy piętnastym podejściu okazało się, że miał rację — strzykawką należało wręcz rzucić, żeby wbiła się od razu, bez zastanowienia i po prostu.

Nad ranem nasze uda przedstawiały opłakany widok, moje było całe pokaleczone, ale skóra Gosi była dziwna, jej porobiły się siniaki, które schodziły prawie pod kolana.

Byłyśmy pewne, że sztukę robienia zastrzyków opanowałyśmy do perfekcji.

*

Parę dni później doktor Piotr kazał nam pokazać, czego się nauczyłyśmy. Wziął *aqua pro injec-*

tione, napełnił strzykawki i ładowałyśmy sobie w uda ich zawartość. Nad ranem poprosił, żebym przy nim zrobiła pierwszy zastrzyk prawdziwemu choremu.

— I tak będziecie musiały to robić, kiedyś musi być ten pierwszy raz. Podziel pośladek na ćwiartki, i proszę.

Podzieliłam w myślach, znalazłam prawą górną część, oddaloną od nerwu kulszowego, i... zrobiłam swój pierwszy zastrzyk, wbijając igłę dopychająco, wolno, skóra pośladka uginała się, dopóki igła nie weszła. Fatalnie. Ręce mi drżały, chory powiedział: — Dziękuję, siostro — i wtedy zobaczyłam, że ten pan miał garb, i po raz drugi rozpłakałam się, z fatalnego poczucia winy, że ćwiczyłam na kalece.

*

Dwa tygodnie później robiłyśmy zastrzyki z dużą wprawą, niektóre pielęgniarki prosiły nas o domięśniowe, kiedy nie wyrabiały się z pracą, a ponieważ oddział był pod hasłem cukrzycy, samo robienie insuliny zabierało im czasami około dwóch godzin.

Byłyśmy z Gośką bardzo cierpliwe, bolesny zastrzyk pabialginy z papaweryną potrafiłyśmy robić ponad trzy minuty, zdarzało się, że kiedy podchodziła pielęgniarka, która naprawdę nie miała na to czasu, chorzy prosili: niech pani da Anię, siostro.

Ręka mdleje z napięcia, kiedy robisz długo zastrzyk, ale świadomość, że jesteś komuś potrzebna i nareszcie, poza szorowaniem basenów, możesz robić coś, do czego naprawdę jesteś stworzona, była tak napędzająca, że postanowiłyśmy być zawsze razem na dyżurach — sprzątanie rozłożone na dwie było dwa razy szybsze i potem miałyśmy dwa razy więcej czasu na Ważne. Czasem nam się to udawało.

*

Pamiętam wiele osób ze szpitala. Jedną z nich była osiemdziesięciodwuletnia Pani z Chóru. Pani z Chóru została przywieziona z bloku operacyjnego i zostawiona sama sobie. Kroplówki były co jakiś czas zmieniane, ktoś czasem przyszedł, leżała cichutko na korytarzu. Kiedy miałam noc, podeszłam do niej i zapytałam, czy czegoś jej nie potrzeba. A ona powiedziała:

— Dziecko drogie, ja i tak będę umierać, ale jakbyś mi się pomogła umyć, bo nikt mnie nie mył od tygodnia.

— Na pewno pani nie umrze — powiedziałam z przekonaniem.

— Dziecko, ja to czuję, ja mam raka.

— Czy pani myśli, że lekarze by operowali osobę w pani wieku, jakby nie wiedzieli, że pani wyzdrowieje? — powiedziałam bardzo mądrze i poszłam do łazienki po gąbkę i miednicę z wodą.

W taki oto sposób nauczyłam się myć ciężko chore osoby. Było to straszne doświadczenie, ale za tą strasznością kryło się głębokie przekonanie, że mimo mojej wyjątkowej jeszcze nieudolności robię coś niezwykle dobrego i potrzebnego.

Pani z Chóru, zamiast umrzeć, zrobiła wszystkim psikusa i wyzdrowiała. Została wypisana dwa tygodnie po operacji raka jelita grubego. Rok później szłam ulicą Karolkową. Przede mną zatrzymała się elegancka starsza pani, w kapelusiku, futerku obszytym lisem, uśmiechnięta, leciutko umalowana.

— Anusia moja! Dziecko kochane! Ja się do końca życia będę za ciebie modlić!

Nie miałam pojęcia, dlaczego jakaś pani spotkana na ulicy chce się za mnie modlić i skąd zna moje nieprawdziwe imię, ale nie protestowałam.

— To ja! Rak jelita! — Pani trzymała mnie za rękę i wtedy rozpoznałam ten dotyk i głos. — Ja tu na próbę idę, w chórze w kościele na Karolkowej śpiewam! Ty mi powiedziałaś, że będę żyć!

I wtedy rozpoznałam w tej eleganckiej kobiecie umierającą pacjentkę ze Szpitala Wolskiego, pacjentkę, której nikt nie dawał żadnych szans. Oprócz mnie, rzecz jasna.

*

Muszę się przyznać do czegoś — wtedy, gdy pracowałam w Szpitalu Wolskim jako salowa, przede wszystkim wiedziałam jedno: że jestem tu po to, żeby być najlepszą, najdoskonalszą, najwspanialszą osobą w tym szpitalu, przy której — tylko dzięki temu, że jest — przestaną umierać ludzie, a wręcz, być może, zaczną zdrowieć. Może dlatego był to jedyny okres w moim życiu, kiedy ubierałam się niezwykle elegancko, na przykład zawsze nosiłam buty na obcasach, zawsze miałam świeżutki, wyprasowany biały fartuch, zawsze pomalowane paznokcie, a ponieważ inne salowe miały fartuchy bardziej robocze i złachane, odróżniałam się od nich zdecydowanie. A jeśli jeszcze zdarzyło się, nie daj Boże, że jakiś świeży pacjent na oddziale pomylił się, zaczepiając mnie słowami: „pani doktor", to po prostu umierałam z rozkoszy.

No cóż, młodość ma swoje wady. Moja szczególnie obfitowała w wady. Tak jest do dzisiaj.

*

Niestety, okazało się, że ludzie umierają bez względu na to, czy ja temu towarzyszę, czy nie. Przekonałam się o tym dość szybko.

Ulubionym pacjentem moim i Gośki stał się pewien sympatyczny drobny mężczyzna. Był woziwodą, wylądował w szpitalu z powodu powiększającego się brzucha i nie został zdiagnozowany. Cały oddział stanął na nogi, ponieważ lekarze nareszcie mieli jakiś interesujący przypadek, to znaczy ni cholery nie wiedzieli, co mu jest.

Z dnia na dzień rodziły się kolejne podejrzenia o jakieś choroby, o jakieś raki, o jakieś guzy, o coś — i kolejno to wszystko było eliminowane.

Spędzałyśmy z nim dużo czasu. Wymagał opieki. Polubiliśmy się. Miał specyficzne poczucie humoru. Na przykład mówił do Gośki:

— Żebym ja wiedział, że posądzony będę o picie, kochana, to ja bym piwo woził, a nie wodę. A oni myślą, że jak mi brzuch tak urósł, to ja przed emeryturą wodę sobie sam z beczkowozu ukradłem. A tu — klepał się po brzuchu — przecież jest zaledwie trzydzieści, czterdzieści litrów, a do beczkowozu mi wchodziło z dziesięć metrów sześciennych. Weź im, kochana, powiedz, że te dziesięć metrów to będzie wchodzić w przyszłym tygodniu.

A do mnie mówił:

— Księżniczko, ja już się nawet boję powiedzieć, że pić mi się chce. Przynieś mi szklaneczkę wody, ale tak, żeby nikt nie widział.

Pierwsze kroki na dyżurze kierowałyśmy zwykle do sali, na której leżał. Zawsze uśmiechał się na nasz widok i miał rozkoszny zwyczaj robienia nam niespodzianek.

Wchodzę kiedyś do jego sali, zaciekawiona, co dziś fajnego usłyszę, a widzę prześcieradło naciągnięte na łóżko, spod niego wystają gołe nogi.

Przykro mi się zrobiło, stanęłam nad nim i pomyślałam: Boże drogi, jednak ludzie umierają. Jeszcze wczoraj żartował, jeszcze wczoraj mówił, jadł, oddychał, a dzisiaj już nie ma człowieka.

Kiedy tak nad nim stałam, nagle prześcieradło jakby ktoś szarpnął — podskoczyłam ze strachu, mimo że nogi się pode mną ugięły. Przecież oprócz mnie i jego nikogo w sali nie było. Patrzę i nie wierzę własnym oczom. Prześcieradło zaczyna falować… a trup nagle otwiera oczy i krzyczy:

— A kuku! Ale cię, księżniczko, wystraszyłem!

Długo dochodziłam do siebie w brudowniku, między basenami, kaczkami i słojami na dobową zbiórkę moczu. Woziwoda był wniebowzięty do samego wieczora.

Uprzedziłam Gośkę, że naszego Woziwodę trzymają się niewybredne dowcipy, żeby była przygotowana na niespodzianki. Parę dni później wsunęłyśmy się po cichutku do sali, na której leżał.

Tym razem był również nakryty prześcieradłem.

Uśmiechnęłam się, na palcach podeszłyśmy do łóżka. Pokazałam Gośce na migi, żeby się przypadkiem nie odzywała. Stałyśmy bez ruchu i czekałyśmy. Teraz nasza kolej!

Nagłym ruchem zerwałam prześcieradło, krzycząc:

— A kuku!

Ale on już miał brodę podwiązaną i waciki na oczach.

A kuku.

*

Za pierwszą pensję kupiłam sobie stanik Triumpha, absolutny luksus, o ile dobrze pamiętam, w Peweksie na Dzielnej. Peweksy to były takie miłe sklepy, gdzie można było za dolary lub tak zwane bony dolarowe kupić niesamowite rzeczy, o których słyszało się wyłącznie w filmach amerykańskich, na przykład prawdziwe riffle albo mydełko Fa, albo dezodorant Fa, albo koniak francuski za dwa dolary czterdzieści centów, albo polską wódkę czystą za dziewięćdziesiąt dziewięć centów.

Stanik kosztował w przeliczeniu na polskie tysiąc siedemset złotych, czyli tyle, ile zarabiałam. Rozsadzała mnie duma, choć nikt, niestety, o tym nie wiedział, oprócz mojej przyjaciółki Ewy, Gośki oraz oczywiście rodziców, którzy chyba nie byli zachwyceni, że natychmiast wydałam całą swoją pensję.

Psu kupiłam cztery parówki i dałam mu, kiedy nikogo nie było w domu. Żeby przynajmniej on się cieszył, że jestem bogata i że mam znakomity stanik, a nie różowe ohydztwo z bazaru, z haftkami, które wbijały się najpierw w okolice łopatek, a po pierwszym praniu drażniły okolice nerek.

A najbardziej żałowałam, że Oddziałowa nie może mnie zobaczyć w tym staniku.

*

Mniej więcej po jakichś pięciu tygodniach doktor Piotr dostrzegł, jakie z nas pojętne uczennice, i postanowił nauczyć nas cewnikowania.

Nie przejęłyśmy się zbytnio, że cewnikowany miał być mężczyzna, bo facet miał trzydzieści pięć lat, więc dla nas, dziewiętnastolatek, właściwie stał już nad grobem.

Po pierwsze, zostałyśmy zaopatrzone w rękawiczki chirurgiczne. Małgosia, jak już mówiłam, była niezwykle atrakcyjną, przepiękną rudą dziewczyną o zielonych, kocich oczach. A ja wtedy chyba nawet byłam lekko podmalowana. Kiedy więc zbliżyłyśmy się do obnażonego Starca, a Małgosia ujęła jego penis w niepewną urękawicznioną dłoń, w Starcu obudziły się żądze. I małe nieszkodliwe maleństwo zaczęło w ręku Małgosi szybciutko bardzo rosnąć na naszych oczach. Starzec zrobił się czerwony jak burak, cały jakby zmalał, a jego męskość — wręcz przeciwnie.

Więc lekarz kazał Małgosi zostawić Starca na chwilę, choremu powiedział, żeby się nie przejmował, że jemu samemu też to się czasami zdarza. Pamiętam, że pomyślałam wtedy, że to miło, kiedy lekarz mówi pacjentowi, że też bywa cewnikowany.

Niestety, stałyśmy nad tym Starcem i patrzyłyśmy, kiedy będzie znów gotów do zabiegu, co nie sprzyjało powrotowi do stanu pierwotnego.

Wreszcie stało się i Małgosia przystąpiła do próby cewnikowania. Niestety, ledwie wyciągnęła rękę, na jej powitanie Starzec znowu zareagował i znowu wydawał się bardzo przejęty. Więc czekaliśmy, aż mu to przejęcie przejdzie w stan spoczynku. Doktor Piotr kazał Małgosi odejść na bok i poprosił, żebym ja przejęła cewnik.

Niestety, ja również nie nauczyłam się cewnikować.

*

Któregoś dnia przywieziono pana Piłata. Zapamiętałam go dobrze, ponieważ cierpiał na czkawkę żołądkową. Nie miałam pojęcia, że istnieje takie schorzenie, albowiem jeszcze wtedy nikt nie słyszał o doktorze Housie.

Pan Piłat był uroczym panem, który mówił:

— Księhep żnihep czkohep — co było, niestety, zabawne. — Cihep szejhep z tąhep froterką!

Pan Piłat został naszym bohaterem zupełnie przez przypadek, a ponadto miał poczucie humoru.

Pamiętam, jak biegłam z wynikami pana Piłata i zaczepił mnie przed rentgenem Jacek, który był zawsze ciekaw, na przykład, kto ma jaką hemoglobinę, bo już wiedział, jakie powinny być prawidłowe parametry. Zajrzał do papierów i powiedział:

— Niezłą tam macie umieralność, skoro z Biblii musicie dobierać — i podwiózł mnie do mojego pawilonu na wózku.

Natychmiast powtórzyłam panu Piłatowi, co powiedział Jacek. Serdecznie się roześmiał.

— Bihep blięhep! Dohep brehep!

Dzień po przyjęciu pana Piłata na oddział wylądowały u nas dwie piętnastolatki. Obie nałykały się pabialginy i zjadły każda po jednym termometrze, bez szkła, rzecz jasna, wygrzebały samą rtęć i połknęły, idiotki. Potem się przestraszyły i zadzwoniły na pogotowie. Obie zostały odratowane i obie miały kłopoty z błędnikiem. Włóczyły się po korytarzu, trzymając się ścian, i jak na niedoszłe samobójczynie, bywały nieźle rozbawione.

Jak się okazało, jedna z nich miała dość poważne kłopoty w domu, była bardzo nieszczęśliwa i zdecydowanie nie chciała żyć, a druga postanowiła nie opuszczać przyjaciółki w potrzebie i wlała w siebie rtęć w imię lojalności.

Pan Piłat i jego narzeczona bardzo się Dziewczyną Nieszczęśliwą przejęli. Nie mam pojęcia, skąd od razu cały oddział i wszyscy chorzy znali nawzajem swoje historie. Widziałam, jak rozmawiali z nią na korytarzu, ona płakała rzewnymi łzami, narzeczona Piłata przytulała ją do siebie, a i on był niezwykle poruszony.

Następnego dnia gruchnęła po oddziale wieść, że oni ją chętnie zaadoptują. Pan Piłat chodził po salach i pytał, czy może leży tu jakiś prawnik, bo oni chcieliby zasięgnąć porady, jakie formalności należy załatwić.

Nieszczęśliwa zakwitła, a jej przyjaciółka zwiędła w ciągu paru następnych dni. Po przyjaźni nie zostało śladu. Przyjaciółka Nieszczęśliwej poczuła się zdradzona i poprosiła rodziców, żeby ją zabrali do domu.

Nieszczęśliwa zaś przylgnęła do pana Piłata i kiedy na oddziale zjawiła się jej matka, ukryła się i nie chciała z nią rozmawiać. On dzielnie wyszedł i stawił czoło rozsierdzonej, ale chyba też i przerażonej matce. Z psychosomatycznego został wezwany psychiatra, bo Nieszczęśliwa zaczęła krzyczeć, że ona nie wróci, żeby jej wszyscy dali spokój i że nikt jej nie kocha.

Awanturze położył kres lekarz, który wszystkich, również psychiatrę, wezwał do siebie, o czym rozmawiali, nie wiadomo, ale matka i Nieszczęśliwa potem płakały, przytulając się do siebie w końcu korytarza, a później matka Nieszczęśliwej, ku naszemu zdumieniu, trwała w przytuleniu z panem Piłatem.

Co tu dużo gadać, wszystkie byłyśmy pod wrażeniem, zaskarbił on sobie naszą sympatię.

Wyzdrowiał i wrócił do domu.

*

Po raz pierwszy również byłam świadkiem, jak pomaga placebo. Morfina była ściśle wydzielana, nawet tym straszliwie cierpiącym, którzy umierali w potwornych bólach. Dolargan nie pomagał i wtedy któryś z lekarzy wręczał pielęgniarce napełnioną czymś strzykawkę, ze słowami:

— To na pewno pomoże, to nowy specyfik.

Basia spojrzała na mnie i powiedziała:

— Idź i zrób, bo to domięśniowy i na pewno pomoże.

Weszłam na salę z zastrzykiem i pełnym przekonaniem, że ratuję pacjenta od bólu.

Lek w ciągu paru minut zdziałał cuda. Wiem, bo posiedziałam chwilę przy chorym, głaskałam go po ręce, dopóki nie zasnął spokojnie jak dziecko.

Wróciłam do dyżurki poruszona. Nareszcie coś na ból! Coś dostępnego, prostego, niedrogiego, nietrzymanego pod kluczem, bez rozdzielników, pozwoleń, tłumaczenia się docentowi! Genialne lekarstwo!

I wtedy lekarz powiedział:

— Normalna woda, drogie panie. I pozytywne wzmocnienie.

Nie miałam pojęcia, o czym mówi.

— Ona nie wiedziała — lekarz wskazał ręką na pielęgniarkę — koleżanka nie wiedziała — machnął na mnie — właśnie tak to działa. Podwójne pozytywne wzmocnienie.

Pan od placebo przespał spokojnie całą noc, zanim umarł.

*

Czasem pani Krycha miała przy kimś prywatny dyżur, była tańsza niż pielęgniarka, a chory był zaopiekowany. Czuwała przy pacjencie i była na każde skinienie. Jeśli zasnął, przychodziła do kuchni, gdzie siadywałam w nocy po sprzątnięciu oddziału, czujna wszakże na wszystko, co się działo lub miało stać.

Siadała razem ze mną przy stole i zaczynała swoje opowieści:

— Ty tak nie lataj na każdy dzwonek. Tu kiedyś taka jedna była, upierdliwa, że strach. Normalna

166

hypochondryczka była. Co ja się do niej nalatałam. Dzwonek, biegnę, okno, duszno, no więc otwieram. Hypochondryczka, że duszno niby jej było. Wracam do kuchni, ledwo se siadłam, dzwonek, no to biegnę. I — zamknąć okno, bo zimno. No to zamykam okno, bo zimno. Lecę do kuchni z powrotem, ledwo doszłam, no, to jeszcze nie zdążyłam herbaty zagrzać, dzwonek. Lece. Pić — to przynoszę picie. No to se myśle, spokój będzie. A gdzie tam. Dzwonek, siku. Na tą cholere sposobu nie było. No to po basen idę, podkładam, wracam, dzwonek, duszno i tak całą noc. Hypochondryków to ja normalnie nienawidze!

— I co się z nią stało? — pytałam.

— A nic. Nad ranem umarła — mówiła pani Krycha, myła kubek i szła z powrotem do pacjentki.

*

W szpitalu chodziłam z małym notesikiem w kieszeni fartucha i zapisywałam, co się dzieje, kiedy tylko mogłam. Kiedyś na notowaniu złapała mnie Oddziałowa:

— Księżniczko, donosy piszesz? Pisarką chcesz zostać? A podłoga na korytarzu zasmarowana błotem!

I schowałam ten notesik. Nie powiedziałam: a właśnie, że tak, że zostanę pisarką, jeszcze zobaczysz, Oddziałowo! Tylko poszłam po szmatę.

Była okropna jesień. Smutna, wilgotna, mroczna. Liście osuwały się z drzew przy szpitalu wolno i ze smutkiem. Z Ewą spotykałam się wyłącznie na swoim oddziale. Mówiłam:

— Przyjedź, posiedzimy w kuchni, nie opłaca mi się wychodzić, za parę godzin mam następny dyżur — i Ewa przyjeżdżała.

Co prawda przez te cztery miesiące życie poza szpitalem w ogóle mnie nie interesowało, ale to, czy on (ten nasz wspólny platonicznie ukochany) się odezwał — bardzo.

Bo do mnie w ogóle nie pisał, nawet zdawkowych karteczek o swoich dużych problemach i małych kłopotach.

Rodzice patrzyli na mnie z dumą, jak dorastam i zaczynam być odpowiedzialna. Z rzadka patrzyli, bo głównie nie było mnie w domu. Sądzę, że bardzo przejmowali się maturą mojego brata. Który oczywiście zdał śpiewająco. Ale gdyby tak poszedł w moje ślady... Mogli się obawiać najgorszego.

*

Lubiłam, kiedy Krycha brała zlecone dyżury nocne, gdy ja miałam nockę. Usypiała swoich chorych i kazała mi przychodzić do kuchni. I wtedy robiła dla mnie i siebie herbatę, siadała ciężko przy stole i na przykład opowiadała:

— Ale pamiętam też, jak była taka, co strasznie chciała, żeby wszyscy koło niej chodzili. Czasem i chodzili, a jej sie nie poprawiało. No to wiesz, jacy są lekarze. To ją wypisali. W środe miała iść do domu. A w środe rano sina sie robi, to sie dopiero wszystkie zleciały. Hyc jej na piersi, tylko chrupnęło, bo żebra jej złamali. I gnietli, gnietli, nic, trupa już gnietli. Wiem, bo szafke sprzątałam po niej, ile tam czekolad było, ile bombonierek, żeby podziękować za opiekę. Ona myślała, że jak już wyjdzie, to się przejdzie i podziękuje, a nie wyszła, czekoladek nie dostali, tylko trupowi żebra pognietli. Z lekarzami trzeba uważać.

Albo mówiła tak, jeśli noc była wyjątkowo dobra i nikt nie umierał:

— Ty wiesz, że koty to najbardziej walerianę lubieją? Ty weź trochę przynieś jutro, jak masz nockę, to rozlejemy pod lekarskim, a zobaczysz, co one wyprawiają.

Którejś nocy przyniosłam dwie buteleczki i rozlałam przed oknami. Boże, co się działo przez następny tydzień, trudno opisać. Wszystkie koty z całej Woli, setkami, przychodziły pod nasz oddział i dawały nam wszystkim popalić. A Krycha wtedy pytała takim tonem, jakby pytała samą Opatrzność:

— Co to się dzieje, no nikt im przecież waleriany tam nie wylał? — i mrugała do mnie porozumiewawczo, uśmiechając się pod swoim ciemnym wąsikiem.

*

Ciało, jak już wspomniałam, musiało leżeć na oddziale dwie godziny, zanim zostało zabrane do kostnicy. Czasami brakło parawanów, żeby osłonić trupy przed oczami innych pacjentów, bo trzy albo cztery osoby umierały na oddziale w ciągu nocy, więc chorzy musieli leżeć ze zmarłymi. Prosili mnie, żebym gdzieś „to" zabrała, to „coś", co przed chwilą było ich sąsiadem z innego łóżka i jeszcze przed chwilą miało imię.

Czasem, kiedy była głęboka noc, wyprowadzałyśmy takie łóżko z umarłym na korytarz. Ale czasami się nie dało, bo jak łóżko było bez kółek, to nie miałyśmy odwagi przenieść samego ciała.

Pamiętam, jak kiedyś około trzeciej w nocy przyjechało dwóch znieświeżonych jakimś półlitrem panów z kostnicy i zabierane ciało wysmyknęło im się z rąk przy przenoszeniu na nosze, które potem zakładali na wózek akumulatorowy.

Trzasnęło głucho jak worek ziemniaków. Kiedy jedna z pacjentek powiedziała: — Panowie, jak tak można! — Jeden z nich, fioletowy na twarzy, odwrócił się i powiedział:

— Ciebie też tak rzucimy.

*

Najtrudniejszym dla mnie ciałem było ciało pewnego Czterdziestolatka, który zupełnie niespodziewanie umarł sobie cichutko i dopiero jak zaglądałam po czwartej do sal, to zobaczyłam, że leży skulony i nie oddycha.

Obudzony lekarz stwierdził zgon, a ja musiałam przygotować zmarłego do kostnicy. Starałam się nie obudzić innych chorych, ale Czterdziestolatek stężał, tak jak spał, w swoim szlafroku narzuconym na piżamę, leżał na boku, z kolanami podkulonymi, w pozycji embrionalnej, obie ręce złożone pod prawym uchem. Nie mogłam sobie dać rady z ubraniem. Musiałam rozciąć szlafrok wzdłuż pleców, ale to nie pomogło, ręce nie chciały się rozłożyć. Do sali zajrzał lekarz. Chyba zrobiło mu się mnie żal, bo podszedł i również w ciszy próbował mu rozprostować ręce; myślałam, że go połamiemy, ale nie połamaliśmy.

Wtedy po raz pierwszy pomyślałam, że człowiek, który umiera, nie staje się ciałem, w momencie śmierci wyraźnie widać, że ciało jest tylko ubraniem dla człowieka.

*

Siedziałam przy wielu umierających. W nocy, kiedy już wykonałam obowiązki sprzątaczki, mogłam to spokojnie robić i widziałam, jak ludzie odchodzą, choć nie było to wcale łatwe, i, niestety, nikt mnie nie nauczył, jak towarzyszyć umierającym. Siedziałam przy nich, bo nie mieli się do kogo odezwać, a chcieli rozmawiać, albo cierpieli, albo byli samotni.

*

Na trójkę przywieziono pewnego dnia chudziutką staruszkę. Była w szpitalnej koszuli, co świadczyło o tym, że nikt jej jeszcze nie odwiedził i nie przywiózł rzeczy osobistych. Kiedy sprzątałam salę numer trzy, rozmawiała ze mną bardzo chętnie.

Kiedy skończyłam myć podłogę, pokazywała palcem: jeszcze tam, o, tutaj.

Myłam więc tę podłogę drugi albo trzeci raz, ponieważ wcale nie chodziło o czystość, ona po prostu chciała, żebym była z nią jak najdłużej.

Opowiadała o córce, która przyjdzie jutro, o tym, jak bardzo córka jest z nią związana i jak ciężko się córce do niej wyrwać. Pokazywała mi słoik z jakimiś owocami: zawsze o mnie córcia pamięta, zawsze. Mówiła, jak w domu często ją odwiedza, jak jej pomaga. Jak sobie siadają i o wszystkim rozmawiają. Mówiła, że córka ją tu przywiozła, jak tylko zobaczyła, co się z nią dzieje. Mówiła tak przez tydzień, do śmierci, i ani razu nikt się u niej nie pojawił.

Kiedy sprzątałam jej szafkę, znalazłam tylko mocne rogowe okulary i obrazek świętego Antoniego. Nic więcej.

Przywieziono ją z domu starców, miała tylko sześćdziesiąt osiem lat, wyglądała na dużo, dużo więcej, była emerytowaną nauczycielką. Na rozpoznaniu chorobowym było napisane *tumor abdominalis*. Po ciało nikt się nie zgłosił, po sekcji mogło iść do akademii medycznej i służyć studentom.

Lekarz pozwolił mi uczestniczyć w sekcji. Z pisemnym pozwoleniem poszłam do kostnicy. Otworzył mi młody, lekko pijany mężczyzna w rozchełstanej niebieskiej koszuli. Przed pawilonem stał jego kabriolet, mustang, nigdy nie widziałam tak luksusowego samochodu. Wręczyłam mężczyźnie kartkę z pozwoleniem na uczestniczenie w sekcji. Roześmiał się i zapytał:

— A majtki na sobie masz?

Uciekłam i do dzisiaj tego nie żałuję.

*

Pierwsze samobójstwo z miłości również zapamiętałam.

Przywieźli ją pod wieczór, mąż rzucił ją na łóżko w erce, wściekły, i od razu poszedł w cholerę. Była nieprzytomna, już po płukaniu żołądka.

— Ale durna baba, z miłości chciała umrzeć! — mówiła pielęgniarka Basia, zakładając wenflon (a były to czasy, kiedy wenflony były reglamentowane).

Byłam wstrząśnięta.

Z miłości? Nie mogłam uwierzyć, że czterdziestopięcioletnia kobieta może chcieć nie żyć z miłości. Miłość była zarezerwowana dla ludzi młodych. Ale truć się tylko dlatego, że jej mąż miał romans?

Był piątek wieczór. Pielęgniarki zmieniały jej bez przerwy kroplówki, musiałam często zaglądać na erkę, żeby im dać znać, kiedy się kończy jedna, żeby mogły założyć następną.

Mąż był wściekły, że zepsuła mu weekend, w sobotę miał gdzieś jechać, a ona w ramach protestu wzięła prochy. Nie mam pojęcia, skąd było o tym wiadomo, ale wiedzieliśmy wszyscy.

Leżała spokojnie, ładna, młoda twarz, ciemna oprawa oczu, długie czarne włosy rozsypane na poduszce. Nie pojawił się ani w sobotę, ani w niedzielę. Ona odzyskała przytomność nad ranem, pomalutku zaczęła wracać do siebie. Niewiele mówiła, niewidzącym wzrokiem wodziła za mną, kiedy przyszłam ją umyć. Zgrabna, szczupła, ale jednak po czterdziestce! Miała rewelacyjne piersi, nie mogłam uwierzyć, że można mieć tak śliczny biust. Nie mieściło mi się w głowie, że naprawdę mogła go tak kochać. Co innego, gdyby miała osiemnaście lat... no, dwadzieścia, góra — dwadzieścia pięć.

— Ja go tak kocham, siostro — mówiła do mnie, kiedy odwracałam ją na bok.

A ja powtarzałam najczęściej na oddziale używaną mantrę:

— Wszystko będzie dobrze...

— Tak, wiem, wszystko będzie dobrze... — Kiwała przez grzeczność głową, ciemne włosy opadały na twarz i zamykała oczy.

Nie mogłam zrozumieć, jak można kochać faceta, który cię nie chce. Bo to, że nie chciał, wszyscy na tym oddziale odczuliśmy.

W poniedziałek wieczorem pojawił się, wodziłyśmy za nim złym wzrokiem. Jak można nie kochać kobiety, która tak bardzo chce z tobą być, że gotowa jest umrzeć, jeśli ma żyć bez ciebie? Młode byłyśmy i to nas tłumaczy. W każdym razie i my, salowe, i pielęgniarki byłyśmy całym sercem z nią.

Przyniósł koszulę nocną, ładny szlafrok, szczotkę do włosów i znowu poszedł w cholerę, odprowadzony naszymi wściekłymi spojrzeniami.

We wtorek zaczęła siadać na łóżku. Siedziała tak ze spuszczonymi nogami i patrzyła w okno, czesząc długie włosy. Był u niej psycholog, ale nie chciała rozmawiać. Popołudniówkę miała pielęgniarka Basia, która cały czas była niespokojna.

— Mnie się ona nie podoba — mówiła. — Bardzo mi się nie podoba, wspomnicie moje słowa.

W środę po rannym obchodzie lekarka zdecydowała, żeby już wyjąć wenflon. Baśka nieśmiało usiłowała protestować, a była najlepszą pielęgniarką, jaką widziałam — wkłuwała się do żył, których nie było, a młodzi lekarze często prosili ją o wkłucie się do tętniczek.

— Ja bym jeszcze wenflonu nie usuwała, bo ona ma straszne żyły — powiedziała.

Wenflony były na wagę złota, drugiego samobójczyni mogła już nie dostać. Ale po obchodzie zdecydowano inaczej. Basia weszła do dyżurki i powiedziała:

— Wyjmujemy wenflon z czwórki, choć od razu mówię, i zapamiętaj, że byłam przeciwna.

— Przecież ona już z tego wyszła — powiedziałam. Z Basią już byłam na ty.

— Wyszła, nie wyszła, ja bym ten wenflon jeszcze zostawiła, bo ona ma kiepskie żyły, ale nie ja tu rządzę. Idź ją umyj, bo nie mam czasu.

Poszłam na czwórkę. Kobieta siedziała na łóżku.

— Niech mi pani przyniesie miednicę, spróbuję sama — powiedziała, ale nie mówiła do mnie, tylko do tego, co było za oknem. A za oknem było szaro, mglisty listopadowy poranek podnosił się niezdarnie ze snu.

Wymyłam miskę, weszłam z powrotem na erkę. Nalałam ciepłej wody, postawiłam na stołeczku przed nią.

Wtedy na sali pojawiła się Basia. Sztucznie radosnym tonem, który czuć było na kilometr wymuszoną wesołością, powiedziała:

— No to co? Wyjmujemy wenflonik i szykujemy się do powrotu?

Ciemnowłosa kobieta wyciągnęła rękę, Basia sprawnym ruchem wysunęła igłę z żyły. Kobieta powiedziała cicho: dziękuję, i dalej patrzyła w okno. Woda stygła.

— Pomóc pani? — podeszłam do łóżka. Podniosła ręce do góry, jak dziecko. Ściągnęłam jej koszulę przez głowę. Wtedy zobaczyłam, że blednie. Osunęła się na łóżko.

Basia odwróciła się od drzwi, natychmiast odstawiła tackę i krzyknęła do mnie:

— Leć po odsysacz i lekarza!

Pobiegłam do lekarskiego, kiedy wróciłam z odsysaczem, nad rozkrzyżowaną na łóżku kobietą stało trzech lekarzy i Basia.

Jeden próbował się wkłuć w lewą dłoń. Basia próbowała się wkłuć w prawą dłoń. Lekarz próbował się wkłuć w nogę. Lekarka mierzyła ciśnienie.

A ona naga leżała między nimi i cicho mówiła:

— Pani doktór, co się dzieje?

Nie mogli się wkłuć. Ciśnienie spadało w tempie oszałamiającym.

Lekarka mówiła:

— Sto na osiemdziesiąt, osiemdziesiąt na pięćdziesiąt, pięćdziesiąt na trzydzieści.

Nie miała żadnych szans, uratowałby ją środek na podniesienie ciśnienia, którego nie można było podać dożylnie, bo ciśnienia w żyłach nie było. Gdyby był wenflon... Ale wenflon został wyjęty pięć minut wcześniej.

Jeszcze dzisiaj mam w uszach jej głos, ostatnie przerażające zdanie, już nie obojętne i spokojne, tylko ni to prośbę o życie, ni stwierdzenie, zawarte w trzech krótkich słowach:

— Boże, ja umieram...

Umarła chwilę później. Ruch przy jej łóżku ustał tak szybko, jak się zaczął. Lekarze odeszli, zostałam ja, z niepotrzebnym odsysaczem, i Baśka, wściekła, wyjmująca te wszystkie oprzyrządowania i te strzykawki po trzech lekarzach rzucająca z hukiem na tackę.

— Kurwa! Mówiłam, żeby zostawić wenflon, kurwa, mówiłam! Przecież widziałam, że coś się dzieje.

Męża od razu zawiadomiono. Przyszedł dopiero następnego dnia po rzeczy.

Nie sprawiał wrażenia, żeby jakoś go ta śmierć dotknęła, choć wiem, że jak się ma dziewiętnaście lat, to o wielu rzeczach się jeszcze nie wie. Naszym zdaniem, pielęgniarek i salowych, był wyraźnie zły, że mu jakieś plany zepsuła. Pomyślałam sobie: Boże, dla kogoś ty się, kobieto, zabiła?

*

Nie wszyscy w tym szpitalu umierali. A nawet sądzę, że większość spokojnie wychodziła do domu. Znakomita większość. Ale salowe były od brudnej roboty przy zmarłych lub umierających, nie zajmowałyśmy się tymi chorymi, którzy mogli się sami umyć, ubrać, nie odprowadzałyśmy tych, co wyzdrowieli, do bram szpitala, nie żegnałyśmy ich z uśmiechem, że oto wszystko się dobrze skończyło, to — nie do zobaczenia, proszę pani, proszę pana.

My zajmowałyśmy się tymi, którzy umarli, którym trzeba było podwiązać brody, po których trzeba było zebrać prywatne rzeczy, włożyć do koperty lub woreczka, przypilnować, żeby nic nie zginęło, których trzeba było odprowadzić do cholernego pawilonu numer jedenaście, czyli kostnicy.

Moja percepcja w szpitalu była zaburzona. Nie widziałam zdrowiejących, nie musiałam im pomagać ani się do nich przywiązywać. Nie towarzyszyłam im. Nie obchodzili mnie, prawdę powiedziawszy. Radzili sobie sami. Dostawali leki i zdrowieli.

A kiedy wchodziłam na salę, na której wczoraj jeszcze wszystkie łóżka były zajęte, i widziałam wolne jedno pod oknem, to natychmiast szłam do dyżurki i pytałam:

— Na co umarł? Na co umarła?

Kiedyś na takim pytaniu złapała mnie Oddziałowa. I powiedziała:

— Wypisany. Wypisana. Co się z tobą dzieje? Ty myślisz, że wszyscy tu umieramy?

Jeszcze wtedy nie wiedziałam, że tak jest, że właśnie każdego dnia wszyscy umieramy, więc ucieszyłam się, że nie wszyscy.

I zrozumiałam, jak bardzo szpital się we mnie wcisnął, jak nie pozwala mi normalnie żyć, i właściwie chyba już nie chciałam najpierw zostać lekarzem, żeby pisać, tylko od razu pisać.

*

Noce w szpitalu są niezwykłe.

Noc to jest taka pora, kiedy nie można się zorientować, czy ktoś umiera, czy nie. Śmierć pojawia się ukradkiem i wtedy trzeba pamiętać o tych chorych, którzy byli w ciężkim stanie.

Pamiętam, jak pewnego dnia przywieziono na oddział Ojca Lekarki. Oczywiście było wiadomo, że wymaga specjalnej opieki, zresztą lekarkę wszyscy lubili i wszystkim zależało, żeby wyzdrowiał. Miał raka, ale też i szansę, żeby jeszcze pożyć.

Sprawdzałyśmy co dwie, trzy godziny, co się dzieje we wszystkich salach. Czy wszyscy oddychają, czy nic się nikomu nie stało.

Robiłyśmy to z Małgosią zawsze, kiedy miałyśmy dyżur nocny. Pielęgniarki siłą rzeczy wchodziły do sal w nocy, bo na oddziale leżało dużo chorych na cukrzycę, którzy nawet w nocy wymagali badań na cukier lub podania insuliny domięśniowo.

Myśmy robiły to po nic właściwie. Albo żeby się upewnić, że jesteśmy takie wspaniałe.

Ale tej nocy ostatni obchód zrobiłyśmy o czwartej. A potem siedziałyśmy z pielęgniarkami w dyżurce. I pamiętam opowieść jednej z nich.

Mówiła, że kiedyś, w zupełnie innym szpitalu, leżał ciężko chory przyjaciel jej ojca. Wchodziła do niego co godzina, bo wiedziała, jak groźny jest jego stan. Następnej nocy miała mnóstwo roboty, szpital miał ostry dyżur, przywieziono paru chorych, przy których było co robić, jednym słowem, zapomniała do niego zajrzeć.

I kiedy nad ranem wracała z którejś z sal, usłyszała straszliwy huk dochodzący z brudownika. W salach naprzeciwko pozapalało się światło, zaniepokojeni chorzy wyjrzeli na korytarz.

Przestraszona porządnie zajrzała tam, w przekonaniu, że wszystkie — metalowe wtedy — baseny i kaczki musiało coś zrzucić, że być może nawet ktoś zrzucił całą metalową półkę, na której stały. I kto to mógł być? Narkoman, który w nocy niepostrzeżenie wsunął się do szpitala? Zboczeniec, który się tam ukrył niezdarnie?

Kiedy w końcu otworzyła drzwi, zobaczyła, że wszystko stoi na swoim miejscu. Żaden basen, ani pokrywka nawet, żadna kaczka, żaden słoik i miednica nie spadły na podłogę. Nic nie miało prawa narobić takiego straszliwego hałasu. Wtedy przypomniała sobie, że nie poszła do przyjaciela ojca. Wbiegła do sali i ... — tu zawiesiła głos.

Wiedziałyśmy, co teraz nastąpi. Okaże się, że w tym samym momencie, kiedy usłyszała huk, umarł przyjaciel jej ojca, którego w ferworze załatwiania innych spraw zapomniała odwiedzić i sprawdzić, jak się czuje.

— Weszłam na salę, gdzie leżał, i okazało się, że ma się dobrze — dokończyła. — Ale do dzisiaj nie mogę się pozbyć uczucia, że to był jakiś rodzaj przypomnienia, że nie wolno zaniedbać żadnych spraw, nawet jeśli pojawiają się inne.

O piątej rano zaczęłam sprzątać łazienkę damską. O wpół do szóstej poszłam do męskiej. Ojciec Lekarki wisiał na swoim własnym pasku. Był sztywny.

Musiał to zrobić między czwartą a piątą, kiedy słuchałyśmy opowieści pielęgniarek.

*

Bywało, że moja praca polegała na tym, żebym pojechała na plac Konstytucji po kaszankę, bo któremuś choremu zachciało się kaszanki. Albo żebym kupiła kilogram cukru. Więc jechałam na ten plac Konstytucji i kupowałam kaszankę.

Bywało, że brałam ubrania na zmianę i przez parę dni spałam w szpitalu na erce, jeśli było wolne łóżko. Żyłam szpitalem, byłam od niego uzależniona. Kiedy wsiadałam przypadkiem do tramwaju, oglądałam ludzi i myślałam — ten pan z prawej, z tymi workami pod oczami, nawet nie wie, że być może ma mocznicę. Albo tylko niewydolność nerek. Umrze. Ta pani pod oknem ma typowe dla zespołu płuco-serca zsinienie ust, umrze. To dziecko, które siedzi na kolanach tej pani i tak sucho kaszle, być może ma raka płuc. Umrze. Motorniczy oddycha ze świstem. Umrze.

W tramwajach i autobusach widziałam przyszłych zmarłych. Płakałam czasem w nocy ze strachu, że może moi rodzice już są ciężko chorzy, tylko o tym nie wiedzą.

*

Na naszym oddziale wylądował Rak Trzustki z przerzutami do kości biodrowej. Był kuratorem oświaty i we władzach partyjnych. Strasznie cierpiał. Siedziałam przy nim całą noc, nie pozwalał mi na moment odejść. Na przemian mówił:

— Błagam, siostro, niech mi siostra pomoże!

Albo:

— Ty kurwo, nie widzisz, co się ze mną dzieje?!

Dostał jakieś środki, ale były za słabe. Po chwili otwierał oczy, chwytał mnie za rękę i mówił:

— Przepraszam, przepraszam, nie chciałem siostry obrazić, przepraszam, tak strasznie mnie boli.

Zamykał oczy, chciałam uwolnić rękę i wyjść na chwilę, wtedy natychmiast stawał się czujny i prosił:

— Nie odchodź, dziecko, ja mam córkę w twoim wieku, to jakby tu ze mną była.

A za chwilę krzyczał:

— Boże, dlaczego ty nic nie robisz, dlaczego ty tu siedzisz, zrób mi zastrzyk, błagam, będę się za ciebie modlił, tylko zrób coś!

Szłam do pokoju lekarskiego, a lekarz bezradnie rozkładał ręce.

— Nic nie można zrobić — mówił.

Wracałam więc do Raka Trzustki z jakąś tabletką, którą dostałam, i mówiłam:

— To na pewno pomoże.

Rak Trzustki posłusznie popijał tabletkę, która była albo proszkiem na ból głowy, albo jakąś inną nieszkodliwą pigułką, i mówił:

— Dziękuję, ja ci wszystko załatwię, ja ci załatwię tę medycynę, ja wszystko mogę.

A potem nagle krzyczał:

— Podłóż mi coś pod nogę, błagam, nie mogę tak mieć nogi, nie rozumiesz?

Rolowałam koc, przyniesiony z innej sali, wkładałam pod udo, po to żeby za chwilę stamtąd go usunąć, bo — za wysoko, za wysoko, coś ty zrobiła?

Przed śmiercią chwycił mnie za rękę i powiedział:

— A jednak Bóg jest — i umarł.

*

Widziałam, jak umierają ci, co wierzą, i jak zaczynają wierzyć ci, co umierają.

Nigdy więcej już nie dałam się nabrać na proste stwierdzenia w rodzaju, że wiara jest dla słabych ludzi, opium dla ludu. Widziałam, jak głęboko niewierzący ludzie nagle zmieniają się pod wpływem Czegoś Nieznanego, co nie miało nic wspólnego ze strachem ani z działaniem neuronów.

Moja niewiara była coraz bardziej wątła.

*

Na początku grudnia przywieziono następnego samobójcę, znalezionego gdzieś na działkach. Rzucono go na łóżko, na trójkę, po numerze sali było wiadomo, że się nie wyliże. Podobno wziął sześćset tabletek.

Był w naszym wieku, nie miał więcej niż dziewiętnaście lat. Zajęłyśmy się nim, jakby od tego zależało nasze życie. Przywieziono go na oddział nagiego. Był w strasznym stanie, oporządziłyśmy go za życia, obcięłyśmy mu paznokcie, wymyłyśmy włosy własnym, przyniesionym z domu szamponem. Kiedy oskrobałyśmy pierwszy brud, ukazał się nam piękny chłopak, wspaniale zbudowany młody mężczyzna, niestety, wytatuowany od pasa w górę. Ale bardzo nie chciałyśmy, żeby umarł.

— On nie przetrzyma — mówiły pielęgniarki.

Lekarz zaglądał do niego tylko przez drzwi.

Chłopak był nieprzytomny przez trzy dni, a nagle, trzeciego dnia wieczorem, otworzył oczy i zapytał:

— Gdzie jestem?

Wtedy zaczął się koło niego ruch. Natychmiast zrobiono jakieś badania i okazało się, że żyje dlatego, że nałykał się proszków tak różnych, że te, co miały go zabić, zostały zneutralizowane przez inne, które zniwelowały skutki tych pierwszych.

Wziął takie, co podwyższały ciśnienie, i takie, co ciśnienie obniżały, nasenne i pobudzające, takie, które podwyższały poziom cukru, i takie, które obniżały. Ale nie wiadomo dlaczego, to wszystko, zamiast go skatować na śmierć jak każdego innego człowieka, nagle zaczęło go wybudzać do życia.

Uznałyśmy, że to cud i że nasza opieka przywróciła go do życia i że nie chodzi tylko o to, żeby żył byle jak, tylko żeby żył naprawdę!

Och, przesiedziałyśmy niejedną godzinę w kuchni, zastanawiając się, jak mu teraz pomóc, skoro już się stało.

Już wiedziałyśmy, że siedział w poprawczaku i stamtąd te tatuaże. (W latach siedemdziesiątych tatuaże były wyłącznie więzienne). Wiedziałyśmy, że chłopak nie chciał żyć, bo nie miał po co.

— Bo matka skurwiona, wiecie, a ojciec — i tu mu się pięści same zaciskały.

O Boże! Cóż to za wyzwanie! My mu pokażemy, że życie jest piękne! Że wszystko jeszcze może się odwrócić! My go w te pędy zresocjalizujemy! Tylko żeby się pozbył tych tatuaży, wtedy zrozumie, że może wszystko zacząć od nowa!

Taka szansa od losu nie zdarza się dwa razy. On to przy naszej pomocy wszystko pojmie. On się zmieni, on zrozumie. Znajdzie porządną pracę, pójdzie do szkoły, a kto wie, może w przyszłości na studia?

Zaczęłyśmy proces resocjalizacyjny od razu. Mówiłyśmy do niego, kiedy jeszcze leżał, bezbronny, zdany całkowicie na naszą łaskę. Łatwiej nam było co prawda zajmować się nim, gdy był nieprzytomny, bo teraz wstydził się, że go myjemy i zmieniamy worki z moczem, ale po pierwsze, powoli co prawda, zaczął przyjmować naszą opiekę bez wściekania się. Po drugie, zaczął odpowiadać na pytania. A potem zaczął mówić o sobie.

Przy naszej pomocy zaczął wstawać i pomalutku chodzić po oddziale. Tłumaczyłyśmy mu, że jest potrzebny światu, taki, jaki jest. Kiedyś z przyjemnością — jak takie kwoki, których pisklę nagle samodzielnie zacznie dziobać — zobaczyłyśmy, jak pomaga innemu choremu wejść na wózek. A przecież już miał być stracony dla świata!

Wydawało nam się, że jest na dobrej drodze do zrozumienia, że oto wszechświat stoi przed nim otworem. Że nie ma powrotu do tamtych kolegów z działek, do kolegów z więzienia, że może się uwolnić od tamtego życia.

Kiedy nas zapytał, czy możemy załatwić jakieś adresy lekarzy, którzy usuwają tatuaże, byłyśmy wniebowzięte. Był łagodny, miły, spokojny, błagalny.

— Nie chcę być naznaczony i wszystko zmienię — mówił, a nam serca rosły.

Kiedy czekał na wypis, poszłyśmy do niego na salę. Gosia była gotowa dać mu swój numer telefonu, żeby dzwonił, jak tylko będzie potrzebował pomocy, i adresy jakichś lekarzy, których wynalazła swoimi kanałami.

Chłopak stał przy łóżku w spodniach i jeszcze w górze od szpitalnej piżamy. Patrzyłyśmy na niego, jak Pigmalion patrzył na swoją Galateę. Dumne z własnego dzieła. Oto dzięki nam uratowana dusza, w dodatku w tak pięknym, choć wytatuowanym ciele.

— Najważniejsze to zrobić porządek z tym — powiedziała Gośka, wskazując na sine obrazki.

A on sprawnym ruchem ściągnął bluzę i stanął przed nami, pokazując nagi tors w całej okazałości. Uśmiechał się już inaczej niż wczoraj i przedwczoraj. Był w jakiś niezrozumiały dla nas sposób pewien wrażenia, jakie na nas robi, czy chciał zrobić, nie mogłam pojąć, na czym polega różnica, ale pamiętam, że wyczułam tę różnicę, poza rozumem, od razu. Był znowu kimś innym. Już nie pacjentem. Już był tamtym, wcześniejszym.

— Zdecydujesz się? — zapytałam.

I wtedy spojrzał na mnie — i był już innym człowiekiem. Odwrócił się do mnie tyłem, na plecach miał bardzo misternie wytatuowane przepiękne drzewo, to znaczy okropne jako tatuaż, ale obiektywnie bardzo ładne, i powiedział:

— Ale wiesz co, jak ruszam łopatkami, to tak jakby wiatr wiał, jakby listki się ruszały, no nie?

No i wtedy zrozumiałyśmy, że Pan Bóg może daje szansę, ale nie każdy chce z niej skorzystać.

Gośka nie dała mu tej kartki, zresztą wcale się nie dopominał, rzucił nam krótkie: no to do zobaczenia kiedyś, które właściwie przejęło nas grozą.

*

W grudniu dostałam wszystkie dyżury świąteczne i również sylwestrowy.

Byłam trochę obrażona, chociaż Oddziałowa próbowała mi wytłumaczyć, że Krycha nie może, bo ma dzieci swojej córki i święta, druga pani, której imienia nie pamiętam, nie bierze nocnych, bo ma chore dziecko, Gosia dojeżdża spoza Warszawy, a ja mam blisko i żadnej rodziny.

Miałam rodzinę! Miałam Ojca, Mamę, brata i psa! Miałam siostrę cioteczną i ciotkę, i babcię! I miałam sylwestra! Co prawda, nie miałam z kim go spędzić, bo on się nie odezwał, ten nasz (mój i Ewy) ukochany.

Ale przecież miałam jakieś życie! O którym być może zapomniałam, ale na pewno gdzieś było!

Pamiętam, jak żaliłam się Jackowi, że tak się ze mną źle obchodzą.

— Jak skończymy medycynę, będzie jeszcze gorzej — powiedział i popędził do rentgena.

*

W Wigilię umarły trzy osoby.

Jedną z nich zapamiętałam. Przywieziono ją około jedenastej. Bardzo piękna kobieta, miała w sobie coś niezwykłego, mimo że cuchnęła wódką. Nie mogłam uwierzyć, że ma czterdzieści lat, nie miała jednej zmarszczki. Była tak napuchnięta od alkoholu, że wyglądała na młodszą. Chwyciła lekarkę za rękę:

— Uratujcie mnie. Ja wiem, że wszystko się zmieni od tej Wigilii, tylko mnie uratujcie. Mam dzieci, one zasługują na szczęście. Mój synek ma tylko osiem lat, proszę...

Umarła dziesięć minut później.

To była jedyna osoba w tym szpitalu, która ze świetlistej, pięknej kobiety zamieniła się w okropne chude, kanciaste szare ciało. Nie wiem, jak to było możliwe, ale widziałam to na własne oczy.

Było mi jej żal. Poza tym jej śmierć nikogo nie obeszła.

— Sama sobie zasłużyła na taki los — ktoś powiedział.

A mnie zadrżało z rozpaczy serce.

*

Byłam zmęczona. Byłam strasznie zmęczona umierającymi, chorymi, zdrowiejącymi, salowymi, szpitalem, kotami. Byłam zmęczona świadomością, że życie nie jest wcale bezpieczne, że nieuchronnie prowadzi do śmierci. Chciałam o tym jak najszybciej zapomnieć, a nie dawało się. Chciałam się śmiać i bawić, chciałam, żeby ktoś mnie kochał, chciałam być beztroska, chciałam być znowu w szkole i wygłupiać się. Nie chciałam już być lekarzem.

Nie chciałam być salową.

W ogóle momentami nie chciałam być.

Młoda doktor Magda zajrzała do dyżurki.

— Podłożyłam basen na piątce, trzeba będzie za chwilę wziąć.

Patrzyłam na nią jak w obraz, lekarz, który podstawia basen choremu — to dopiero jest lekarz! Jak mogłam nawet przez chwilę myśleć, że to wszystko, co się tu dzieje, jest bez sensu? Właśnie tak powinno być na świecie — nieść ulgę tym, którzy tego potrzebują, to przesłanie każdego człowieka! Taka doktor Magda będzie moim wzorem.

Kiedy poszłam na piątkę i z radością powiedziałam, że co prawda lekarz tu był przed chwilą, ale może ja się przydam teraz, pacjentka lekceważąco powiedziała:

— Eee, co to za lekarz, jak basen podaje, to nie lekarz, lekarz się musi szanować... To nie to, co pani...

Zaniosłam pełny basen do brudownika i długo myłam lizolem.

I pierwszy raz patrzyłam na zegarek. Żeby już skończył się ten dyżur.

*

Po świętach zadzwonił (mój i Ewy) platoniczny ukochany i powiedział:

— Jak chcesz ze mną spędzić sylwestra, to przyjedź.

Natychmiast zadzwoniłam do Ewy.

— On mnie zaprasza! Chce ze mną spędzić sylwestra — cieszyłam się w telefon, zadając jej cios w serce. — Co mam robić?

— Jedź oczywiście — powiedziała Ewa. I dodała: — Bądź szczęśliwa — co ją wiele kosztowało, zupełnie jakbym miała wyjść za mąż.

— Jadę na sylwestra do Muszyny — oświadczyłam Oddziałowej — więc, niestety, nie mogę wziąć noworocznego dyżuru, ale ponieważ pracowałam w święta, więc spodziewam się, że zmiana jest możliwa.

— Możesz najwyżej rzucić pracę, bo ja już mam grafik i go nie zmienię — powiedziała Oddziałowa.

Więc rzuciłam tę pracę. To był pierwszy i ostatni raz w moim życiu, kiedy porzuciłam pracę.

*

— Jedziesz na sylwestra do jakiegoś nieznajomego chłopca? — Moja Matka była przerażona.

— Nie jest nieznajomy, tylko go znam i jestem dorosła — powiedziałam odważnie — więc i tak mi nie zabronicie.

— Jedziesz na sylwestra do mężczyzny, który po ciebie nie przyjeżdża? — zapytał Mój Ojciec i pokiwał głową z politowaniem.

— Może za twoich czasów to było konieczne... — powiedziałam i nie dokończyłam, bo przypomniałam sobie, jak Moja Pierwsza Miłość zaprosił mnie na swoją studniówkę do Konina. Jego tata zadzwonił do moich rodziców, zapewnił, że będę pod opieką, żeby się nie martwili, że zadbają o mnie itd. Pojechałam i czułam się wyjątkowym gościem.

Teraz nie czułam wiele oprócz tego, że on na pewno by po mnie nie przyjechał.

Pożyczyłam od swojej kuzynki Magdy za ciasne spodnie, w których wyglądałam rewelacyjnie, a czułam się fatalnie, bo cisnęły, i trzydziestego grudnia wsiadłam w pociąg do Krynicy. Pusty. Odprowadzała mnie Ewa, ze smutkiem w oku.

— Baw się dobrze — powiedziała.

On miał czekać na dworcu w Muszynie.

Jechałam cały dzień. Do mojego przedziału przyszła miła Pani z Małym Dzieckiem w kominiarce, nieswojo jej było jechać w innym, pustym wagonie. Kiedy w okolicach Kielc dziecko pozwoliło ściągnąć sobie czapkę, okazało się, że jest chore na nowotwór, który rozciągał się na cały policzek, tworząc obrzydliwą narośl — ale w Kielcach byłam już znajomą, więc dziewczynka się nie wstydziła. Poczułam się miło wyróżniona, że dziewuszka zgodziła się zdjąć przy mnie tę czapkę, tym bardziej że jej babcia była mocno zdziwiona zachowaniem wnuczki. Patrzyła na mnie uważnie, jakby chciała zobaczyć, co mam pod skórą, i powiedziała, że to się nigdy przy obcych nie zdarza.

Więc od słowa do słowa zdążyłam tej Pani opowiedzieć wszystko o sobie oraz wyraziłam swoją radość, że oto po ciężkich przeżyciach nareszcie jadę odpocząć, pobawić się oraz że właśnie po trzyletniej znajomości okazało się, że chłopak, który dotychczas nie zwracał na mnie uwagi, mnie kocha.

Pani zdziwiła się mocno i przepytała mnie na okoliczność okoliczności, z których wyciągam tak daleko idące wnioski.

— Przecież chce ze mną, ze mną spędzić sylwestra, prawda?

Wszystko było jasne, a ona w ogóle nie rozumiała, o czym mówię. Jakby się umówiła z moimi rodzicami.

Dziecko zasnęło, rozłożone na czterech siedzeniach, Pani z Dzieckiem spojrzała na mnie:

— Kocha? Co pani robi? Nie wolno się tak nie szanować. Gdyby mu zależało, to przecież by po panią przyjechał. A jedzie pani sama przez całą Polskę. Jeśli chcesz przyjechać, przyjedź — pani to traktuje jak zaproszenie?

Niebieskie spodnie mojej kuzynki cisnęły mnie, chociaż pod swetrem były rozpięte. W ogóle poczułam się niewygodnie. Czy ta pani mnie śledzi na prośbę moich rodziców?

— Pięćset kilometrów? Młodość ma swoje prawa, ale musi mieć rozum. Niech pani bardzo, ale to bardzo uważa.

— On będzie na pewno czekał — uspokajałam ją i siebie.

— Tym gorzej dla pani — powiedziała Pani z Dzieckiem i w ogóle tego nie zrozumiałam. Byłam speszona, bo wydawało mi się, że patrzyła, jakby mi chciała powiedzieć: Mam nadzieję, że nie będzie czekał i wyciągniesz z tego wnioski. Ona wysiadła w Krakowie, dziewuszka w kominiarce pomachała mi, pociąg ruszył.

W środku grudniowej nocy, czyli o dwudziestej trzydzieści, zatrzymał się w Muszynie.

Wysiadłam.

Nikogo nie było.

Pociąg odjechał, czerwone światełka oddalały się, wokół skrzący śnieg po pas, dwa wybłyszczone tory, świerki pochylone do ziemi od czap śniegu, cisza.

Żywej duszy. Podniosłam torbę, owinęłam się szalikiem, śnieg zaskrzypiał pod moimi nogami.

Może pomylił godziny? Na pewno. Myślał, że dziewiąta trzydzieści, nie ósma. Faceci tacy są, liczby są dla nich nieważne. Postawiłam torbę na zasypanym kompletnie peronie. Jest w Złockiem, nie wiem co prawda gdzie, ale przecież znajdę, to nieduża miejscowość. Do Złockiego jeździ na pewno jakiś autobus. Lepiej wsiąść teraz, niż czekać. Potem może już nic nie jeździć. A może myślał, że jesteśmy umówieni na jutro? Bo przecież jutro jest sylwester? A ja, głupia, przyjechałam dzień wcześniej?

Wzięłam torbę do ręki. Jednak pojadę. To wszystko moja wina, na pewno. Rodzice nie mogli mieć racji. To tylko drobne nieporozumienie, które natychmiast trzeba wyjaśnić.

Tak właśnie zrobię.

Ruszyłam w stronę zabudowań.

Kiedy postawiłam nogę na stopniu autobusu, stanęła mi przed oczami Pani z Dzieckiem. Cofnęłam się. Przepuściłam dwie następne osoby. Co ja robię — tłukło mi się po głowie.

— Jedzie pani czy nie? — kierowca patrzył na mnie.

W życiu nie obrzuciłam się większym błotem niż wtedy, w tych otwartych drzwiach. Jeśli pojedziesz go szukać, nigdy już się do ciebie nie odezwę — zagroziłam sobie. Będziesz ostatnią szmatą — pomyślałam brzydko. Nie waż się tego robić.

Wsiądź w pociąg i wracaj do domu. Trudno, stało się! Wydałaś pieniądze, dwanaście godzin zmarnowanych i jeszcze z powrotem dwanaście. Cofnęłam się.

Autobus zaświecił czerwonymi tylnymi światełkami.

Wzięłam torbę do ręki i ruszyłam z powrotem. Wracałam na ten dworzec jak pijana. Stanęłam przed kasą i poprosiłam o bilet do Poznania.

Przecież nie mogę wrócić do domu, nie mogę narazić się na gorzki śmiech rodziców, nie mogę dać im tej satysfakcji. — A nie mówiłem? — powie Ojciec. — Mówiłem, że powinnaś… — A Mama powie: — Na drugi raz, mam nadzieję, będziesz mądrzejsza, bo nigdy…

Stanęłam z powrotem przy torach. Pociąg do Poznania odchodził koło jedenastej w nocy. Było zimno i pięknie. Tylko mały budyneczek kas świecił żółtawym światłem. Szkliste powietrze mroziło mi twarz.

A potem uprzytomniłam sobie, że już całe życie będę uciekać, jeśli teraz nie wrócę do domu. I że nie chcę uciekać. I że trudno. I że może to mi było do czegoś potrzebne. I że nie można żyć złudzeniami. I że już nigdy nie zrobię z siebie idiotki (a jednak byłam optymistką!).

Noc była cudna.

Co ty robisz, Kasiu! — mówiłam do siebie jak do niegrzecznego dziecka. Chciałaś przyjechać, to weź odpowiedzialność za to, co się stało, i jedź... do domu.

Podeszłam do kasy i powiedziałam, że przepraszam, ale jestem nieprzytomna, bo ktoś bardzo bliski mi umarł, i że poproszę jednak bilet do Warszawy. Pani mi zmieniła ten bilet bez tych dziesięciu procent, które są naliczane przy zwrocie, i spojrzała na mnie ze współczuciem.

Wsiadłam w pociąg do Warszawy, ten sam zresztą, którym jechałam cały dzień. Wracał ten sam skład. Byłam jego częścią. Spałam jak zabita.

Skoro świt zjawiłam się przed domem. Wzięłam przed klatką głęboki oddech i... wpadłam na Mamę, która z podróżną torbą wychodziła na pociąg do Wałbrzycha.

— Dobrze, że jesteś, córeczko — powiedziała Moja Mama — całuję cię, jadę do Ali. Tata się ucieszy.

Wmurowało mnie przy windzie.

A potem w drzwiach mieszkania.

— O! — powiedział Mój Ojciec — dobrze, że wróciłaś. Możesz zrobić sylwestra w domu, zaproś Ewę na przykład, nie będziecie mi przeszkadzać.

Zamknęłam się w łazience i zdjęłam spodnie Magdy. Wtedy dopiero poczułam ulgę, choć najgorsze było przede mną.

Należało zadzwonić do Ewy i dać jej tę cholerną satysfakcję. Nie, nie należało dzwonić, tylko iść do Ewy i stanąć z nią twarzą w twarz — zobaczyć, że się cieszy. Sama bym się cieszyła, gdyby on kochał mnie, nie ją.

W swoich własnych spodniach udałam się na Grójecką.

Stanęłam przed drzwiami. Nacisnęłam dzwonek w charakterystyczny sposób, tak jak to robię do dzisiaj, żeby wiedziała, że to ja, nikt inny.

Otworzyła Ewa.

Jej duże czarne oczy rozszerzały się, rozszerzały, myślałam, że wypadną, ale nie. Zabłysły w nich łzy, więc mnie też zrobiło się smutno.

— Zabiję skurwysyna za to, że ci to zrobił — powiedziała moja przyjaciółka Ewa i padłyśmy sobie w ramiona.

Był to jeden z bardziej udanych sylwestrów w moim życiu. Platoniczną miłość jakby kto ręką odjął. Nie tylko moją, ale Ewy także.

On zadzwonił trzy dni po sylwestrze.

— No, dlaczego ciebie nie było?

— Ja byłam — powiedziałam, kładąc nacisk na „ja", i niewiele mnie obchodziło, że być może w jego oczach okazałam się idiotką.

— No to musieliśmy się minąć — stwierdził.

Jednak miałam szczęście.

To była jedna z wielu dobrych lekcji, których udzielił mi wszechświat. Niekiedy mam wrażenie, że niektórych w odpowiednim czasie nie odrobiłam i dlatego powtarzają się w nieskończoność. Ale tę sobie dobrze zapamiętałam.

*

W lipcu pojechałam na egzaminy wstępne do Wrocławia. Droga do pisania przestała prowadzić przez medycynę, a miała prowadzić przez polonistykę, którą powinnam skończyć. Żeby skończyć, należało najpierw zacząć, co z pewnym trudem zrozumiałam. Egzaminy pisemne poszły mi świetnie. Na ustnych wyciągnęłam jakieś niezrozumiałe pytania, komisja patrzyła na mnie z przyganą.

— No proszę, proszę.

Próbowałam coś wykrzesać ze swojej pamięci, na przykład co znaczą poszczególne literki, które zupełnie nie składały się w słowa. Byłam tak przerażona, że w głowie miałam tylko biel.

— Ponieważ miała pani bardzo dobrą pracę pisemną, proszę wyciągnąć inny zestaw pytań — powiedziała komisja, a ja zerwałam się i uciekłam.

Pewien profesor Uniwersytetu Wrocławskiego, znakomity specjalista od romantyzmu, był znajomym Mojej Mamy, więc zanim wróciłam z egzaminów na ulicę Dunikowskiego, gdzie przeniosła się moja wałbrzyska rodzina, Mama już była z nim po rozmowie telefonicznej.

— Kasia była chyba pod wpływem narkotyków. Uciekła z egzaminu.

Otóż nie, nie byłam pod wpływem narkotyków nigdy. Zawsze się bałam nawet spróbować, bałam się, że mi będzie fajnie, że mi się spodoba, że nie wiadomo kiedy one zaczną rządzić mną. Nigdy nie zapaliłam nawet jointa. A wtedy byłam wyłącznie pod wpływem paraliżującego strachu. Nigdy nie umiałam mówić. Zatykało mnie, dusiłam się, obezwładniało mnie napięcie nie do wytrzymania. Byłam potwornie nieśmiała, tak nieśmiała, że musiałam być bardziej śmiała niż ktokolwiek inny, żeby się nie wydało.

*

We wrześniu znalazłam się w pomaturalnej szkole medycznej.

Jednak żeby być pisarzem, trzeba się przynajmniej otrzeć o medycynę. Na anatomii pisałam opowiadania, które potem czytałam dziewczynom na długiej przerwie. Opowiadania były wstrząsające — one zaś nie rozumiały ich dramatyzmu, tylko śmiały się do rozpuku. Nie mogłam więc długo chodzić do tej szkoły. Mama Ani załatwiła mi po trzech miesiącach, pod warunkiem że nadrobię zaległości, inną szkołę pomaturalną — dla nauczycielek wychowania początkowego.

Jeździłam na zajęcia aż na Trasę Łazienkowską, naprzeciwko Torwaru, przez całą Warszawę.

Szkoła okazała się bardzo przyjemna. Lekturami obowiązkowymi były wszystkie tomy Muminków.

— Żeście panie zobaczyły to oczami? — pytała pani od dydaktyki.

Wymiękłam, kiedy jedna z koleżanek, która mieszkała na Pradze, obiecała kupić *Tatusia Muminka* w swojej zaprzyjaźnionej księgarni.

— Odkładają mi tam książki — powiedziała dumnie.

W tamtych czasach książki były na wagę złota, trzeba było naprawdę mieć znajomości, żeby cokolwiek dostać.

— Może kupisz mi też *Karafkę La Fontaine'a*? — zapytałam ostrożnie. Właśnie wyszła i była nie do zdobycia.

— Karafkę w księgarni!!! — wybuchnęła śmiechem dziewczyna.

*

Toteż kiedy chłopak, którego poznałam pięć miesięcy wcześniej, oświadczył mi się, wyraziłam zgodę. Czas było uciec i ze szkoły, i z domu.

Wszystko przez Wańkowicza.

Rodzice nie byli zachwyceni.

— Za wcześnie — mówiła Moja Mama — dlaczego się tak spieszycie, nie możecie poczekać?

— Dlaczego się tak spieszysz? — powtarzał Mój Ojciec. — Nie możesz poczekać?

— Jestem dorosła — odpowiadałam z uporem.

*

Miesiąc po ślubie mąż zawiadomił mnie, że dostał kontrakt do Libii i wyjeżdżamy. Wpadłam w popłoch. Mój francuski na poziomie *mon amant me délaisse*, moja łacina — *pueri, sursum aves*, mój angielski — *fuck off*.

Co ja tam będę robić? Wpadłam w panikę. Zgłosiłam się do szkoły na Ogrodowej — znakomitej wtedy szkoły języków, stenotypii i stenografii. Złapałam w biegu jakąś nauczycielkę.

— Czy może mnie pani prywatnie nauczyć tego wszystkiego? Wyjeżdżam za granicę!

Spojrzała na mnie zaciekawiona.

— Ile ma pani czasu?

— Miesiąc.

Roześmiała się.

— Niczego się pani nie nauczy.

Roześmiałam się w duchu. To mnie jeszcze nie zna.

Udzieliła mi jednej lekcji maszynopisania. Powiedziała:

— Jeśli spojrzy pani na klawiaturę, nigdy nie nauczy się pani pisać bezwzrocznie.

Poszłam do domu z kartką, na której były narysowane palce i klawiatura maszyny do pisania. Palce miały różne kolory, literki na klawiaturze też. Palec wskazujący był żółty, Y, U, J, N też były żółte. Na tej podstawie miało mi wejść w głowę, które palce obsługują które klawisze. Siadłam do maszyny. Płakałam, kiedy mały palec po raz setny zamiast w literę „a" uderzał w literę „s". Po miesiącu pisałam bezwzrocznie z szybkością trzystu sześćdziesięciu znaków na minutę.

Mam wrażenie, że to właściwie jedyna umiejętność, którą w życiu opanowałam.

*

W maju polecieliśmy do Libii.

Podróż była niezwykła, tranzytem przez Sofię.

Po wylądowaniu w Sofii musieliśmy parę godzin

czekać na samolot do Laosu, chyba, który lądował w Trypolisie.

Byłam zachwycona, leciałam w obcy świat, zupełnie niedostępny innym, i rozpoczynała się prawdziwa przygoda mojego życia.

Po około dwóch godzinach absolutnie rewelacyjnego lotu w burzy, przed lądowaniem samolot zaczął spadać. Wzięłam głęboki oddech i czekałam, aż dziura powietrzna, w którą wpadliśmy, się skończy. Ale ona się nie kończyła.

W samolocie siedzieli sami ciemni, byłam jedyną kobietą, byliśmy jedynymi białymi na pokładzie. Spojrzałam na męża.

— Nie przejmuj się — powiedział i wcisnął głowę w oparcie.

Próbowałam się nie przejmować, ale nie było jak. Ziemia zbliżała się w zastraszającym tempie, a wszyscy Arabowie podnieśli ręce do góry i krzyknęli:

— *Allah akbar!*

Wiedziałam, że umieramy, spadamy, że niesłuszne było *Polka w Polsce zamknie oczy*, właśnie zamykam oczy nad Afryką i, Boże drogi, co mam robić. Wszystkie modlitwy, których nauczyłam się w czasie przygotowań do mojego późnego chrztu, spadały razem ze mną w nicość i żadna nie chciała się przypomnieć. I wtedy przed oczami stanął mi kadr ze starego filmu *Skarb*, kiedy na ludzi

206

zasypanych w piwnicy spada bomba, a stara, gruba gospodyni zaczyna śpiewać:

Kto się w opiekę odda Panu swemu,
A całym sercem szczerze ufa Jemu,
Śmiele rzec może: mam obrońcę Boga,
Nie przyjdzie na mnie żadna straszna trwoga.

Trzy razy powtórzyłam razem z grubą gosposią z filmu tę modlitwę i samolot zatrzymał się w powietrzu, zniżył dziób i wylądowaliśmy na lotnisku w Trypolisie. Byłam przy drzwiach pierwsza.

Kiedy się otworzyły, gorący cug jak z pieca odebrał mi dech.

Więc tu już zostanę na zawsze — pomyślałam sobie, albowiem wiedziałam, że nigdy w życiu już nie wsiądę do samolotu. I że nie trzeba było nigdzie wyjeżdżać, bo *Polka w Polsce miłość toczy…* Nie gdzie indziej.

*

Ale jak się okazało, Marysia nie miała racji.

Wkrótce dostałam w polskiej firmie pracę, polegającą na przepisywaniu raportów w języku angielskim do kolejnych baladij (ministerstw libijskich). Przyjął mnie do pracy rezydent WADECO, Krzysztof Łubieński.

— Zostań na próbę, potrzebuję sekretarki — powiedział i wyszedł z biura.

Od razu zadzwonił telefon. Odebrałam. W nieznanym mi języku jakiś pan coś próbował do mnie powiedzieć, więc powiedziałam, co umiałam, czyli:

— *Hello?*

Odpowiedział mi jakimiś długimi zdaniami.

— *Yes?* — zawiesiłam głos jak na filmach amerykańskich.

Pan kontynuował. Z potoku słów udało mi się wyłowić — *four engineers*, a po dłuższej chwili — Sabrata. Całej sześciominutowej reszty nie rozumiałam.

Four było wiadomo, że cztery. *Engineer* było wiadomo, że inżynier. Sabrata to było miasto w Libii, jakieś sześćdziesiąt kilometrów od Trypolisu.

— *Ja, ja* — mówiłam w związku z tym do słuchawki.

Pan jeszcze dwie minuty o czymś mnie przekonywał, więc mruknęłam jeszcze raz:

— *OK, yes.*

A potem pan nagle powiedział:

— *Bye.*

— *Bye, bye* — potwierdziłam ochoczo, odłożyłam słuchawkę i otarłam pot z czoła.

Z całego serca pożałowałam, że uczyłam się francuskiego i łaciny. Nigdy mi się to nie przyda.

— Czy były do mnie jakieś telefony? — zapytał nagle mój przyszły szef, wkładając głowę w drzwi.

Wtedy już powiedziałam niedbale, podnosząc głowę znad elektrycznej maszyny do pisania:

— Dzwonili w sprawie tych czterech inżynierów z Sabraty...

— O, to fantastycznie, właśnie na ten telefon czekałem — powiedział Łubieński i w nagrodę przyjął mnie do pracy za mniej więcej sto funtów libijskich, czyli trzysta dolarów.

Nie wiem, czy kiedykolwiek się dowiedział, że nie znam angielskiego — z przepisywaniem raportów radziłam sobie nieźle, umiałam przecież pisać bezwzrocznie, a obcy język nie stanowił żadnego problemu. Może niemiecki byłby trochę mniej wygodny, bo musiałabym mieć klawiaturę z umlautami, ale angielski był prosty, spływał z moich oczu do palców bez żadnego wysiłku dla mózgu. Niestety.

*

Rano budził mnie muezin z wieży minaretu widocznego z naszego mieszkania, w którym oprócz mnie i męża mieszkały dwie urocze starsze (po trzydziestce) panie.

Od razu zostałam pouczona, że blat w kuchni należy porządnie wytrzeć, bo przyjdą karaluchy,

209

a są obrzydliwe. Że półka w lodówce na górze jest jednej, na dole — drugiej, a środkowe możemy sobie używać. Że żadnych hałasów i że one nie chciały rodziny, tylko singli, i że mają nadzieję, że ja się dostosuję, z łazienki należy korzystać szybko, a po nocy się nie kąpać, bo to przeszkadza.

Nie znosiłam ich obu. Nie lubiłam starszych pań, które mnie pouczały. Nie znosiłam skąpych starszych pań, a szczególnie jedna z nich była nadzwyczaj skąpa, bo mimo że przecież zarabiała więcej niż ja, nigdy nie miała niczego na półce w naszej wspólnej lodówce. Nic. Null. Zero. Kiedy raz pojawił się kawałek arbuza, a arbuzy w Libii były niemalże za darmo, nie wierzyłam własnym oczom. I nie kupowała nawet wody do picia, tylko gotowała obrzydliwą wodę z kranu i wstawiała ją do lodówki.

Czasem próbowaliśmy je zapraszać na jakiegoś drinka, w kraju prohibicji nie brakowało alkoholu, wszyscy polscy specjaliści pędzili bimber, ale na ogół grzecznie odmawiały.

Och, jakież to wszystko było nie do zniesienia.

Inżynierowie polscy, którzy do stołówki firmy Skanska prowadzili całe rodziny, dobierali dokładki zup i po kolei karmili żonę, dzieci, a Szwedzi patrzyli na nich jak na dziwolągi. (Widziałam trzech takich). Polscy specjaliści, którzy kupowali jedzenie dla kotów, bo to były najtańsze puszki, i sami je jedli. Albo lekko podgniłe winogrona czy mandarynki, które Arabowie oddawali prawie za darmo. (Znałam jednego takiego). Wstydziłam się, że jestem Polką, mimo że *Polką żeś ty świat ujrzała.*

*

Pewnego upalnego dnia nadeszły moje urodziny. O dziesiątej wieczór było około czterdziestu stopni. Mąż wyjechał, siedziałam sama na tarasie i gapiłam się w niebo. A potem postanowiłam, że uczczę dzień swoich urodzin, nalałam sobie bimbru i poszłam po lód.

W kuchni, w ciemności, siedziała Skąpa.

— Mam urodziny — powiedziałam, tłumacząc tę szklaneczkę bimbru. — I jestem sama. Może pani się ze mną napije?

Ku mojemu zdumieniu kiwnęła potakująco głową. Zrobiłam dwa drinki i usiadłyśmy na balkonie. Cykady darły się, śmierdziało charakterystycznym duszącym zapachem palonych śmieci, który zawsze towarzyszył nocom w Trypolisie.

Po godzinie byłyśmy na ty, a Skąpa nagle odmłodniała.

Już nie widziałam w niej starszej pani, była przecież tylko o dwanaście lat starsza ode mnie! Po drugim drinku Skąpa przyniosła zdjęcia swojej córeczki. Były przerażające — wykrzywiona buzia chorej dziewczynki, przestraszone, nierozumne oczy.

— Zobacz, jak tu ładnie wygląda, prawie jakby była zdrowa.

Prawie robiło wielką różnicę.

Byłam wstrząśnięta.

Opowiedziała mi historię swojego życia, wtedy na tym balkonie, w tym czterdziestostopniowym upale. Ich córeczka, Dolores, urodziła się zdrowa i radosna. Kiedy miała dwa latka, troszkę mówiła i była ich oczkiem w głowie, oboje z mężem zauważyli, że podczas gdy inne dzieci wstają swobodnie, ona musi trzymać się mebli — albo krzesła, albo tapczanu. Nie umie samodzielnie stanąć. Poszli z nią do lekarza, który zdecydował, że tylko operacja na kręgosłup wyleczy ją z kalectwa. Zgodzili się.

Po operacji oddano im roślinkę. Dolores przestała mówić, chodzić, uśmiechać się, poznawać najbliższych, miała kłopoty z przełykaniem. Właściwie nadawała się tylko do domu opieki.

Z pewnym wstydem Skąpa przyznała się, że nawet załatwili już taki dom, przez kuzyna, który miał znajomości w ministerstwie, i wtedy cała rodzina na nich napadła, że jak tak można oddać dziecko, że to nieludzkie, że... Więc ogromnym wysiłkiem (koszty!) zamówili prywatnie uprząż, jak dla osób po chorobie Heinego i Medina, i uczyli ją chodzić. Mieszkali w jednopokojowym mieszkanku na Woli, wychodzili z nią na spacer tylko w nocy, żeby nie być przedmiotem uwag sąsiadów. Ludzie przestali ich odwiedzać, zresztą Skąpa powiedziała, że się nie dziwi, że oni też nie chcieli pokazywać Dolores, która rosła, a dalej sikała w pieluchę, i która czasem tłukła główką w ścianę.

Nie mogli znaleźć opiekunki, więc mąż przestał pracować (ona lepiej zarabiała) i został w domu z dzieckiem. Zaczął pić. Próbowali załatwić większe mieszkanie, trudno było żyć normalnie w jednym pokoju z dziewczynką, która cały dzień i całą noc non stop wymagała skupienia i opieki.

— Lekarze mówią, że może w okresie dojrzewania coś się poprawi, ona czasami tak patrzy, jakby nas poznawała — mówiła Skąpa.

Z zamiany mieszkania na większe, mimo licznych pism do spółdzielni, popartych prośbami o pomoc i z Towarzystwa Przyjaciół Dzieci, i z jej pracy, nic nie wyszło.

Mąż przestał pić, leczy się od dwóch lat, a ona dostała roczny kontrakt, więc oszczędza każdy grosz, bo nie mają nawet pralki, a przecież Dolores potrzebuje przynajmniej dwudziestu pieluch dziennie.

Przyjechała oszczędzać, dlatego nic nie kupuje, bo może trochę polepszą sobie życie.

Teraz Dolores waży już ponad trzydzieści kilo, trudniej ją znosić po schodach, trudno karmić, trudno przewijać. Ale dadzą sobie radę. Niestety ten kuzyn, co miał znajomości w ministerstwie, już nie żyje, złożyli podanie o dom opieki, przecież codziennie by jeździli do córeczki, ale podanie musi czekać parę lat.

Skąpa wyciągnęła następne zdjęcia:

— Zobacz, tu wygląda, jakby się uśmiechała.

Twarz dziecka wykrzywiał grymas.

— Damy radę, chociaż, wiesz, czasem jest mi tak ciężko, ja ważę ze czterdzieści kilo, to już nie mogę jej tak łatwo podnieść, muszę czekać na męża, a on też czasem musi wyjść z domu, bo zwariuje. Z nikim się nie przyjaźnimy, z nikim nie utrzymujemy kontaktu, bo jak? Dolores czasem krzyknie tak przeraźliwie, że sąsiedzi na milicję dzwonią. Albo wyplue wszystko, co ma w buzi; nawet na imieniny nikt do nas nie przychodzi. Ale za te pieniądze, które zarobię, kupimy pralkę, a może nawet starczy na dokupienie kilku metrów? Teraz, jak jest duża, to śpi między nami, mamy pewność, że nie spadnie, bo z łóżeczka dziecięcego wyrosła. My ją kochamy. Nie martw się, będzie dobrze, zobaczysz — przekonywała mnie na tym balkonie, pod afrykańskim niebem, w upale, który oblewał nas potem, jak deszcz.

To był następny prezent, jaki dostałam na urodziny. Kiedy Skąpa poszła do swojego pokoju, ja zostałam na balkonie. Obiecałam sobie nigdy, ale to nigdy nie oceniać ludzi. Bo nigdy nie wiemy, co się kryje pod pozorami ludzkich motywacji i zachowań. Nie wiemy po prostu nic o drugim człowieku, z wyjątkiem tego, że na jego półce w lodówce leży wyłącznie arbuz. Czasem o tym zapominam, rzecz jasna, ale nie na zawsze.

*

Kiedy dziesięć lat później przyszła do mnie Ela R., moja serdeczna znajoma, i zażyczyła sobie od progu koniaku, tak była wzburzona, posadziłam ją w pokoju, zrobiłam herbatę i wypytałam, co się dzieje.

— Nie masz pojęcia, jacy są ludzie! — trzęsącymi się dłońmi nasypywała cukru do herbaty i duszkiem wypiła kieliszek koniaku. — Boże, nigdy się nie przyzwyczaję do pewnych rzeczy, nigdy! Ludzie są tacy bezwzględni, tacy głupi!

Nie uważałam, że są bezwzględni i głupi, uważałam, że niewiele o nich wiemy.

— Niektóre matki powinny być sterylizowane — powiedziała Ela R. — Pracuję w PCK dwadzieścia lat i nigdy nie zdarzyło mi się nic podobnego. Ludzie nie opiekują się dziećmi, jeśli są chore, wierz mi!

Nie uważałam, żeby matki miały być sterylizowane, nawet niektóre. Nie wiem, jaki jest sens w cierpieniu, ale wiem, że jest. I wiem, że ludzie czasem są w stanie dla innych poświęcić wszystko. Natychmiast przypomnieli mi się Skąpa i jej mąż, którzy swoim życiem zaświadczyli o głębokim cierpieniu i niezwykłej miłości. W rezygnacji z czegoś może być wolność — byłam o tym przekonana.

— Nie, nie — zaprotestowałam — być może niektórzy ludzie nam się w taki sposób jawią, ale pod spodem...

— Gdybyś widziała to, co ja, milczałabyś. Weszliśmy tam dzisiaj z milicją. Małe mieszkanie, puste, na barłogu, bo trudno to nazwać łóżkiem, robactwo, wśród tego robactwa leżała dziewczyna, z popękaną z głodu i odwodnienia skórą na łokciach i kolanach. Matki, którym rodzą się chore dzieci, powinno się...

Tu przerwałam natychmiast. Opowiedziałam historię Skąpej i jej maleńkiej córeczki Dolores, mówiłam z detalami o tym, jak zrezygnowali z własnego życia, bo ich chore dziecko czasem, c z a s e m się uśmiechało.

— Dolores zawieźliśmy do kliniki akademii medycznej, nie przeżyje. Ta osiemnastoletnia dziewczyna ważyła mniej niż dwadzieścia kilo! Była przynajmniej tydzień zostawiona sama sobie! Niewyobrażalne!

— To ja ci mówię o Dolores — oburzyłam się. — Dolores to to dziecko, które...

Ela R. nalała sobie koniaku raz jeszcze.

— Ta dziewczyna ma na imię Dolores. Ojciec umarł z przepicia parę lat temu, zajmowała się nią matka, której nie możemy znaleźć.

Po ciało Dolores, która umarła dwa dni później, nikt się nigdy nie zgłosił i nigdy nie odnaleziono jej matki.

Imię Dolores nie było powszechne. Nie wiem, czy istnieje duże prawdopodobieństwo, że dwie Dolores mieszkały w jednopokojowym mieszkanku na Woli, dwie Dolores po operacji kręgosłupa, dwie kaleki wymagające czułej troski. Wiem jedno: prawdopodobnie znałam matkę Dolores, matkę tej samej dziewczyny, która dziesięć lat później umierała w samotności, w barłogu, bez opieki. Znałam ją i widziałam jej miłość. Ilekroć sobie przypominam tę historię, zdaję sobie sprawę, że nie ma prostych rozwiązań. Że ktoś, kto wszystko poświęcił, może nie dać rady, nie wytrzymać, choć wolę myśleć, że Skąpej coś się stało, skoro nikt już o niej nigdy nie usłyszał. I wiem, że nikt im nie pomógł, a bardzo tej pomocy potrzebowali.

*

Ale na razie jestem w Libii i spodziewam się dziecka. W związku z tym pływam w morzu, bo wtedy nie jest mi tak ciężko, gram w brydża, pracuję i w ogóle nie boję się porodu, bo nie ma kto mnie przestraszyć. Nie mam wokół siebie koleżanek, które rodziły i raczą mnie opowieściami o straszliwych mękach, nie ma koło mnie babć, mam i cioć, które kazałyby mi się oszczędzać. Robię to, co zwykle, i prawdę powiedziawszy, mam wrażenie, że owszem, dziecko się urodzi, ale jakoś bez mojego udziału.

Pewnej gorącej nocy dostaję bóli. Być może są to bóle porodowe, ale skąd mam wiedzieć? Czekać, aż miną, budzić męża czy nie? Zanim podjęłam decyzję, bóle minęły. Oddycham z ulgą. Próbuję zasnąć, ale nie, nie minęły.

Zjadłam tego dnia ze dwa kilo winogron, więc wiem, że to na pewno brzuch po prostu. Na wszelki wypadek delikatnie trącam męża:

— Czuwam, kochanie, ja czuwam — mamrocze przez sen, więc idę umyć głowę, bo wydaje mi się, że przy ewentualnym porodzie to może mieć jakieś znaczenie, ta moja czysta głowa. Potem myślę sobie, że właściwie powinnam mieć ładnie pomalowane paznokcie u nóg, bo nogi też, choć nie jestem tego pewna, będą widoczne. Z paznokciami już mam problem, bo boli, w odstępach pięciominutowych. Budzę męża.

— Mam bóle — mówię spokojnie.

— Kochanie, ja czuwam — odwraca się do ściany, co mnie uspokaja.

Kto jak kto, ale on wie, co mówi. Skoro może spać, to ja też mogę.

Tylko jeszcze skończę paznokcie. Ale nie. Niestety. Już z paznokciami do rąk mam problem. Jeden paznokieć — ból, dwa następne — ból, kolejny — ból. Może już?

— Mam bóle co dwie minuty — budzę męża, który zrywa się jak oparzony.

— Boże, czemu mi nie powiedziałaś?

Tak to bywa z mężczyznami, czuwają, a potem mają pretensje. Jechaliśmy do szpitala dziesięć na godzinę, bo miałam takie bóle, że musiałam wychodzić z samochodu co pareset metrów.

Kiedy dojechaliśmy — umieszczono mnie natychmiast na sali porodowej, urodziłam śliczną dziewczynkę w pół godziny i to był najprzyjemniejszy moment w moim życiu. Do dziś słucham z niewiarą, że poród potrafi być straszny, owszem, bóle są koszmarne, ale trwają krótko i mijają, jakby ich nigdy nie było. To niezwykłe, że potem włącza się niepamięć bólu przy porodzie, a u dentysty na przykład nie. A moment, kiedy dziecko pojawia się na świecie, graniczy z taką rozkoszą, że naprawdę trudno to pojąć. Dziesięć minut później byłam już na sali poporodowej, z maleńkim tłumoczkiem w maleńkim łóżeczku obok. I czekałam na męża. Który nie przychodził. Nie wiedziałam, co mam robić. Wzięłam na ręce tłumoczek i rozwinęłam. Dziecko miało rozprostowane nóżki, więc poprawiłam pieluszkę tak, jak widziałam na filmach, i zawinęłam z powrotem. Spało.

Arabki leżące obok podniosły na mnie wzrok. Jedna podeszła do łóżka ze swoim świeżo narodzonym synkiem i rozwinęła go na moich oczach. Na migi mi pokazała, że źle robię. Naciągnęła swojemu dziecku nóżki, wyprostowała, a potem mocno związała kocykiem. Pokręciłam przecząco głową i pokazałam, że dziecko musi mieć nóżki rozsunięte, żeby nie miało kłopotów z biodrami. Ona odłożyła swojego pięknego ciemnego chłopca na łóżko i zaczęła chodzić po pokoju jak kaczka, jakby miała między nogami beczkę. Pokiwałam twierdząco głową i pokazałam na jej synka. Zdenerwowała się i próbowała rozwinąć moją córeczkę i naprostować jej nóżki. Nie pozwoliłam. Patrzyła na mnie ze współczuciem.

O jedenastej wszedł mój mąż.

— Gadałem z lekarzem i on powiedział, że już urodziłaś dziewczynkę!

— Już ci powiedział? On z tobą dlatego gadał, bo już miał wolne, urodziłam dwie godziny temu — zdenerwowałam się.

Nie miałam pojęcia, jak nazwać dziecko.

— Mabruka — podpowiadała filipińska położna.

Mabruka! Piękne imię, ale przecież nie dla polskiej dziewczynki, która jak wiadomo... *Polką żeś ty świat ujrzała.*

— *Mabruka is a gift from God* — przekonywała mnie położna. — *You will have some happiness, believe me.*

Mabruka została Dorotką. Zajrzałam kiedyś do imiennika i przeczytałam, że Dorota, Doro-thea znaczy po grecku „dar bogów".

I tak jest do dzisiaj.

*

INAS w Trypolisie był szpitalem francuskim i już nigdy potem, do dzisiaj nawet, nie widziałam tak luksusowego szpitala. Pościel była zmieniana dwa razy dziennie, sale myte rano i wieczorem. Pachniało czystością. Poczułam się matką około dwunastej w nocy. Dorotka leżała obok mnie, we własnym ślicznym łóżeczku. Ostatnie światło zostało zgaszone, w sali panowała cisza, Arabki zasnęły, a ja wpatrywałam się w łóżeczko swojej córki. Byłam właściwie zdziwiona, że tam leży Ktoś, kto jest mną, ale mną nie jest, i tak już będzie przez całe życie. W którymś momencie zauważyłam, że białe poręcze łóżeczka zaczynają się ruszać i zmieniają kolor. Wiedziałam, że to, co widzę, nie istnieje, bo przecież byłam osłabiona po porodzie, więc miałam prawo do zwidów. Zamknęłam oczy i szybko otworzyłam. Łóżeczko drgało. W słabym świetle dochodzącym zza okien zobaczyłam olbrzymie karaluchy, które przechadzały się po poręczy. Zrobiło mi się niedobrze. Karaluchy w Libii były olbrzymie, latające, czarne i brązowe, z czułkami po parę centymetrów. Zwykle uciekałam przed takim stworzeniem gdzie pieprz rośnie. Brzydziłam się ich najbardziej na świecie. Ale przecież w tym okaraluszonym łóżeczku spała moja córka. Moja. Nie mogłam uciec. Pochyliłam się i zaczęłam strzelać palcami, zrzucając je na podłogę. Wtedy właśnie, z tym pierwszym karaluchem, przed którym nie uciekłam i którego dotknęłam, poczułam, że jestem matką.

*

Półtora roku później mała Dorotka przyniosła mi do stołu olbrzymiego robala; trzymała go tak jak ja, jako dziecko, raki, które dzielnie łowiłam w mazurskich jeziorach. Ten karakan był tak duży, że nie mieścił się w jej małej dłoni, Dorotka trzymała go za pancerz, a tylko czułki ruszały się niespokojnie.

— Biedlonecka — powiedziała łagodnie — ślicna biedlonecka.

Wtedy już mnie sparaliżowało. Nie byłam w stanie się ruszyć, wykrzesałam z siebie nieznane pokłady łagodności i powiedziałam:

— Odnieś ją na miejsce.

I dziecko grzecznie ruszyło na patio, odstawiając potwornego robala pod dziesięciometrowy fikus.

*

Z Libii wróciłam tuż przed stanem wojennym. Zakochałam się. Zakochałam się potwornie, absolutnie, bezwzględnie, bezrozumnie, na zawsze. Zakochałam się w mężczyźnie, który nie był moim mężem. Zakochałam się w mężczyźnie, który był cudzym mężem. Zakochałam się, nie zważając na nic. Zakochałam się, wierząc, że musieliśmy się spotkać i że jesteśmy sobie przeznaczeni. Właściwie zakochałam się po raz pierwszy w życiu.

Był o siedemnaście lat starszy ode mnie. Przez trzy miesiące pisaliśmy do siebie listy, które codziennie rano przekazywaliśmy sobie w służbowej poczcie.

Libia nie była krajem, gdzie można było się spotykać. Patrole libijskie miały prawo wylegitymować każdego cudzoziemca, jeśli nie jechał z żoną, i bywało, że oboje aresztowano. Byłam przez godzinę w arabskim więzieniu, kiedy kolega męża potrącił arabskie dziecko, które wbiegło mu pod koła. Pieszy w Libii był absolutnie święty, zawsze kierowca ponosił winę, nawet jeśli ktoś mu się rzucił pod samochód.

Odwiedziliśmy Kolegę — wpuszczono nas do celi, kamienna piwnica z małym oknem, dziura pośrodku na wydalanie. W czasie naszej wizyty strażnicy rzucili przez duży wizjer hobzę (długa bułka arabska) i oliwki, wszystko to potoczyło się po podłodze w stronę tego otworu, wokół którego lała się woda. Była do picia, do mycia i do sprzątania. Kolega był przerażony, w celi obok siedział od dwudziestu lat Anglik, którego rząd angielski nie mógł wydobyć z więzienia żadnym sposobem — zabił samochodem człowieka, którego rodzina nigdy się nie odnalazła. Zgodnie z prawem arabskim (w każdym razie tak tłumaczył nam Kolega) można było wyjść z więzienia, tylko jeśli rodzina ofiary dostała odszkodowanie. Tu nie było komu i jak zapłacić, bo nikt się nie zgłosił. A bez dogadania się z rodziną nie było można przeprowadzić procesu. Nie było można skazać ani ukarać, ani uwolnić. Biały w Libii jest gorszym rodzajem człowieka. Anglik prosił Kolegę, żeby od razu po wyjściu poszedł do ambasady angielskiej i przypomniał o nim. Nasz Kolega wyszedł następnego dnia (szczęśliwie jego arabskie dziecko przeżyło), ale więzienie śniło mi się po nocach.

Libia nie była miejscem bezpiecznym i przyjaznym dla dwojga ludzi, których nazwiska w paszportach były różne. Nie była wymarzonym krajem dla ukradkowych spotkań. W Libii mężczyźni nie trzymali za rękę nawet kobiety, która była ich żoną. Nie było kawiarni, gdzie można by usiąść. Nie było bezpiecznego miejsca.

Ale byłam tak zakochana, że mogło być nawet tak, jak w moich książkach, na przykład w *Przegryźć dżdżownicę*...

A pamiętasz, jak wyjechaliśmy i było duszno, i gorąco było w tym samochodzie, a przed nami tysiąc dwieście kilometrów i obcy arabski kraj, i tylko co pięć kilometrów zakręt w lewo, pięć kilometrów, zakręt w prawo i znowu pięć kilometrów, zakręt... i nic poza tym, nic, tylko szosa drżała i podnosiła się czasami ponad horyzont, i rozmywała, i nadeszła nagle i niespodziewanie noc, i jechaliśmy tą nocą, a niebo było coraz bliżej i bliżej, zgasiłeś światła i zrobiło się uroczyście, pustynia wisiała nad nami i stapiała się z niebem, moja dłoń na drążku biegów, a twoja na mojej — tak jechaliśmy te tysiąc dwieście kilometrów i milczeliśmy wtedy, bo święto koło nas się zrobiło, myśmy byli świętem, i mówiłeś: mów do mnie, mów do mnie, lubię cię słuchać, a ja mówiłam głupstwa, a każde słowo stawało się... bo było do ciebie.

A potem mówiłeś — zaśnij, jesteś zmęczona, zbudzę cię przed wschodem słońca, to razem będziemy patrzeć, śpij, nie bój się, ale ja się nie bałam, żal mi było spać, kiedy byłeś blisko i kiedy nawet nic, tylko twoja ręka na mojej, i każda komórka mojego ciała słyszała ciebie, widziała ciebie, czuła ciebie, i to szło od dłoni, przez łokieć do ramienia i tam rozlewało się do drugiej ręki, brzucha i nóg, i miękko pod kolanami, i mówiłeś, śpij...

Wschody słońca to była nasza pieczęć i tajemnica, i przysięga, i że tak już zawsze, na zawsze, od zawsze.

A jeszcze dużo przedtem ty z niezachwianą pewnością:

Wiem, że będziesz moja, mówiłeś, wiem, że czekasz, żebym cię całował tak, jak nikt nigdy cię nie całował, i kochał się z tobą tak, jak nigdy nie byłaś kochana, opowiem ci, co z tobą zrobię... mówiłeś — a ja musiałam słuchać, policzki mnie paliły, nikt tak do mnie nigdy nie mówił ani w książce nie czytałam, ani nawet na filmie nie, i słuchałam, jak mówiłeś o naszym przyszłym kochaniu, i dotknąłeś mnie po raz pierwszy, dotknąłeś mojego ramienia wskazującym palcem...

Wypaliłeś znak?

Piętno?

Szkarłatną literę?

Opieczętowałeś mnie tym palcem...

I on wszedł do środka przez moje ramię, i dotknął moich kości, bo moje ciało rozstąpiło się po raz pierwszy wtedy pod twoim dotykiem, i myślałam o tym tylko, że chcę być tak dotykana, a potem mogę umrzeć nawet, ale nie przedtem, nie teraz, nie zanim…

*

Patrzę teraz w lustro, ale nie ma śladu już…

Pierwszy raz się kochaliśmy…

A graliśmy przedtem w tenisa, udawałeś, że moje loby są znakomite i specjalnie to robię, a kiedy udało mi się zasmeczować niechcący w drugi koniec kortu i nie miałeś szans dobiec — to uśmiechały ci się oczy z zadowolenia, że mi się udało…

Jak wracaliśmy z tenisa, to wtedy pierwszy raz…

Już wysiadałam z samochodu, a byłam w czerwonych skarpetkach — kto gra w tenisa w czerwonych skarpetkach? — i wyjmowałeś moją torbę, i wyciągnęłam rękę, a ty powiedziałeś:

— Nie.

I ja też zrozumiałam, że mówisz „nie" naszemu rozstaniu, i powiedziałam „dobrze", i wsiedliśmy z powrotem do samochodu, i pojechaliśmy do twojego domu, był pusty i kurz na stole nawet, i nic nie mówiliśmy, i otworzyłeś drzwi, i ja weszłam, i zamknąłeś za nami drzwi, i po raz pierwszy poczułam, jak może strasznie się zmienić ciało mężczyzny od mojej bliskości…

Twoje usta dotykały moich, a brzuch jak skała, i nogi stały mocno na ziemi, byłeś opoką, żelazem, trwałością i pewnością, i delikatnie wziąłeś moją twarz w swoje mocne dłonie i powiedziałeś:

— Kocham cię.

A po moich udach spłynęła niteczkami obietnica rozkoszy i miałam czerwone, grube skarpety, i ich nie zdjęłam, aż musiałam iść pod prysznic i do domu, i ty też nie zdjąłeś swoich białych, i potem napisałeś do mnie z Austrii: „Uwielbiam nasz kraj za barwy na fladze i Monako za to samo, i tylko nie wiem, który bardziej, bo Monako ma czerwień na górze, jesteś moją Polską i moim Monako już na zawsze, pamiętaj"…

I pamiętałam…

*

Już nie mogłam być żoną dla swojego męża.

W listopadzie powiedziałam mu o wszystkim.

— Obiecaj mi, że się z nim nie zobaczysz, to ci wybaczę. Jeśli nie, wrócisz do Polski.

Nie mogłam obiecać, mimo że bardzo chciałam.

W czwartek siedziałam już w samolocie do Warszawy, mimo teleksu, który przysłał mój Ojciec — proszę, teraz nie przyjeżdżajcie.

Z Miłością Mojego Życia pożegnałam się również. Nie wiedziałam, co on zrobi, ale ja nie mogłam już dłużej żyć w kłamstwie. Nie chcieliśmy krzywdzić naszych rodzin, a on bardzo kochał swojego ośmioletniego synka. Kiedy ustaliliśmy, że po prostu nie możemy być razem, że może kiedyś, w przyszłym życiu, ale że będziemy się kochać zawsze, on powiedział:

— Przyjadę do ciebie. Nie skreślaj nas.

*

Wróciłam do Polski ku przerażeniu swoich rodziców i teściów.

*

On pisał, a ja po nocach odpisywałam. Zadzwonił dwunastego grudnia wieczorem. Mój Ojciec z niechęcią podał mi słuchawkę, tylko dlatego, że nie wpadło rodzicom do głowy, że on może dzwonić z Libii, rozmowy międzynarodowe były właściwie niemożliwe. Ojciec chciał jeszcze porozmawiać z babcią, ale wisiałam na telefonie w malutkim pokoju i wsłuchiwałam się w jego głos, zapewniający, żebym się nie martwiła, że będziemy razem, że wszystko się jakoś ułoży, żebym wytrzymała…

Połączenie zostało przerwane o jedenastej dwadzieścia. Ojciec wściekły wpadł do mnie:

— Co zrobiłaś z telefonem, babcia czeka! Nie gada się godzinami!

Nie mogłam bez niego żyć, płakałam nad sobą, nad moją córką, nad jego synem i nad jego żoną. Wierzyłam, że miłość usprawiedliwi wszystko, i wiedziałam, że miłość nie usprawiedliwia niczego. Nienawidziłam telefonii polskiej, za to że przerwała mi rozmowę z ukochanym.

Następnego dnia była niedziela, mój teść miał przyjechać po Dorotkę, dziadkowie ją bardzo kochali, ja umówiłam się z Anią, że przyjedzie koło jedenastej i pogadamy. Była wierną sojuszniczką mojej miłości i właściwie tylko ona i Ewa mnie rozumiały, choć nie pochwalały.

Wstałam rano. Był cudowny mróz i śnieg, a w nocy albo rano musiała być mgła, ponieważ wszystko pokryte było szadzią. Świat był czysty, nieskazitelnie czysty i piękny. Słońce odbijało się w kryształkach lodu, które wisiały na latarniach, drutach, słupkach, śmietnikach. Tak pięknego dnia nie widziałam od lat. Ale w domu działo się coś dziwnego. U Mamy chodził telewizor. W dodatku na ekranie wyłącznie śnieg i pasy. Jak świat światem Moja Matka w życiu nie włączała telewizora w ciągu dnia!

Wsunęłam się do jej pokoju. Siedziała w kłębach papierosowego dymu, nachylona nad radiem, z którego coś trzeszczało, w pudle telewizora padał również śnieg, co mnie nie zdziwiło; wysiadał często.

— Widziałaś, jaki piękny dzień? — zapytałam.

— Mój Boże — powiedziała Moja Matka — mój Boże, ogłosili stan wojenny.

— Stan wojenny? — nie zrozumiałam, o czym mówi.

— Aresztowali wszystkich, granice zamknięte, Boże.

Podniosłam słuchawkę, ale telefony były wyłączone. I pomyślałam, że to nie moja wina ta wczorajsza przerwana rozmowa, tylko to „oni". Znienawidziłam rząd polski natychmiast za te odebrane mi bezprawnie cenne minuty rozmowy z Nim.

I ogarnęła mnie panika. Wiedziałam, co „oni" zrobią. Wyłączą nie tylko telefony, ale i elektryczność, gaz, zamkną wodę. Ja bym tak zrobiła na ich miejscu. Inaczej tego narodu, mojego narodu, przecież się nie złamie. *Polką żeś ty świat...*

Nie dam się, wiedziałam na pewno. Rzuciłam się do łazienki. Wyprałam ręcznie dwadzieścia cztery pieluchy, śpiochy, ubranka, swoje swetry, spodnie i co było pod ręką. Wzięłam błyskawiczny prysznic i umyłam świeżo mytą głowę — nie wiadomo, kiedy będzie następna okazja.

Napełniłam wodą wszystkie garnki, czajnik, gary do gotowania weków, wannę, miski. Przygotowałam mleko dla dziecka we wszystkich butelkach, jakie miałam, wyparzyłam wszystkie smoczki, obrałam wszystkie warzywa, jakie były w domu, nastawiłam zupę, będzie na parę dni. Potem się zobaczy.

I wtedy wpadł mój Ojciec i zagrzmiał od drzwi:

— Czyś ty rozum postradała, wpakowałem się w miednicę z wodą, na co ci tyle wody, nie mogę się wykąpać!

— Przecież jest stan wojenny — powiedziałam zrezygnowana.

— To dlatego ja mam być brudny? — powiedział Ojciec i wypuścił zimną wodę z wanny, żeby napuścić sobie gorącej.

Około jedenastej przyjechał mój teść. Otworzyłam drzwi i niezmiernie zdumiona powiedziałam:

— Przecież jest stan wojenny, nie mogę wam dać Dorotki!

Teść uśmiechnął się i powiedział:

— Nie szkodzi, ale przecież byliśmy umówieni, to przyjechałem.

Po jedenastej w drzwiach pojawiła się Ania.

— Przecież jest stan wojenny! — krzyknęłam.

— Ale byłyśmy umówione, prawda? Przepraszam, że się spóźniłam, ale szłam na piechotę, nic nie jeździ.

*

Stan wojenny. Nienawidziłam stanu wojennego bardzo osobiście. Nie tylko jako Polka. Nienawidziłam go jako kobieta zakochana sto razy mocniej niż ktokolwiek. Stan wojenny pokrzyżował wszystkie nasze plany. Wiedziałam, że długo się nie zobaczymy, że paszporty straciły ważność. Polska być może się kiedyś z tego podniesie, ale ja?

Nienawidziłam WRONY z całego zakochanego serca. Byłam przerażona, widziałam z balkonu (mieszkaliśmy wtedy na Sokołowskiej), jak milicja i ORMO robią kipisz na ulicy Syreny, wyprowadzają z domów ludzi na mróz, bo kogoś lub czegoś szukają. W naszym mieszkaniu zatrzymały się kuzynka Magda, która brała udział w strajkach, i jej matka, która pisała do „Solidarności". Bałam się, że przyjdą i nas wszystkich aresztują, ale najbardziej bałam się, że nie będę dostawać listów i że nie będę mogła usłyszeć Jego głosu.

*

Dwa tygodnie później dostałam pierwszy list z pieczątką „Ocenzurowano". Do dzisiaj je wszystkie skrzętnie przechowuję, niektóre mają niebieskie pieczątki „Ocenzurowano", niektóre czerwone. Nie wiem dlaczego.

*

Ja byłam zakochana w Nim — nie swoim mężu, a moja córeczka rosła.

Nie buduje się swojego szczęścia na nieszczęściu innych — mówiła Moja Matka.

*

Wróciłam do Libii i jeszcze szybciej wróciłam do Polski.

*

Rozwiodłam się i dalej kochałam M. Zamieszkałam z Dorotką we własnym mieszkaniu.

Posiadanie dziecka ma swoje zalety. Ale takie dziecko — czyli moja córka Dorotka — jest też człowiekiem dość niebezpiecznym. Już jako mała dziewczynka potrafiła jednym zgrabnym zdaniem skompromitować moje metody wychowawcze oraz donieść moim rodzicom, co się dzieje w domu.

Pamiętam, jak kiedyś wdepnęła do mnie przyjaciółka Ania. Dorotka siedziała grzeczniutko na dywanie i bawiła się klockami Lego. Moja przyjaciółka nie miała jeszcze wtedy dziecka i nie wiedziała, że jak dziecko grzecznie się bawi, to w tych rzadkich chwilach mu się nie przeszkadza. Więc przeszkodziła — wsadziła głowę w drzwi i powiedziała:

— Kuku, kuku, strzela baba z łuku, a dziad z pistoletu...

Tu mocno rąbnęłam ją w bok, bo już sobie wyobraziłam, jak na imieninach teściów w obecności dostojnych gości Dorotka powtarza, że ją ciocia nauczyła, że dziad z pistoletu strzela do klozetu. I te ich miny!

Więc Ania cichutko zakończyła kwestię, a Dorotka, wdzięcznie podnosząc główkę, roześmiała się srebrzyście i zapytała:

— A dziad gdzie? Nie usłyszałam, ciociu, a dziad gdzie?

Dużo czasu zajęło nam wytłumaczenie Dorotce, że ciocia Ania już nie pamięta, gdzie dziad, ale kiedy ciocia się żegnała, Dorotka wbiegła do przedpokoju, machnęła klockiem Lego, jak dziś pamiętam, że to był pirat, i wykrzyknęła triumfalnie:

— Wiem, ciociu, wiem. Kuku, kuku — strzela baba z łuku, a dziad także strzela, strzela do kibela!

I wyobraziłam sobie, jak przy moich teściach, którzy przecież ją bardzo kochają i widują się z nią co dwa tygodnie, Dorotka powtarza taki tekst. I że znowu wychodzi na to, że jestem fatalną matką, która nie dość, że się rozwiodła, to jeszcze nie umie wychować własnego dziecka. Własnych rodziców mniej się bałam.

Te opowieści pożyczyłam Judycie, przecież ona nie mogła wiedzieć tak dobrze jak ja, co to znaczy dziecko! Bo ona jednak była postacią fikcyjną.

*

Dorotka opanowała do perfekcji słuchanie dowcipów nie przeznaczonych dla jej maleńkich uszu, które moim zdaniem rosły do niezwykłych rozmiarów, bo nie jest możliwe, żeby maleńkie, wdzięczne dzieciątko w swoich malutkich różowych uszkach miało tak znakomity słuch. Jestem pewna, że uszka wydłużały jej się od razu, kiedy tylko wychodziłam z pokoju. Jak królikowi.

Na przykład kiedyś powiedziałam o mężu Ewy, tej mojej przyjaciółki ze szkoły podstawowej, że jest nienormalny.

Był normalny, ale nie był dobrym mężem dla Ewy, która go bardzo kochała.

I proszę bardzo. Dorotka — wtedy czteroletnia — spała, jak mi się wydawało. Nie minęło parę tygodni, kiedy telewizja podała, że dzieci są naiwne i rodzice powinni je uczyć, że z obcymi się nigdzie nie chodzi.

Dorotka usłyszała i przeprowadziła na tę okoliczność śledztwo, w obecności Ewy zresztą. Nie wiem, dlaczego wyczekała na moment, kiedy akurat wpadła do nas Ewa. I nigdy się nie dowiem.

— Czy gdyby mianowicie przyszedł obcy pan do przedszkola po mnie — to mam iść?

— Nikt obcy po ciebie nie przyjdzie, tylko ja.

— Ale przypuśćmy — Dorotka właśnie nauczyła się tego słowa — więc przypuśćmy, że ty zachorujesz.

— Przyjdzie po ciebie tatuś.

— Ale przypuśćmy, że tatuś zachoruje.

— To babcia.

— Babcia?

— No, w każdym razie z obcym masz nie iść. Ze znajomym możesz.

— Przypuśćmy, z ciocią Ewą mogę.

— Możesz, kochanie — powiedziała ciocia Ewa. I bez powodu się rozpromieniła.

— A z wujkiem?

— Też możesz — mówi Ewa, dalej rozpromieniona.

— Ale mamusia mówiła, że twój mąż jest nienormalny — mówi na to Dorotka.

No i co? Lekko nie jest.

Ewa się nie obraziła, a ja dziękowałam Bogu, że akurat przypadkiem była sama, a nie z nim.

*

Albo malutka moja dziewczynka siedzi z babcią na działce, w Kikołach nad Bugiem. Na kawałeczku ziemi kupionym od chłopa wujek Lonek stawiał barakowóz i pięknie obijał go drewnem. Czas głęboko komunistyczny, środek lat osiemdziesiątych. Działka jest pod miastem, dojeżdża się godzinę kolejką elektryczną. Dorotka, grzeczna jak zwykle, nagle odmawia przyjęcia pokarmu płynnego w postaci krupniku.

Babcia wpada w panikę — dziecko, które raz nie zje zupki, przecież może umrzeć z głodu — i zaczyna się:

— Za dziadziusia, za tatusia, za mamusię, za biedroneczkę, za pieseczka, łyżeczka za koteczka... — Repertuar się wyczerpuje, Dorotka buzię otwiera, jeszcze tylko parę łyżek, znajomi, rodzina i zwierzątka obskoczone, babcia desperacko mówi: no to za naszego papieża.

A Dorotka odsuwa rękę z łyżką i pyta:

— A dlaczego za papieża?

— Bo jest dobry.

— Każdy jest dobry albowiem — mówi Dorotka, która teraz nowe słowa przylepia na końcu.

— Bo jest biedny.

O, to się jej wydaje interesujące.

— A dlaczego jest biedny?

Zupka stygnie, babcia w panice. Ja sama jestem ciekawa, co Moja własna Matka wykombinuje.

Matka spanikowała.

— Bo biega za nim jakiś Rusek z nożem i chce go zabić!

Dorotka ze zdziwienia otwiera buzię, krupnik ląduje w brzuszku, życie mojego dziecka uratowane.

Wracamy wszyscy wieczorem, kolejka pęka w szwach, ludzie z koszami wisien stoją w przejściu, tłok, zaduch, zachód słońca, senność późnego, dojrzałego popołudnia, dwaj milicjanci stoją przy drzwiach, konduktor przesuwa się leniwie od podróżnego do podróżnego, babcia opiera głowę o szybę i odpoczywa, i nagle w tej senności kryształowy głos Dorotki:

— A gdzie jest, babuniu, ten Rusek, co mówiłaś, że biega z nożem za naszym papieżem?

Nie wiem, skąd Dorotka posiadła taką umiejętność przywoływania w najmniej odpowiednich momentach najbardziej kompromitujących rzeczy.

*

W wydawnictwie KAW szukali korektorki. Po studiach polonistycznych, rzecz jasna. Mama powiedziała, żebym się zgłosiła. Poszłam na rozmowę. Skrzywili się, że tylko po maturze. Siadłam naprzeciwko miłej pani, która zwróciła się do niemiłego pana:

— A może ją sprawdzę, naprawdę nie dajemy rady.

— Tego się nie praktykuje, ale proszę — powiedział pan, który był jakimś dyrektorem.

Pani zaś była kierowniczką korekty.

Wzięła mnie do pokoju, dała mi kartkę i długopis i zaczęła dyktować, jak się później okazało, jedno z Dyktand Lema: „Smęt leżał na grzęzawisku, a w oczeretach przy zamarzniętej jarzębinie mdlały pluskwy wodne, którym pierwszy przymrozek ścisnął zadki..." i tak dłuższy czas.

239

Nie zrobiłam błędów. Kierowniczka przyjęła mnie do pracy.

Nawet w korekcie bywa zabawnie. KAW była największym, jeśli nie jedynym, wydawcą na przykład pocztówek. Zadaniem korekty było sprawdzić również podpisy na rewersach. Wydawało się, że tam nie może być niespodzianek, a jednak były. Kiedyś w drukarni (może celowo?) przesunięto arkusze. I oto z przodu dumnie królował Dom Partii w Płocku, a z tyłu napis: Kościół katolicki wiek XX. Albo z serii Polskie ZOO — z przodu goryl, z tyłu podpis: Pomnik niemieckiego antyfaszysty.

Nie było wtedy komputerów, książki były składane przez zecerów, a mimo to zdarzały się absurdalne błędy — kiedyś w *Pismach wybranych* Korczaka, które przygotowywałam na zlecenie innego wydawnictwa, literka „b" w całym nakładzie została zastąpiona literką „s".

Uciechy było co niemiara.

*

Moje przyjaciółki wychodziły za mąż, rodziły dzieci, a ja ciągle kochałam się w M. Ania urodziła dziecko, zostałam matką chrzestną.

Po siedmiu latach Wielkiej Miłości nie mogłam zrozumieć, dlaczego M. nie chce być ze mną, skoro od lat nie mieszka ze swoją żoną. I poczułam się beznadziejnie. Może mam raka? Podzieliłam się tą światłą myślą ze swoimi koleżankami z pracy. Od tego czasu mówiły do mnie:

— Ty, co tyłem chodzisz.

I śmiałyśmy się z tego.

W dziesięciolecie matury zadzwonił do mnie ktoś z klasy.

— Przyjdziesz? Robi się bankiet w Zapiecku!

Pobiegłam jak na skrzydłach. Byli wszyscy: Jacek, Marek, Andrzej (który już nie żyje), Aśka, Agnieszka, Baśka. Nie było tylko Beaty, która wyjechała na początku stanu wojennego do Niemiec i jeszcze (wtedy) nie wróciła. Każdy z nas wstawał i dzielnie prezentował swoje osiągnięcia. Kiedy wstał Jacek i powiedział, że od paru lat jest lekarzem, Baśka krzyknęła:

— To świetnie, bo nam Kaśka schodzi. Ma raka. Weź i coś zrób!

I wszyscy wybuchnęliśmy śmiechem.

Wieczór zakończył się u mnie w domu. Jarek B., który zna nawet japoński, czytał Dorotce bajeczki, a myśmy pili w kuchni i zaśmiewali się do łez. Właściwie nie było żadnej rozmowy, po prostu któreś z nas mówiło:

— A pamiętasz temat „Ryby"...

— A pamiętasz *pueri, sursum*...

— A pamiętasz, co tu tak cicho...

A po którejś butelce wina wystarczyło samo:

— Pamiętasz, jak... — żebyśmy się zanosili śmiechem.

W poniedziałek po tym spotkaniu zadzwonił do mnie Jacek.

— Kaśka, jak masz jakieś problemy, to wiesz...

— Chyba żartujesz — powiedziałam, bo byłam pod opieką lekarzy, którzy widzieli we mnie samo zdrowie.

— Ja tylko tak mówię, bo jak się źle czujesz...

Nie mogłam zwierzyć się Jackowi, że źle się czuję, ponieważ Miłość Mojego Życia, chociaż spotykał się ze mną, nie dzielił ze mną swojego życia. Powoli zbliżało się rozstanie, które przeczuwałam każdą komórką mojego ciała. I właściwie chciałam umrzeć, żeby o tym nie myśleć.

— Bo gdyby coś, to wiesz... — powiedział Jacek.

Dwa tygodnie później spotkaliśmy się u niego w szpitalu. Najpierw się pośmialiśmy, a potem Jacek poprosił kolegę, żeby mnie zbadał.

— Trzeba pobrać wycinki — zdecydował kolega i zostałam zapisana na środę. Upewniłam się tylko, czy aby na pewno pod narkozą, i w środę zjawiłam się na oddziale.

*

Kiedy obudziłam się z krótkiej narkozy, Pani w Ciąży, z łóżka pod oknem, powiedziała:

— O, o, ten młody lekarz to trzy razy już zaglądał, czy pani jeszcze śpi.

A Rudy Wamp we włoskim szlafroczku, leżący pod drzwiami, uzupełnił:

— A pielęgniarki to tak panią rzuciły na łóżko, z taką złością, i jedna powiedziała, że tak to się kończy, jak się nie chodzi do lekarza.

Świeciło słońce i wszystko wydawało mi się nierzeczywiste. Jacek wsunął głowę do sali, wcale się nie uśmiechał, przestał być kolegą ze szkoły, w ciągu tych paru godzin mojej nieprzytomności zamienił się w Lekarza.

— Ubierz się, poczekam na korytarzu.

Narzuciłam niebieski szlafrok i wyszłam na korytarz. Stał oparty o ścianę, przy drzwiach dyżurki.

Oczywiście, nic pewnego jeszcze nie można powiedzieć, ale może lepiej, żebym była przygotowana, bo nie wygląda to wszystko za dobrze, chociaż, oczywiście, dopóki nie ma wyników, trudno cokolwiek wyrokować, nie przychodzi mu to łatwo, ale lekarze są zdania, że to może być jakaś brzydka sprawa nowotworowa, choć oczywiście powinnam wiedzieć, że nowotwory mogą być również niezłośliwe, więc zasadniczo nie ma powodów do paniki. I, żeby już skończyć tę rozmowę, chce, żebym była świadoma, że badania będą przyspieszone, może koło poniedziałku już będzie coś wiadomo, i żebym spokojnie czekała, bo zadzwoni do mnie do domu.

*

Nie wydawało mi się, żebym była specjalnie zdenerwowana, ale cały następny tydzień wypadł mi z życiorysu. Nie pamiętam, żebym wstawała, odprowadzała Dorotkę do przedszkola, pracowała, jadła, piła, z kimś rozmawiała. Pamiętam tylko, że któregoś dnia, kiedy wyszłam z pracy, świat nagle zrobił się dziwny, jakby lekko się rozkołysał i zatarły się kontury. Musiałam stanąć, zatrzymał się przy mnie samochód, wysiadł jakiś mężczyzna, pamiętam, że zostawił otwarte drzwi od strony kierowcy i chwycił mnie pod ramię.

— Gdzie pani mieszka, gdzie pani mieszka? — dopytywał się, ale mnie to nie dziwiło.

— Na Woli — odpowiedziałam bardzo wolno.

— Niech pani siada, odwiozę panią do domu — powiedział i bardzo ostrożnie wsadził mnie do samochodu.

Nie pamiętam drogi przez miasto ani tego mężczyzny, wysadził mnie pod domem i odprowadził pod samą klatkę schodową, nie wiem, o co mnie pytał ani dlaczego się zatrzymał. Nie pamiętam, czy mu podziękowałam, czy nie.

Sąsiadka na odgłos drzwi do windy wyjrzała z mieszkania.

— Ale pani zielona jest, pani Kasiu! Walidol pani dam, bo panią nerwy zjedzą, z mężczyznami tak to jest — westchnęła wszystkowiedząco.

*

W tym samym czasie M. leżał w szpitalu na Lindleya, gdzie miał operowane kolano. Wychodził za parę dni. Ma zaległości w pracy, ale obiecuje, że zadzwoni.

— Nie martw się — powiedział — bądź dobrej myśli, to na pewno nic groźnego.

*

W poniedziałek nie byłam dobrej myśli — siedziałam sama w domu, zadzwonił przyjaciel, który wiedział, że czekam na wynik.

— Sama jesteś?

— Tak.

— Nie spodziewasz się nikogo?

— Nie — starałam się być przecież dobrej myśli, ale coś było w moim głosie, bo zapytał:

— Chcesz, żebym przyjechał?

Chciałam.

Siedzieliśmy oboje przy telefonie, rozmowa jakoś się nie kleiła, telefon milczał.

Po dziewiątej sięgnęłam po słuchawkę i wykręciłam numer Jacka.

— W tej chwili wróciłem ze szpitala, umyję ręce i oddzwonię do ciebie — powiedział.

No i w ten prosty sposób zrozumiałam, że to już, że to koniec. Że nic mnie już nie obchodzi, ani przyszły remont łazienki, ani wyjazd na wakacje, zwyczajnie się przestraszyłam, ale się nie rozpłakałam, o nie.

— Przecież ci jeszcze nic nie powiedział — usłyszałam z fotela obok.

— Jak to nie? Gdyby wszystko było w porządku, toby powiedział: wszystko OK, a nie tylko oddzwonię — zezłościłam się i zrobiło mi się odrobinę lepiej.

Jacek zadzwonił rzeczywiście za chwilę. Tak jak przypuszczali, nowotwór, niestety, złośliwy. W piątek mam się zgłosić na konsultację do profesora, zapadnie wtedy decyzja, czy będą mnie kroić i gdzie.

— Proszę cię, nie wysyłajcie mnie na Wawelską, proszę cię, tylko nie tam, zrób coś, żebym była operowana u ciebie — błagałam w słuchawkę.

— Wszystko będzie wiadomo w piątek, ja nie mogę podejmować takich decyzji, nie martw się, nie takie rzeczy leczy się teraz.

Nie takie rzeczy.

Przyjaciel podniósł się z fotela.

— To ja pójdę i przyniosę jakiś alkohol — powiedział.

Potem przyznał się, że musiał ochłonąć.

Wieczorem zadzwonił M.

— No i jak badania?

— Nic groźnego — skłamałam.

Kiedy wrócił przyjaciel, klęczałam przy tapczanie i płakałam.

*

Teraz musiałam dożyć do piątku, co wydawało mi się nie do zrobienia. Na ulicy było mi słabo, cały dzień ssałam walidol, w pracy byłam nieprzytomna, moja kierowniczka patrzyła na mnie uważnie i zwalniała mnie wcześniej do domu.

W piątek zostałam zaproszona do jakiegoś dużego pokoju, siedziało przede mną z sześciu lekarzy, wśród nich Jacek.

— Mamy alternatywne sposoby leczenia — mówił najstarszy — jest nadzieja, że po naświetlaniach...

— W porządku — przerwałam — ale proszę mi powiedzieć, kiedy będę operowana, bo muszę ustalić z rodzicami opiekę nad córką.

— No, właśnie — mówił lekarz — proponujemy pani nieoperacyjne leczenie...

— Rozumiem — mówiłam — ale porozmawiajmy o tym po operacji, bo w tej chwili muszę ustalić z rodziną...

— Ale właśnie tłumaczymy pani, że w pani przypadku jest za późno na operację, ale jest nadzieja...

— Przecież rozumiem, co pan mówi. Ale chciałabym najpierw znać termin operacji...

Jacek powiedział mi potem, że pierwszy raz w życiu widział kogoś, kto w ogóle nie rozumie, co się do niego mówi. Osobiście poprosił profesora Troszyńskiego o operację.

W poniedziałek dostałam termin. Ósmego lipca. W szpitalu na Kasprzaka, miejscu mojej dawnej pracy. Wawelska była w remoncie.

Odetchnęłam z ulgą. Los się do mnie uśmiechnął, tak pomyślałam. Nie wszystko stracone, myślałam, normalny szpital, tylu ludzi tutaj jest codziennie operowanych, jestem tylko jedną z nich, żadna Wawelska, tamten adres poraża — onkologia — tutaj normalny oddział, cisza, spokój, słońce, ogród, który znam. Jacek.

*

Niezbędne wydawało mi się napisanie testamentu, pisma do spółdzielni mieszkaniowej, poszłam do adwokata — nie wyśmiał mnie, zapewnił, że małoletni dziedziczą.

Zrobiłam mniej więcej porządek, z pamiętników lat wczesnej młodości powyrywałam parę kartek, zrobiłam spis książek i adnotację, co komu oddać w razie czego.

Z byłym mężem umówiłam się w kawiarni, w miejscu jego pracy i w czasie jego pracy — bo nie miał czasu. Ręce mi drżały, plątałam się, że będę w szpitalu jakiś czas, może by pomógł Mojej Matce zająć się naszą córką, gdyby się coś stało...

— Uhm — powiedział — nie bardzo mam czas, żeby gadać, mogłaś zastanawiać się przed rozwodem, co będzie z dzieckiem.

— Mam raka — powiedziałam.

— Co ty za bzdury gadasz, lekarze nie mówią o takich rzeczach pacjentom — wstał od stolika — trzymaj się.

Zgasiłam papierosa, dopiłam coca-colę, ręce mi dalej drżały.

*

Zadzwoniłam do M. Powiedziałam, że jestem chora. Zabrałam się do przygotowywania rzeczy do szpitala. Koszula, szczotka do zębów, kapcie, książki. No i zdjęcia. Wyjęłam pudło z szafy, czekały na włożenie do albumów od lat. Przerzuciłam wszystkie. Malutka Dorotka na huśtawce.

I M.

*

Rano kolejka przed łazienką. Pierwszeństwo mają operacyjne. Palące idą na papierosa. Te, które dziś mają być operowane, chodzą po korytarzu wte i wewte. Potem ta, po którą przychodzi instrumentariuszka, idzie na salę operacyjną, a my po śniadaniu — do parku, pod salę operacyjną. Kiedy gasną lampy, wiadomo, że operacja się skończyła. Obliczamy czas i na tej podstawie wyciągamy wnioski. Jeśli któraś przyszła z nie wiadomo czym, brzuch miała duży, a operacja trwała pół godziny, to znaczy, że nie jest dobrze — nic tam nie było do zrobienia. Jeśli trwała za długo — naszym zdaniem — to też nic dobrego, bo wyrzynają więcej, niż planowali, lub są komplikacje. Znamy się oczywiście wszystkie na własnych i cudzych schorzeniach pięć razy lepiej niż jakikolwiek lekarz.

Jakaś kobieta, przedwczoraj operowana, wyszła sama z pokoju. Stoi oparta o ścianę, nie ma siły dojść do łóżka.

— Kochana, co robisz sama na korytarzu, trzeba było zadzwonić, nie wolno jeszcze wstawać, szybciutko do łóżka — pielęgniarka podchodzi do niej, bierze ją stanowczo pod pachę i wolno prowadzi do sali.

— Ja panią bardzo przepraszam, nie chciałam robić kłopotu — kobieta drugą ręką wodzi po ścianie, nie zawierzając ramieniu pielęgniarki.

Jadzia i Ala, nowe znajome z oddziału, podchodzą do mnie.

— Pojutrze my cię tak będziemy prowadzać.

Sroki siedzą na drzewie przed moim oknem. I skrzeczą. Gołębie na dużym okapie naprzeciwko mają gniazdo — parę gałązek leży w załomku muru. Wykluwają się małe, matka nie opuszcza gniazda, ojciec przylatuje co jakiś czas, wieczorem przytulają się do siebie, pakują dzióbek w dzióbek, przejeżdżają sobie dziobami po głowach, siadają bliziuteńko siebie i zasypiają. Wczoraj były dwa jaja i jedno wyklute brzydactwo, dzisiaj pusto, gołębica siedzi skulona przy samej krawędzi szerokiego parapetu. Sroki zrzuciły i jaja, i małego. Obrzydliwość.

Pani Janka rzuca chleb za okno.

— Nie ruszy się teraz, zniesie następne i znowu sroki jej zabiorą, złe miejsce wybrała.

*

Młody mężczyzna chodzi po korytarzu. Kto mu pozwolił przebywać tyle godzin na oddziale? I to w dzień operacji żony? Nie, nie tylko dzisiaj, przypominam sobie. To ten sam, co był również wczoraj i przedwczoraj na siódemce. Przy łóżku tej młodej dziewczyny w ciąży i z guzem macicy. Nie zgodziła się na usunięcie ciąży i operowali ją tak, żeby uratować dziecko. Siedziała po turecku na łóżku i robiła na drutach, a on został do dziesiątej wieczorem na sali i nikt go nie wyrzucał. Pytał wszystkie panie, czy im to nie przeszkadza. Jadzia mówi, że ją skręciło, bo ten skurwysyn, jej mąż, to ani razu się jeszcze nie pofatygował do szpitala, tylko gdzieś chleje. Za to sąsiadka była i dokładnie jej wszystko opowiedziała. No więc skręciło ją, że tamten tak siedzi i tak się martwi.

A on siedzi teraz przy łóżku swojej żony, a ona tak jęczy, tak strasznie jęczy. A on siedzi albo biegnie po pielęgniarkę, spotykam go w damskiej łazience z basenem, oczy ma nieprzytomne, przystojny. A wieczorem przetacza się przez nasz oddział wiadomość, że jednak poroniła, biorą ją na salę zabiegową, on siedzi na ławce przed oddziałem, dopóki to wszystko trwa, wychodzi do niego pielęgniarka, widzę to, on kładzie głowę w dłonie, pielęgniarka odchodzi, on też wstaje po chwili i idzie aleją do wyjścia.

*

Wieczorem siedzimy, wszystkie chodzące, w świetlicy. Wtedy zaczyna się targ — której co wycięli, a której wytną. I że była taka jedna, co miała guza jak worek ziemniaków. I że była inna, której zaszyli wacik. I że trzeba uważać na tego wysokiego lekarza, lepiej jak ten niski, bo miły. A ten gruby to jednej pani... A ten szpotawy to ma taką rękę, że przeciął tętnicę... Najlepszy jest doktór Koralik, tylko doktór Koralik, a jaka szkoda, że cię nie operuje doktór Koralik, bo możesz umrzeć... słyszę w podtekście. — Mnie będzie operował doktór Koralik — chwali się pani, która

252

jutro idzie na operację. — No, ale ty masz raka...
— współczuje mi. — Doktór Koralik może by cię
uratował, a tak to szkoda ciebie.

Takie jest przezwisko bardzo dobrego chirur-
ga, nosi na szyi koraliki ze Wschodu, rzadkość
wtedy.

Jestem zirytowana głupimi opowieściami. Postanawiam wprowadzić miły element humoru.

— Wiem coś o doktorze Koraliku — nachylam
się nad Jadzią — ale nie wiem, czy mogę to powiedzieć, to tajemnica... — Mówię wystarczająco
cicho i wystarczająco głośno, żeby kobiety obok
bardzo się zainteresowały.

— Mów, mów — proszą.

— No, nie wiem... — droczę się.

— No, wiesz, my ci o wszystkim mówimy...

Daję się przekonać.

— Jest coś, o czym powinnyście wiedzieć —
zaczynam — doktór Koralik jest wspaniałym chi-
rurgiem, ale... — znowu czuję się jak na obozie
harcerskim, nie wiem, co będzie dalej, ale musi
być fascynująco — ale miał kiedyś wpadkę. Otóż,
nie, nie powiem, nie mogę...

— Ale jesteś świnia, przecież tobie wszystko
jedno, a ja idę pod nóż — wyrywa się Pani Ju-
trzejszej.

— No, nie wiem, czy to dobrze, zważywszy na
to, co się stało rok temu... — zniżam głos.

— Opowiadaj, opowiadaj! — wszystkie są już zaciekawione.

— Koralik operował jedną panią, zaśniad groniasty — używam trudnego wyrażenia — i stało się. W macicy zostawił kleszcze. Kobieta nie miała pojęcia, że coś jest nie tak. Wszystko się pięknie zagoiło, organizm nie odrzucił narzędzia...

— Niemożliwe — szepczą do siebie kobiety, ale wiem, że wierzą.

— I wszystko byłoby pewnie do dzisiaj w porządku, gdyby nie to, że po dwóch miesiącach już mogła współżyć seksualnie i...

— I co? — jęknęły kobiety.

— I kleszcze wysunęły się przez szyjkę macicy i ucięły penisa jej mężowi. Sprawę penisa sprytnie zatuszował właśnie doktór Koralik — dokończyłam i opuściłam świetlicę w poczuciu dobrze spełnionego obowiązku.

Następnego dnia rano odwiedził mnie Jacek. Wsunął głowę do sali, w której leżałam, i poprosił mnie na korytarz.

Nie mógł mieć dla mnie gorszych wiadomości niż ta, że może nie przeżyję, a tę usłyszałam już dwudziestego drugiego czerwca.

— Co ty naopowiadałaś wczoraj chorym?

— Ja? — zrobiłam niewinną minę, bo żart z uciętym penisem był przecież znakomity.

— Pacjentka dostała histerii, że nie może jej operować Koralik, bo komuś fiuta ucięłaś! Ciekawe, jak się z tego wytłumaczysz?

*

M. przychodzi codziennie. Ale już wiem, że mnie nie kocha.

Moja przyjaciółka Ania jest także. Ostatnie południe. Jutro idę pod nóż. Siedzimy na ławce przed oddziałem.

— Przychodzisz wieczorem? — Ania zwraca się do M.

— A co, powinienem? — odpowiada pytaniem.

Zachwiałam się, zawirowały drzewa, które dają cień w pokojach, zaczęłam widzieć nieprawdopodobnie ostro, drzewa rosły, wyciągały gałęzie, przeciągały się w ten pogodny lipcowy dzień, zrzucały chore liście, otrząsały się.

— Idź już — powiedziałam.

Odszedł.

Nie umiałam go zatrzymać.

Moja przyjaciółka siedziała obok na ławce.

— Nie lubię takich scen — powiedziała, wduszając w ziemię końcem buta niedopałek.

Z pawilonu szóstego jechał wózek ze zwłokami. Spod prześcieradła zwisały długie siwe włosy.

— Jak tak można — dziwiła się Ania.

Głowa podskakuje na wybojach.

Sanitariusz jest nie ogolony i lekko wcięty. Prześcieradło zsuwa się z jednej strony. Widać twarz starej kobiety. Minęli nas. Słońce zaszło za kostnicę. Powiało lekkim chłodem.

— Pójdę już — Ania podniosła się z ławki. — Dlaczego nie chciałaś, żeby został?

Co mogłam odpowiedzieć? Że modliłam się całe trzy dni pobytu tutaj, żeby był ze mną, żeby powtarzał, żebym się nie bała, że wszystko będzie dobrze. Ale on nie powiedział nic.

*

Uprosiłam lekarzy, aby na mojej karcie nie było rozpoznania. Rodzice nie wiedzą, że mam raka. Niech przynajmniej oni się nie martwią.

Rano przychodzi po mnie pielęgniarka z bloku operacyjnego:

— Jest pani gotowa?

Jasne, że jestem gotowa.

Na korytarzu chłodno, drzwi na oddział otwarte.

Położyli mnie na stole operacyjnym, podłączyli do EKG, skręcam głowę, żeby zobaczyć, jak to działa, po ekranie latają kreseczki i nagle prostują się, i słychać taki nieprzyjemny syczący dźwięk.

— Ja jeszcze żyję — mówię spokojnie, choć ciemno mi ze strachu przed oczyma.

— Wiem — mówi anestezjolog — to złącza.

— Teraz to ja panu mówię, że żyję, a jak będę uśpiona?

— Popukam parę razy w złącza, a potem mam parę chwil na reanimację — uśmiecha się. — Wstawki, mostki?

Kręcę przecząco głową.

— To pech. Parę dni temu przyjemnie się pracowało, babunia mi dwie szczęki wyjęła, nie musiałem uważać — wpuszcza mi coś w żyłę, lampy spadają coraz niżej i jest ich coraz więcej i więcej, i są coraz jaśniejsze, zanim na mnie spadną, przestanę być.

*

W pokoju jest ciemno. Latarnia za oknem rzuca smugę światła na ścianę. Już pooperacyjna. Obok na łóżku pani Janka.

Nie widzę sznurka od dzwonka, nie mam siły szukać, ręka opada z powrotem na poduszkę, za głowę.

— Pani Janko — zduszony szept — pani Janko...

Śpi. Nie słyszy. Nie znajdę dzwonka, nie zapalę światła.

Dlaczego mam takie słabe ręce, o mój Boże, jeszcze nie — jutro będzie dzień, słońce wstanie normalnie, kasztan, stąd widać kasztan za oknem, pani Janka wystawi na parapet resztki śniadania, czwartek, na śniadanie będzie kiełbasa, okropna, przyjdą koty, tak zabawnie jedzą, jutro, już nie mogę, dlaczego mi tak straszno, pani Janko, żeby się obudziła, o jak mi duszno, chcę lekarza, spróbuj podnieść rękę, tam powinien być dzwonek, no to zrzuć coś z szafki, przesuń rękę trochę, o Boże, to kubek spadł, tak głucho... Gdyby to była szklanka, toby się rozbiła głośniej, te szpitalne kubki są za grube, żeby się od razu potłukły, pani Janko, nie mogę podnieść ręki, w drugiej mam wenflon, nie ruszę nią, jest przywiązana do deseczki, żeby się kroplówka nie odłączyła, żeby krew nie wypłynęła, żebym nie umarła, tak ciemno i tak straszno, żebym się tak strasznie nie bała, po prostu chcę spać, tylko chcę spać, dlatego mi tak ciemno, to ze strachu i ze zmęczenia, może niedługo przyjdzie pielęgniarka i odłączy kroplówkę, powiem jej, że chcę spać, niech przyjdzie lekarz, niech mi coś dadzą, niech mnie nie dusi, to ze strachu dusi, to dlatego że noc, że pani Janka śpi i że jestem sama, to dlatego mi duszno, uspokój się, nie myśl o tym, że nie masz siły, dlaczego akurat masz mieć siłę, widzisz, że lepiej, leż spokojnie, niech ręka sobie zostanie za głową, spanie

z ręką za głową to u dzieci na przykład oznaka
zdrowia, posłuchaj, jak szumią kasztany, o matko, to wózek na trupy, ktoś umarł, ale nie teraz,
oni przyjeżdżają dopiero dwie godziny później,
jak piją, to czeka się dłużej, siostro, siostro, niech
ona nie idzie w tamtą stronę, nie usłyszy mnie
pani Janka, powie jutro: nic dziwnego, ja też się
źle czułam, to ciśnienie, to wiatr, to pełnia, uspokój się, pomyśl o czymś innym — przyjemnym,
dobrym i spokojnym, przypomnij sobie coś dobrego ze swojego życia.

*

Noce w szpitalu są najgorsze. Kiedy wszyscy
już pójdą, a ja przestaję udawać, że się nie boję.
O nocach napiszę potem w *Osobowości ćmy*, że są
najgorsze. Swój strach dam jej bohaterce, chorej na raka nerki. Jest prawdziwy. Ale to na razie
moje życie i moje noce.

Pozornie życie zamiera, a czasami niepozor-
nie również. W każdą minutę zgaszonych świateł
na salach, zapalonych małych światełek, rucho-
mych kresek na ekranie monitorów, dzwonków
nad salą, które nie dzwonią, ale objawiają czyjąś
potrzebę żółtawym światłem, w każdą minutę tej
ciszy wkrada się śmierć. Niepostrzeżenie, nie ma
przecież strażników przy wejściu, nie legitymują,
kto wchodzi, zresztą na nic by się to zdało, wykry-

wacz metalu nie zareaguje, licznik Geigera nie zacznie tykać, promienie ultrafioletowe przejdą na
wylot, rentgen nie zostawi śladu na kliszy.

Wszystko na nic, drzwi są uchylone, światło
z korytarza pada podłużną smugą na płytki PCV,
które jutro rano znowu będą myte i froterowane
na wysoki połysk, a ona przychodzi, staje u wez-
głowia i myśli sobie: Ten? A może ta? Kogo dzisiaj
wezmę ze sobą?

Stoi tak już od dłuższego czasu, chociaż nawet cienia nie ma na podłodze, nawet płytka PCV
nie straciła błysku, a jednak stoi. Nie ma nikogo,
kto mógłby stanąć z nią twarzą w twarz i zapytać: Co tu robisz? Nie masz tu nic do roboty, zmia-
taj stąd!

Nie ma żadnych siatek zabezpieczających ani
systemów alarmowych, ani żadnego innego sposobu, żeby ją choć trochę powstrzymać. Choć trochę, choć na dzień, dwa, miesiąc. Rok.

Odmawia współpracy i kontaktu z żyjącymi,
a przecież im jest najbardziej potrzebne zrozu-
mienie.

Proszę jeszcze o dwa tygodnie
...dla Mojego Ojca,
...dla Mojej Matki,
...dla mojego dziecka.
Wtedy zrobię coś
...poprawię się,

…porozmawiam,

…poczuję,

…dam szansę, wykorzystam, zapewnię, zamienię na lepsze, dojrzalsze, trwalsze, słodsze, jaśniejsze,

…jeszcze raz, choć raz, zrobię takie pierogi, jakie lubił,

…pojadę do tego sklepu na końcu miasta, który dotychczas był za daleko, żeby kupić, o co mnie proszono,

…porozmawiam, choć nie miałam czasu, teraz będę go miała w bród,

…i kupię te spodnie, które tak chciał mieć,

…nigdy nie podniosę głosu,

…przeproszę,

…poproszę,

…podziękuję,

…wybaczę,

…mnie wybaczą.

Poproszę tylko o następny rok, miesiąc, dzień, godzinę, i na pewno nie zapomnę, że obiecałam, że będę lepszy lub lepsza, tylko cofnij się o dwa kroki, odejdź od tego łóżka, jest tyle innych, masz całą salę, inne sale, inne piętra, cały szpital, idź gdzie indziej, do kogoś, kto cię potrzebuje.

Nie przemyka się pod ścianami, pomalowanymi na ciepły, brzoskwiniowy jasny kolor, wcale nie. Przekracza progi i kroczy, stąpa, niesie się dumnie, żadnej pokory w niej nie ma, oto jestem, nie musi wskazywać palcem, wystarczy, że spojrzy. Nawet powietrze nie drgnie.

Noce w szpitalu są najgorsze.

„Popatrz, nawet nie zauważyłam, że umarła, a całą noc nie zmrużyłam oka! Cały czas oddychała, mówię panu!"

Albo:

„Całą noc nie zmrużyłam oka, tak wyła! Mówiłam, żeby jej dali jakieś środki, ale nie dali, żeby to człowiek jak zwierzę zdychał". — I ulga, że to nie ona, to nie po nią przyszła wczoraj, to po kogo innego, dzięki Ci, Panie.

Więc jak ja będę umierać? Cicho i niepostrzeżenie, nikt nie zauważy, czy będę wyć z bólu i o niczym nie myśleć, tylko żeby to nareszcie się skończyło?

Jak po mnie przyjdziesz? Jak motyl nocny cichutko otrzesz się o twarz, sypniesz puszkiem ze skrzydeł? Ale ćmy nie latają bezszelestnie w szpitalnej ciszy, pamiętam, po operacji, cisza, i tylko ćma, duża, ciemna, trupia główka, rzadka ćma dotykała mnie leciutko w policzek i w czoło, i suchy, delikatny trzepot skrzydeł — to ty byłaś tak delikatna?

Jak mam cokolwiek zmienić, skoro wszystko jest niezmienne i z góry ustalone?

*

M. przychodzi codziennie. Nie chcę żadnej litości. Może sobie iść, gdzie chce i z kim chce. I tak sobie poradzę.

*

Już chodzę. Stanęłam przy szeroko otwartym oknie. Koty wyciągają ze śmietnika resztki kroplówek. Jeden, duży i bury, poluje na gołębia. Trzeci raz się rzuca i trzeci raz gołąb podlatuje w górę i siada nieopodal. Idiota. Złap go — myślę — za to, że taki głupi. Kot strzelił w górę i tym razem gołąb już nie zdążył odfrunąć. Szarpnął za szyję i wlecze ptaka w stronę śmietnika. Robi mi się przykro. Z chirurgii, piętro wyżej, leci butelka po wódce, rozbija się obok kota.

Wieczorem jest *Mayerling*. Siadamy na kocach rozłożonych na krzesłach, herbata z cytryną obok, popielniczki czyściutkie, żeby było miło. Omar Sharif i Catherine Deneuve kochają się bardzo. On boi się ciemności, nawet kochają się zawsze przy świetle, a ona uśmiecha się i mówi: przecież ja tam będę — i on najpierw ją zabija, a potem siebie.

Pierwsza zaniosła się płaczem Jadzia, pani salowa, która na moment przycupnęła na brzegu krzesła, ociera oczy, za Jadzią rozbeczała się Krysia, a potem wszystkie szlochałyśmy jak głupie.

263

Wróciłam do swojej sali o dwunastej, pani Janeczka już spała, położyłam się na łóżku i rozpłakałam.

*

Po korytarzu kręci się mężczyzna i zaraz go wyrzucą, jeśli będzie tak wchodził w oczy personelowi przed pierwszą.

Siedzę z Jadzią w palarni, a on krąży po korytarzu, zaczepia lekarzy, zbywają go niecierpliwymi gestami.

— Ty — Jadzia mnie trąca — to mąż pani Krysi z szóstki, przecież ona dzisiaj pierwsza szła pod nóż, to nikt go dzisiaj do niej nie wpuści, głupi czy jak? Zrobimy sobie herbatę?

Zrobimy.

Czekam na Jadzię. A ten pan staje w drzwiach dyżurki i pyta o żonę. Ma spoconą twarz i przerzedzone, szpakowate włosy.

Pielęgniarka kroi ligninę.

— Mówiłam już panu, że żona jest na pooperacyjnej i pan tam nie wejdzie.

— Ale ja bym tylko okiem rzucił, proszę pani.

— Nie, nie wolno.

— Tylko spojrzę.

— Jutro. Żona dobrze przeszła operację i jutro się pan z nią zobaczy — białe płachetki ligniny układają się w stos.

— Ale niech mnie pani zrozumie — ileż prośby można zmieścić w głosie.

Pielęgniarka odkłada nożyczki, wstaje.

— Niech pan napisze kartkę do żony, to jej przeczytam, jak się obudzi.

Stoi niezdecydowany, ręce mu drżą. A mi serce rośnie, jak patrzę.

— No — co mam powtórzyć żonie?

— Że... jestem — głos mu się łamie, idę do swojej sali, kładę się na łóżku, że jest, mój Boże, może napiję się herbaty z Jadzią albo pójdziemy do parku, jest tak ładnie, chociaż nie, za chwilę obiad. Odwracam się do ściany.

*

W palarni szpitalnej zdjęcia maleńkich dzieci ze skrobanek. Metoda łyżeczkowania, spalania solami, dobre zdjęcia. Widać wyraźnie maleńkie rączki, nóżki, główki oddzielone od tułowia, czarne poskręcane ciałka, po solach. Palę, przyszła Ania, gadamy.

— ...i u mnie tak jak tu, najpierw wyciągnęli nóżkę — dwie młode dziewczyny siedzą pod zdjęciami i wodzą palcami po podpisach.

Krew uderza mi do głowy.

Ania ciągnie mnie za rękaw szlafroka. — Chodźmy stąd.

*

Moje urodziny. Słońce świeci tak cudownie, jakbym w ogóle nie była w szpitalu. Przychodzą Mama z moją córeczką, kuzynka z mężem, znajomi, koleżanki z pracy, wychodzimy przed pawilon, dzieci bawią się w kupie piachu przygotowanego do remontu, wrzeszczą sroki, mimo że samo południe, mogłabym być już dzisiaj wypisana, ale lekarze chcą poczekać do poniedziałku. Potem wszyscy się rozchodzą — sobota.

Kładę się spać. Budzi mnie ręka M. na policzku.

— Śpisz?

— Już wstaję — spuszczam nogi z łóżka, odsuwam koc. Całe łóżko we krwi — i materac, i kołdra. Serce mi zamiera. On stoi i patrzy.

— Idź po lekarza — mówię. Siedzę i nie ruszam się na wszelki wypadek.

Wbiega siostra Beata i przychodzi lekarz, biorą mnie na wózek, wiozą do zabiegowego.

Nie mam siły wejść na fotel, krwawię.

— Ciśnienie spada — Beata wsłuchuje się w moją prawą rękę — sto na osiemdziesiąt, osiemdziesiąt na sześćdziesiąt...

Coś mi przypomina, ale ja nie mogę teraz umrzeć, mam dziecko.

— Już schodzę? — pytam.

Lekarz zakłada opatrunek, jest mi słabo. Myją mnie i przebierają w czystą szpitalną koszulę. Kła-

266

dą z powrotem na wózek i jadę do siebie. M. czeka przed salą.

— Co z tobą?

— W porządku, nie musisz się cieszyć — mówię, choć wcale nie to chcę powiedzieć.

Siostra Beata sadza mnie delikatnie na łóżku,
już czystym, ze świeżą pościelą. Swoją niebieską
koszulę, która jest chwilowo czerwona, trzymam
w ręku, zapadł zmierzch, podnoszę się, idę w stronę zlewu, trzeba ją przepłukać, bo będzie do wy-
rzucenia. Stoję przy tym zlewie i patrzę w lustro, koszula się płucze, dobrze, że rano umyłam
głowę, fajnie mi się ułożyły włosy, schły na powietrzu, blada, interesująca twarz: „schudł, sczezł,
zeszpetniał, ale bardzo wyszlachetniał" — jak ma-
wiała moja pani od polskiego.

— Znowu krwawisz — słyszę przestraszone-
go M. — Połóż się. — Po nogach płynie krew.

Opieram się o ścianę.

Lekarz od drzwi krzyczy:

— Co pan jeszcze robi na oddziale, odwiedziny się dawno skończyły!

Znowu jadę na wózku do zabiegowego, tym
razem jakby trochę szybciej.

— Lekarz poszedł dzwonić do ordynatora —
informuje szeptem drugą pielęgniarkę Beata. No
to chyba koniec.

Leżę w pokoju zabiegowym. Więc to tak? Już?
Bez uprzedzenia? A on poszedł?

Ale to nie już.

Potem wracam do sali, kładą mnie do łóżka z zakazem ruszania się w ogóle. M. poszedł. Co dziesięć minut przychodzi lekarz.

Odkręcam słoik z truskawkami, który przyniosła Mama, wyciągam papierosa i zapalam, popiół strzepuję na zakrętkę. Nie przypuszczałam, że kiedykolwiek ośmielę się zapalić w sali. Ale i tak na mnie nie nakrzyczą, są tak samo przestraszeni jak ja. Serce mi wali głucho, wolno i dosadnie.

Tylko żebym się nie bała, to nic się nie stanie, żebym nie wpadła w panikę, po prostu poszedł, nie zaczekał, żeby się dowiedzieć, po prostu uciekł, jest mi wszystko jedno, a gdybym tak umarła, obce kobiety przed zabiegowym pytały Beatę, co się dzieje, nie rozumiem...

*

Nad drzwiami krzyż, obok niego ćma, która latała koło mnie w nocy. Jestem sama. W sztywnej ręce trzymam papierosa. I wtedy widzę na zamkniętych drzwiach jakieś postaci, stoją daleko, ale kiedy chcę wiedzieć kto to, z łatwością je rozpoznaję. Jakby dwie klatki zatrzymały się w aparacie — czasem się tak zdarza — dwa zdjęcia w jednym. Tu las, a na nim Mama w kuchni. I teraz tak samo, zamknięte drzwi do sali, a w drzwiach Wszyscy Umarli. Dziadek, babcia, ojciec Ewy, ty-

siące twarzy. Pogodnych, choć nie uśmiechnię-
tych. Nie wołają mnie ani nie zachęcają. Towa-
rzyszą mi. Ogarnia mnie niezwykły spokój. Nie
dostałam żadnych leków ani zastrzyków, jestem
przytomna, papieros pali się i dym leci w górę, za-
krętka od słoika z truskawkami na piersiach. Nie
dziwię się wcale, strach zmienia się w niezwykłą
harmonię. Kiedy drzwi uchylają się, te dwie rzeczywistości istnieją równolegle i nie ma w tym nic
nadprzyrodzonego, wszystko jest takie, jak powinno być. Lekarz przechodzi przez nich, ale
nie jest ani mniej, ani bardziej prawdziwy. Nie
wychwytuję momentu, kiedy zostaje tylko ta rzeczywistość z lekarzem, który mówi:

— Nie widzę, że pani pali, nie widzę.
I mierząc mi ciśnienie, oddycha z ulgą.

*

— Prawdę powiedziawszy, nie wiem, dlaczego cię nie wypisaliśmy w piątek. Miałaś szczęście — mówi Jacek. — Ty masz w ogóle cholerne
szczęście.
Nie czuję, że mam szczęście. Dorotka ma dopiero sześć lat.
W niebieskiej kopercie zostaję odesłana do szpitala na Grochowskiej. Tam rad, potem kobalt na
Ursynowie.

*

— Ja już trzeci raz, ale to tylko tydzień — informuje mnie Pani w Peruce.

— O rany, jak wyła — idą ku nam trzy panie w szlafrokach — nie sposób było oka zmrużyć.

— Żeby nic nie robili, przecież nie sama leżała.

— Ale bo to się z nami ktoś liczy.

Pielęgniarka prowadzi mnie do sali, nad drzwiami znak „Strefa skażona. Uwaga promieniowanie".

Dwa łóżka już zajęte, panie jeszcze po cywilnemu, kładę swoje rzeczy na podłodze i wychodzę na papierosa, palić można tylko w ubikacji, ostatecznie to onkologia.

Wracam na salę. Dziś już nie będzie badań. Zdążyłam poznać swoje współtowarzyszki niedoli. Obie są starsze ode mnie, wszystkie jesteśmy samotne. Od jutra nie będziemy mogły się ruszać. Podobno można przeżyć, podobno tak szybko czas nam zleci, że nawet tego nie zauważymy. Przebieram się w szlafrok, moje współtowarzyszki nie chcą wychodzić z sali, nie chcą się denerwować. Siadam w pustym holu, przysiada się do mnie inna starsza pani.

— Ja to, widzisz, moje dziecko, odpoczywam teraz trochę. Guza mi znaleźli, o tu — dotyka ręką piersi — i kroić nie będą, a oddychać coraz trud-

270

niej, ale przyszłam, synową mam niedobrą, póki robiłam, to dobra byłam, dzieciaków czworo, było co robić, a teraz to trudno mi się ruszać, na pole nie pójdę, to powiedziała: — Niech mama jedzie, przynajmniej za darmo mama jeść będzie. — Patrzy na mnie wyczekująco.

— Jak tak można — mówię cicho.

Pani się uśmiecha.

— E, już trzeci tydzień tu jestem, ckni mi się za wnukami trochę. Syn też nie przyjedzie, roboty teraz huk, gdzie by tam znalazł czas, żeby taki kawał drogi jechać, już nawet nie żal umierać. Tu nie wadzę nikomu. Jeść dostaję, żeby tylko nie bolało, ale nie skarżę się, Pan Bóg wybiera i doświadcza, żeby tylko dał siły znieść.

Kiwam głową. Nie wiem, co ze sobą zrobić. Wstaję i idę na papierosa. Nie chce mi się wracać do sali. Spędzę tam sto godzin nieruchomo, jeszcze mi się znudzi.

W łazience nawiązuję nowe znajomości. Obie dziewczyny były już na radzie. Machają lekceważąco ręką, nic strasznego. Stoimy przy parapecie i palimy.

— Przydałaby się im taka maszyna do badań jak w Ameryce.

— Jaka? — jesteśmy uprzejmie zainteresowane.

— Wrzucasz dolara, sikasz i diagnoza wychodzi. Jeden facet, co nie wierzył, siknął, a maszyna mu mówi: masz, bracie, zapalenie nadgarstków. To on się zdenerwował, wlał olej ze swojego samochodu i siki żony, a maszyna zaterkotała i powiedziała: samochód ma zatarty silnik, żona ma syfa, a ty się, bracie, nie onanizuj, bo masz zapalenie nadgarstków.

Wybuchnęłyśmy śmiechem.

— Ja też się śmiałam rok temu, jak przyszłam na rad — zwraca się wyraźnie do mnie nowa postać w drzwiach. Jest prawie łysa, trochę nowych włosów, jak u małego dziecka, rośnie nierówno na ładnej i kształtnej głowie.

— Ile masz lat?

— Trzydzieści.

Nie jestem zdziwiona, że mówi mi „ty", zauważyłam już, że panują tu takie obyczaje i że im kto bardziej chory, tym prostsze jest łamanie reguł życia z zewnątrz.

— To tyle co ja — łapie się rękami za brzuch. — Widzisz, cholera, co ze mną zrobili, nawet wysrać się nie mogę.

Doszła do otwartej kabiny, siadła na sedesie, nie zamykając drzwi. Zdziwiłam się dopiero wtedy, kiedy zdałam sobie sprawę, że nic a nic mnie to nie dziwi. Po prostu nie chciała być sama.

— Daj papierosa.

Podałam jej papierosa, już zapalonego.

— Ja, kurwa, raka płuc i tak nie mam, nie? — zaciągnęła się. — Jesteś po operacji?

— Tak — powiedziałam i dodałam głupio: — Oczywiście.

— No tak. Ale nie martw się, tu trzeba wierzyć, że się z tego wyjdzie. Ja miałam lepiej, od razu przyszłam na rad, nie trzeba było mnie kroić. No ale patrz, w domu to ja się dobrze czułam, a tu przyszłam i od razu mnie trafiło, wykańczarnia, mówię ci. I poczwórniak dostaję, a o każdy zastrzyk to się muszę naprosić, dopiero jak mnie skręca, to dają.

— Co to są poczwórniaki? — pytam.

— No, poczwórne przeciwbólowe, ty też dostaniesz na radzie. Ale — strzepnęła popiół na podłogę — wychodzę stąd za kilka dni. Gdyby było ze mną gorzej, to dostanę się na Wawelską. A jak coś naprawdę złego będzie się dziać, to mi mama załatwi wyjazd za granicę. Anka jestem.

Mnie M. pewnie zapyta za tydzień, czy kupić koniak lekarzowi.

Stałam koło umywalki i zastanawiałam się, co powiedzieć.

Ania wstała.

— Pomóż mi — położyła rękę na moim ramieniu i tak doszłyśmy do jej sali. — Widzisz, dobry numer mam, czwórka, to nie są najgorsze przypadki. Przyjdź potem do mnie, jak cię jutro położą plackiem, to przez tydzień się nie ruszysz.

Kiedy potem zajrzałam, Ania spała. Nie budziłam jej, jest bardzo słaba, jej towarzyszki niedoli już zdążyły mi powiedzieć, że chemię jej odstawili, a ona nie może już jeść ani wydalać, mimo lewatyw.

Oprócz jednej nieprzytomnej od paru dni kobiety, która spokojnie czeka na litościwą śmierć, wszystkie jesteśmy chodzące. Ja też włóczę się bez sensu po korytarzu, parę kobiet usiadło przed telewizorem, w nadziei, że może będzie działał. Młody chłopak w niebieskim szlafroku coś przy nim majstruje, z onkologii jest ten chłopak, przystojny. Bierze już czwarty kurs.

— Nic z tego nie będzie — mruczy Pani w Zielonym. Odwraca się do koleżanek: — Trzy noce nie spałam, jak ta mała umierała, proszków się nażarłam, ale przecież nie szło wytrzymać, mówiłyśmy, żeby jej co dali, a pielęgniarka, że co jej dać mogli, już dali, to my, żeby ją do innej sali przenieść, jedynka pusta, radowych nie było, a nas w pokoju osiem, ale nie. Jasne, człowiekowi żal. Osiemnaście lat miała, to co ona życia poużywała, bidulka. Ale my też ludzie. Ja tobym przymusowo eutanazję robiła, po co ma się ktoś męczyć. I innych. Jak ja będę w takim stanie, wezmę proszki, naszykowane mam, i z głowy. Pan zosta-

274

wi to pudło, i tak nic z tego nie będzie, mówiłam przecież.

Młody człowiek odchodzi od telewizora, patrzy na mnie, ma fajne oczy. Zatrzymuje się przy windzie, odwraca głowę, widzi, jak cielęco jestem w niego wgapiona.

*

Siedzę na parapecie w łazience i wyglądam przez okno. Pada deszcz, przed papierniczym stoi kolejka. Ależ mam ochotę wychylić się i krzyknąć cokolwiek. Niech żyje coś lub precz z czymś. Absolutne poczucie wolności i bezkarności. Ja się nie boję, ja mam raka. Na ceratowej leżance siedzi koleżanka z piątki. Obok niej słoiczek, do którego wrzucamy popiół.

— Patrzysz, patrzysz i nic nie wypatrzysz — mówi monotonnie. — Ja już jedenasty kurs chemii przechodzę i coraz gorzej ze mną, nerki mi tymi lekarstwami wykończyli, wątrobę mi wywalą, już sama nie wiem — leczyć się czy nie. Ty nie na chemii?

— Ja na rad — mówię po raz kolejny tego dnia.

— E, to wszystko przed tobą. Ja już i rad, i kobalt, i teraz chemia. A dzieci w domu same, najgorzej, co z dziećmi.

Wygląda na dobrze utrzymaną pięćdziesięcio-
latkę.

— Nie dadzą sobie rady?

— Małe to przecież, córka osiem lat skończyła,
syn jedenaście — przeczesuje ręką włosy, a włosy
ma piękne, mimo chemii. Patrzy na mnie i pyta:

— Ile mam lat, jak sądzisz?

— No, nie więcej jak czterdzieści — chcę być
uprzejma.

— Trzydzieści cztery skończyłam.

*

W swojej sali podchodzę do lustra. Na ile lat
ja wyglądam? Nie mam jeszcze takich bruzd koło
ust, takich oczu — dużych i wpadniętych, patrzą-
cych donikąd, w głąb, włosy też mi nie wypadają jeszcze, może nie będą wypadać, na oddziale
jest parę kobiet łysych, ale jednak większość ma
włosy.

Pani Jadwiga, sąsiadka, miesza głośno herbatę.

— Odejdź, kochana, od swojego odbicia, bo
potem nie będziesz mogła na mnie patrzeć, a będziesz musiała.

Jesteśmy trzy na sali. Tak wystraszone perspek-
tywą spędzenia stu godzin nieruchomo, że uni-
kamy, póki można, położenia się. Nie wiem, jak
wytrzymam bez palenia. Pani Jadwiga siedzi na
swoim stołeczku i pije piątą już chyba dzisiaj her-

batę. Basia suszy włosy, na szafce bateria kremów, odżywek, lakierów, wszystko na ładnej haftowanej serwetce przywiezionej z domu.

Następnego dnia znowu pada. Tak jak w tamtym szpitalu, mam okno tuż koło łóżka. I duże drzewo za oknem. Dobrze by było, gdyby padało przez cały czas.

Wtedy będzie można wytrzymać. I żeby nie było upału. A przecież to sierpień.

*

Jeden dzień minął. Zostało siedemdziesiąt sześć godzin. Rano przychodzi nasza Alina; zanim przyjedzie po nas wózek i zabierze do zabiegowego, rozkoszujemy się możliwością leżenia na boku. Pani Jadwiga podciąga kolana w górę, ja zwijam się na moment w kłębek, kręgosłup mi dokucza.

Nabrałyśmy już wprawy w jedzeniu i innych czynnościach fizjologicznych na leżąco. Okno cały czas otwarte i w dalszym ciągu pada, i oczywiście nie jest nam zimno. I oczywiście da się wytrzymać. Wpadłam na pomysł odliczania od końca — stary, dobry sposób na skrócenie oczekiwania. Na pytanie, która godzina, zawsze któraś z nas odpowiada: trzydziesta siódma czterdzieści pięć — na przykład. Czas jakoś mija, szczególnie jak bez przerwy trzeba przeliczać. Dostajemy poczwórniaki, choć właściwie nic nas nie boli, a może dlatego nie boli, że dostajemy. Sąsiadki zza ściany włożyły głowę w drzwi, zapytały, jak leci, i poszły. Leżymy. Leżymy. Leżymy. Deszcz pada.

Przychodzi M., ale tylko na moment, bo sierpień to okres największego natężenia pracy, okazuje się.

Nade mną biały sufit. Szukam jego ręki, maleńkie lampki przy dzwonkach, przecież leżę na wznak... Nie ma go. Pani Jadwiga śpi i chrapie. Jestem sama.

*

Połowa za nami. Już bez kłopotu przetaczamy się na wózek. Opatrunek, w międzyczasie Alina ścieli łóżka. Nie są specjalnie skotłowane, ale mamy świadomość, że się o nas dba.

Przychodzą do mnie przyjaciele i Mama jest codziennie. Bez Dorotki, mogłoby jej zaszkodzić promieniowanie. Czy dożyję dnia, w którym moja córka będzie dorosła? Będzie już na tyle samodzielna, żeby sobie beze mnie poradzić? Nie będę o tym myśleć, to nie są dobre myśli na szpital. To nie są w ogóle dobre myśli. Pomyślę o tym kiedy indziej.

Wpada Irenka z mężem, nachyla się do mnie i szeptem oznajmia, że tym razem już na pewno jest w ciąży. Martwieję. Wczoraj pytałyśmy Alinę o skutki promieniowania dla odwiedzających, powiedziała, że właściwie żadne, ale kobiety w ciąży nie powinny zbyt długo siedzieć.

— Ale nie jesteście panie w ciąży, z tego, co mi wiadomo? — zażartowała jeszcze.

Pani Jadwiga i ja czytamy. Właśnie przerzuciłyśmy sobie książki, ja skończyłam *Przygody księdza Browna* — na moje łóżko leci *Marysieńka Sobieska*.

— Trafiony, zatopiony — pani Jadwiga nie traci pogody ducha, kiedy książka spada pod łóżko. Nie mogę jej podnieść, ale nie będę dzwonić, zaraz ktoś przyjdzie, niedługo obiad.

Po południu przychodzi M.

— Potrzeba ci czegoś?

— Jestem na diecie.

Pewnie jutro przyniesie banany.

— Jutro przyniosę ci banany.

Milczymy.

Nad wejściem pali się lampka: „Uwaga: promieniowanie".

*

Jeszcze dwadzieścia cztery godziny. Leżymy. Południe. Leżymy. Popołudnie. Leżymy. W nocy wpatruję się w drzewo za oknem. Sięgam do szafki, uważając, żeby się nie przekręcić na bok. Nie wolno. Pani Jadwiga również się poruszyła. Rozmawiamy prawie do świtu.

Jeszcze godzina. Tak szybko minęło? I czego się bałyśmy? Niestety, na sobotę i niedzielę jeszcze zostajemy.

Jeszcze dwadzieścia minut. Przychodzi po raz ostatni Alina. Pierwsza na zlikwidowanie radu wyjeżdża Basia. Idę się wykąpać. Ale życie jest fajne i jest ciepła woda. Południe przesypiam, strasznie jesteśmy słabe po tym leżeniu. Wieczorem wychodzę w nocne życie oddziału. Telewizor w dalszym ciągu nie działa.

W dyżurce Ania na stojąco dostaje jakiś zastrzyk, idziemy do jej sali.

I znowu widzę, jak całe życie można zmieścić w szpitalnej szafce. Ania pokazuje mi zdjęcia swojego synka i kiedy była mała, i biżuterię. — Wiesz, wzięłam tylko to, co najbardziej lubię — tłumaczy przy każdej rzeczy, kiedy i z jakiej okazji ją dostała. Częstuje mnie wiśniami w czekoladzie:

— Jedz, mnie i tak bebechy się wywracają.

I dziwi się, że mam tylko parę zdjęć i jedną książkę.

W niedzielę włóczę się po oddziale. Na półpiętrze młody mężczyzna, który przychodzi do Ani. Stoi i płacze. Jak już się wypłacze, to ociera łzy i jakby nigdy nic idzie do sali. I wtedy ani po nim, ani po Ani nie widać, że ona niedługo będzie umierać. Kiedy zasypia — a zasypia w środku wizyty, tak jest już osłabiona — z jej matki, starszej pani, spływa ta pozorna obojętność, a wychodzi na jaw wszechwładny lęk i brak nadziei. Kiedy Ania niespodziewanie zamyka oczy, na twarzy matki przybywa zmarszczek, nos wydłuża się, nagle zwiotczałym palcom trudno odstawić na szafkę kubek, z którego poiły Anię. Matka garbi się, jakby nie miała żadnego wpływu na swoje ciało, a przecież nie ma wpływu tylko na to, co się dzieje z jej córką. Która umiera. A ona umiera razem z nią, dopóki Ania śpi. Wystarczy, żeby Ania się poruszyła, a jej matka prostuje się, jej policzki nabierają kolorów, zmarszczki wygładzają się, na twarz wraca już tylko znużenie. Potem chwilę rozmawiają, matka wychodzi, żeby przyjść jutro i jutro, aż do końca.

A jednak patrzę zazdrośnie na tego płaczącego chłopaka tam, na schodach, w uchylonych drzwiach do sali widzę, jak siada na jej łóżku i masuje stopy, które ona w dziecinnym rozgrymaszeniu kładzie mu na kolanach. Puchną jej nogi, są już brzydkie — sinobiaławe i nienaturalnie grube, a on trzyma te jej grube stopy delikatnie w swoich dużych dłoniach i głaszcze.

Wieczorem leżę długo przy małej lampce. Książkę trzymam na kolanach, żeby wyglądało, że czytam. Widzę teraz doskonale bezsens odkładania życia na potem, zagarniania rzeczy, głupich kafelków, zamiast na przykład wyjazdu gdziekolwiek, daleko, najlepiej do Grecji. W przyszłym roku pojadę.

Sztampa. W każdej powieści bohater po przejściach dojrzewa do życia doskonałego. Teraz już będę wiedziała, jak żyć.

Może to jest mi do czegoś potrzebne, ale nie wiem jeszcze do czego. Nie wiem, dlaczego ja. Nie wiem, jak to się skończy. Wiem, że M. już ze mną nie będzie, po co komu chora kobieta?

To się zdarza tylko w literaturze, że on nagle rozumie, że ona jest jego całym światem. Na łożu śmierci. A ja nie chcę jeszcze umierać. Jeszcze nie.

On odchodzi. Żebym umiała to przyjąć. Żebym umiała.

*

Wypisują nas. Mamy się zgłosić na Ursynowie na kobalt. Idę do pielęgniarek podziękować. Były bardzo miłe. W sali Ani jej matka kładzie palec na ustach.

— Właśnie usnęła.

— Proszę ją pożegnać ode mnie, już wychodzę.

— Dobrze — mówi i odwraca się do Ani.

Tu nie mówi się „do widzenia", żeby nie zapeszać.

Przyjeżdża M.

— I co ci powiedzieli?

— Że powinnam być pod opieką jakiś czas.

— No to poproś mamę, pewno z tobą za-
mieszka.

Znowu pada deszcz.

Powiało chłodem.

*

Dorotka nie chce usiąść mi na kolanach. Zachowuje się nieufnie, obchodzi mnie z daleka.
Idzie po raz pierwszy do szkoły, a ja jadę po raz
pierwszy na Ursynów. Czterdzieści dni naświetlań kobaltem. Nie wiem, jak sobie dam radę —
z mojego mieszkania na Woli to dwadzieścia dwa
kilometry. Mąż Magdy przelicza, ile to benzyny,
benzyna na kartki. Na taksówki mnie nie stać.

— Damy radę — mówią wszyscy — pouma-
wiamy się, codziennie kto inny, to tylko czterdzieści dni.

Jestem nieszczęśliwa. Jestem absolutnie i bez-
granicznie nieszczęśliwa. Nie chcę myśleć, że nie
chce mi się żyć. Jestem nieszczęśliwa, bo chciałabym żyć.

— Jacek, wyzdrowieję? — pytam swojego lekarza, swojego kolegę szkolnego, który zmusił mnie
przedziwnym trafem do leczenia, który spadł mi
z nieba, który wykazał wyjątkową czujność, który
uratował mi życie.

— Nie wiem — mówi Jacek. — Mam nadzieję — dodaje.

*

Na Ursynowie robią mi trzy tatuaże — sine kropki zostaną na zawsze — łatwiej im będzie ustawiać aparat.

Nie jestem zachwycona. Boję się, kiedy kładą mnie na jakimś przyrządzie, który wędruje w górę, a za pielęgniarką zamykają się potwornie grube, ołowiane drzwi. Z góry wszystko traci swoje kształty, traci swoją tożsamość, sufit jest za blisko, a podłoga za daleko. Metalowa tuba zaczyna się kręcić, wydaje odgłosy, których nie znam.

— Proszę się nie ruszać — mówi głos z głośnika.

— Niech pani do mnie mówi — proszę cicho i wstyd mi, serce zaczyna przyspieszać niebezpiecznie, chciałabym już wyjść, nie mogę leżeć w zamknięciu.

— Ja tu nawet do małych dzieci nie mówię, są dzielniejsze niż pani — mówi głośnik.

Maszyna przesuwa się nade mną, co będzie, jak spadnie? Czy wyłysieję od razu, czy za chwilę? Czy będę poparzona, tak jak ta pani, która jest tu już naświetlana trzy tygodnie i trzeba było przerwać zabiegi, bo na brzuchu otworzyły się rany? Czy będę słabła coraz bardziej, jak Ania, która pewno już nie żyje? Czy zauważę, że umieram? Co się stanie z Dorotką? Dlaczego ja?! Dlaczego właśnie ja, skoro tyle jest innych osób na świecie?

Zamykam oczy i przypominam sobie jakąś kartkę, pożółkłą, bladą, przepisaną na maszynie, którą dostałam od kogoś, jeszcze w Trypolisie, kiedyś, dawno temu, w innym życiu, na wszelki wypadek. Jakaś pani wyleczyła się ze ślepoty, powtarzając jak mantrę: potęgą mojej nadświadomości rozkazuję swojemu organizmowi, żeby nie dał się zniszczyć, żeby odzyskał wzrok... Powtarzam więc trochę zmieniony tekst: żeby nie dał się zniszczyć, żeby tylko komórki nowotworowe uległy unicestwieniu. Potęgą mojej nadświadomości rozkazuję sobie...

Kiedy dwadzieścia lat później widzę w księgarni książkę o potędze nadświadomości, uśmiecham się pod nosem. Już to gdzieś widziałam, a nie miałam prawa widzieć.

*

Po dwóch tygodniach naświetlań jestem w niezłej formie. Włosy nie wypadają, ku zdziwieniu lekarzy, skóra nie poparzona, nawet nie zaczerwieniona. Ale w dalszym ciągu mam pretensję do Losu. Nie rozumiem. Nie rozumiem.

Aż do dnia, kiedy mijam w obrotowych drzwiach młodą kobietę, pchającą wózek z dzieckiem. Ma w twarzy coś, czego przez lata nie udało mi się zapomnieć — cierpienie, które przebija przez jej skórę, i absolutną łagodność i miłość. Jej dziecko na wózku ma sześć albo siedem lat. Jest w wieku mojej Dorotki. Jej dziecko ma nowotwór gałki ocznej. Jej dziecko nie wyzdrowieje.

Ona przez moment patrzy na mnie, a ja patrzę prosto w jej oczy. I dopiero wtedy rozumiem, jakie mam szczęście.

Będę zawsze pamiętać to uczucie obezwładniającego szczęścia w Centrum Onkologii, w tłumie ludzi, po kolejnej dawce kobaltu. Szczęścia, którym zostałam obdarowana, a którego w ogóle nie rozumiałam. Szczęścia, że to ja kładę się na tym stole, że to ja byłam operowana, że to ja mam raka, że to mnie wytatuowano, że to ja — nie muszę pchać tu przed sobą inwalidzkiego wózka z moim dzieckiem.

Jednak jestem wybrańcem. Popłakałam się w samochodzie, wróciłam do domu i znowu byłam szczęśliwa.

*

W listopadzie były moje imieniny, jak zwykle, jak co roku. Dzwonili wszyscy — kiedy robię? Nic nie robię, jak mogę robić przyjęcie, skoro ledwo trzymam się na nogach? Mama przychodzi rano wyprawić Dorotkę do szkoły, przed swoją pracą, ja leżę prawie do południa, potem z trudem zwlekam się z łóżka, a każdy ruch to wysiłek. Obieram ziemniaki w pokoju, na fotelu, nie mogę stać. Mam włosy i nawet schudłam, ale jestem jakaś taka nijaka.

W sobotę przychodzi najpierw Aśka. Przynosi pasztet z dzika i sarninę, i kiełbasę z dzika, w sklepach nic nie ma, ale jej ojciec poluje.

— Po co mi tyle tego? — nie mogę się nadziwić.

— A jak ktoś wpadnie niezapowiedziany? — Aśka wyjmuje jeszcze dwa wina i kawę, i chleb.

Potem przychodzi Agnieszka z mężem. Z serem żółtym, koniakiem, puszką ananasów z Peweksu.

— Wiemy, że nie masz siły, ale ty tylko siedź, a my zrobimy kanapki.

Potem wpada Jacek i przynosi whisky. Potem wpada Gałecka z mężem i przynosi lody Cassate, najlepsze i najdroższe lody na świecie! A potem przychodzi jeszcze dwadzieścia osób. W życiu swoim nie miałam tak wystawnych imienin. Co prawda o dziesiątej położono mnie do łóżka, już nie miałam siły z nimi się bawić, ale zza drzwi słyszałam:

— Ściszcie muzykę, bo Kaśka musi już spać!

A za chwilę:

— Ona nie śpi, bo świeci... po kobalcie!

I śmiech. A za pięć minut ktoś się pojawiał, sia-
dał na kołdrze i opowiadał mi, co się wyprawia
w drugim pokoju. Kto z kim tańczy i że Alina się
obraziła. I że ten facet, czy to fajny facet? Bo chcia-
łaby się z nim umówić. A czy ta dziewczyna to
sympatyczna, bo ja, Kaśka, wiesz, jestem po przejściach, a z tobą można porozmawiać.

Bawili się chyba do piątej nad ranem. Jedna
para się pokłóciła i jeden romans się wykluł.

*

Któregoś wieczoru, byłam już silniejsza, chwyciłam Dorotkę i przytuliłam ją do siebie. Odsko-
czyła jak oparzona i rozpłakała się. Nie rozumiałam, o co chodzi, nie dawała się przytulić, tylko
odpychała mnie i mówiła:

— Nie, nie!

Wiedziała, że byłam chora, ale takiej reakcji się
nie spodziewałam. Siadłam przy jej łóżku i zapytałam, czy mnie już nie kocha? Czy się boi, że coś
mi się stanie?

Wtedy powiedziała, że nie mogę jej brać na kolana, bo ona wie, że ja mam w brzuchu raka. I ten
rak może wyjść przez mój brzuch i ją uszczypnąć.
Bo babcia jej koleżanki z podwórka miała raka
płuc i ta koleżanka widziała przez usta taaaakie
szczypce.

Wcale mi nie było do śmiechu. Nie jest łatwo wytłumaczyć dziecku, co to są komórki, których nie widać. Przysięgłam jej, że już nie mam raka. Na swoją głowę. I po raz pierwszy od miesięcy moja córeczka przytuliła się do mnie ufnie.

*

Dorotka chciała mieć wszystkie zwierzęta, o których słyszała, najlepiej naraz. Przyniosła w słoju od kolegi jakieś potworne robale pływające i kijanki, długo stały na lodówce, w celu niewiadomym. Przyniosła papużkę w klatce, której już nie chciała trzymać jej koleżanka. Pewnego dnia papużka wybrała wolność i płaczom nie było końca. W miejsce papużki natychmiast pojawił się mały czarny kotek, który oczywiście szukał domu. Dorotka ukrywała go w swoim pokoju przez dwa dni, był schowany w tapczanie, kiedyś w nocy weszłam i poprawiłam kołdrę, i zobaczyłam czarny ogonek zwisający spod poduszki, na której spoczywała jej główka. Dlaczego kotek się nie udusił, pozostało dla mnie tajemnicą.

Przekonałam moją babcię, że marzy o kocie, i znowu byłyśmy bez zwierzaczka jakiś tydzień. Potem zostałam zmuszona do kupna chomika. Który miał siedzieć w klatce, ale wcale w tej klatce nie siedział, tylko myszkował po domu i ciął pościel oraz koce. Ale największym marzeniem Dorotki był pies. Obiecałam jej, że na imieniny, kiedy tylko będę silniejsza, kupię jej tego psa.

Kiedy pojechała z ojcem na ferie zimowe, przyjechała do mnie Aśka. (Aśka, ta od sylwestra w Grand Hotelu, dziś świetna romanistka i wtedy zresztą również. A ponadto absolutna i bezwzględna psiara).

— Jedziemy po psa — oświadczyła i włożyła mnie do swojego małego fiacika, którego właśnie dostała na jakieś talony. I pojechałyśmy na stadion Skry, gdzie w niedzielę była giełda psów. Psy były przeróżne, rasowe, drogie, tanie, duże i małe, ale, niestety, jeden tylko spojrzał na mnie tak, że dałam za niego pół swojej pensji, chociaż Aśka stukała mnie cały czas w ramię i syczała, że to za drogo i pies jest kundlem.

Piesek był czarny, mały i właścicielka przysięgała, że jest pudelkiem.

Został zakupiony, od razu w samochodzie się zsikał, a potem radośnie przebiegł się po mieszkaniu i zaczął piszczeć. Aśka wpadła w popłoch, że nie mam nic dla pieska, i pojechała do domu odjąć od ust swojemu synowi kaszkę, mleko i coś tam jeszcze. Wróciła za godzinę i była bardzo przejęta. Piesek był kundlem, bardzo wdzięcznym. Piszczał, jakby go zarzynano, wyłącznie wtedy, kiedy zdejmowało się go z kolan. Musiałam przejść się po całym bloku i tłumaczyć sąsiadom, że słowo honoru, że pies nie jest bity, dręczony, skubany żywcem z futra, wieszany, dźgany, szarpany. Nie wierzyli.

Kiedy Dorotka stanęła w drzwiach, czarne stworzenie, nie wiedzieć czemu, akurat wtedy postanowiło zachowywać się przyzwoicie. Usiadło, nastroszyło uszy, wiszące zresztą, i patrzyło czarnymi oczkami spod kudłów.

Uściskałam Dorotkę, która oczywiście miała do mnie tylko jedno pytanie, a mianowicie, gdzie jest obiecany pies.

— Tutaj! — wskazałam na kundla.

— Przecież miał być żywy — rozpłakała się Dorotka, a ten mały łobuz siedział jak wmurowany i udawał pluszową zabawkę.

Przybył nam więc nowy domownik i mogłam skończyć ze słojem robali stojących na lodówce. Uroczyście zostały wywiezione do Kikołów i wpuszczone do rzeki (te, co przeżyły).

Czuję się coraz lepiej, wracam do pracy w styczniu, co prawda tylko na trzy czwarte etatu, ale jakoś przeżyjemy, przy pomocy moich rodziców.

Osiemnastego maja (pamiętam datę, to zabawne) stoję z Dorotką i Supłem (tak został nazwany kundelek) na przystanku na rogu Górczewskiej i Reduty Ordona. Czekamy na autobus. Z niezwykłą uwagą przygląda mi się jakiś pan. Jestem speszona, bo przecież już jestem stara (mam trzydzieści jeden lat), a on nie może oderwać ode mnie wzroku. Nawet moja córeczka, która (wtedy) chce mnie koniecznie wydać za mąż, za kogokolwiek, trąca mój łokieć. Ten facet wyraźnie waha się, czy podejść, w związku z tym odchodzimy na bok, on za nami.

Zastępuje nam drogę i pyta, czy to ja.

Potakuję.

— Jezu, to pani żyje??? — pyta z tak bezmiernym zdumieniem, że aż muszę się roześmiać.

Okazuje się, że to lekarz, który mnie przyjmował prawie rok temu do szpitala.

Dobra wróżba.

*

We wrześniu zbieram się na odwagę. Przecież moje życie miało się zmienić! Miałam się przestać bać latania, miałam zobaczyć świat, nie ograniczać się do jakiegoś głupiego remontu w łazience. Piszę do swojej dalekiej cioci, która mieszka w Londynie. Przeszła z armią Andersa przez Irak i Libię, nie wróciła do Polski, została w Anglii. Czasem przyjeżdża, ale właściwie wyłącznie do babci, widziałam ją parę razy w życiu. Piszę i pytam, czyby mnie nie zaprosiła. Bo miałam raka i chętnie bym zobaczyła chociaż Londyn, a gdyby jeszcze udało mi się przez miesiąc popracować... Ciocia Hanka, pierwowzór cioci Hanki z *Ja wam pokażę!*, w odpowiedzi przysyła zaproszenie. Mama zostaje z Dorotką, ja lecę.

Ciocia Hanka mieszka przy Notting Hill (później zobaczę jej ogród w filmie *Notting Hill*, będzie tam leżał Hugh Grant z Julią Roberts) w Domu Kombatanta. Ma śliczne dwupokojowe mieszkanko na czwartym piętrze, na korytarzach wykładzina i mnóstwo kwiatów doniczkowych, nie wyobrażałam sobie, że klatki schodowe mogą wyglądać jak mieszkanie. W każdym lokalu jest dzwonek — gdyby ktoś się źle poczuł, naciska; na dole w dyżurce jest stała pielęgniarka albo opiekun. Jestem zachwycona. I już ciocia Hanka przywołuje mnie do porządku.

— Wy się lepiej zachwycajcie tym, co polskie, co nasze, a nie jak papugi: gdzie indziej zawsze ładniej i bardziej kolorowo. Tego właśnie w Polakach nie lubię najbardziej — informuje mnie apodyktycznym tonem.

Kiedy wsiadamy razem do windy, biegnie ku nam siwa, ładna kobieta.

— *Hello!* — krzyczy do mojej ciotki.

— *Hello* — odpowiada ciotka i coś szwargocą w obcym języku. Stoję obok i uśmiecham się.

— Właśnie tego nie lubię najbardziej — mówi moja ciotka. — Przyjeżdżacie tutaj i jesteście kompletne niemoty. Dlaczego się nie przywitałaś?

Następnego dnia wynoszę śmieci, w windzie ta sama pani.

— *Hello* — mówię grzecznie.

— *Hello* — odpowiada pani i zasypuje mnie potokiem słów, na które grzecznie kiwam głową. Dumna wracam do ciotki.

— Spotkałam Betty i powiedziałam *hello* tym razem.

— Ty jesteś nienormalna (a jednak *déjà vu*). *Hello* to mówią do siebie przyjaciele! Nie umiałaś powiedzieć *good morning*?

Spotykam Betty trzeciego dnia i grzecznie się jej kłaniam:

— *Good morning* — mówię, na co odpowiada mi wesoło — *hello*.

— Tym razem się nie pomyliłam — zwierzam się ciotce — żadnego *hello*, po prostu dzień dobry.

— Dzień dobry? Boże mój jedyny! O tej porze dnia! Nie wiesz, że teraz mówi się *good afternoon*?

I tak właściwie było przez cały czas mojego pobytu u cioci.

— Dlaczego ty nie zwiedzasz Londynu? Masz tu na bilet i jedź, coś zobacz, ja z tobą nie pojadę.

— Dlaczego ty biegasz po muzeach, zamiast szukać pracy? Przecież myślałaś coś robić?

— Jesteś wystarczająco silna, choroba minęła, nie możesz całe życie myśleć o tym, że byłaś chora! Rusz się! Praca sama nie przyjdzie!

Kiedy wybrałam się do okolicznych barów i swoim ułomnym angielskim tłumaczyłam, że *I am looking for a job*, już w drugim *chief* na mój widok ucieszył się.

— *OK, you start tomorrow.*

Ucieszona wróciłam do domu. Ciocia Hanka złapała się za głowę.

— Muszę iść sprawdzić, co to za praca, oni cię wykorzystają, ty nie możesz po tej chorobie ciężko pracować, nie możesz nosić garów — powiedziała i poszła się przekonać, jaką tam krzywdę chcą mi zrobić za trzy funty za godzinę, po czym kategorycznie oświadczyła: Po moim trupie. Jak masz pracować, praca się znajdzie, odpowiednia, powinnaś bardziej zaufać Bogu.

Wobec tego, pomna jej nauk, przestałam szukać pracy i dalej zwiedzałam Londyn.

— Jest taki brudny — mówiłam, żeby w końcu zadowolić moją ciotkę. — Polska jest czyściutka, a tu...

— Tego właśnie w was, Polakach, nie lubię — przyjechać w gości i natychmiast znaleźć coś brzydkiego, nie potraficie się cieszyć pięknem.

Po tygodniu byłam całkowicie zdezorientowana. Co mówić, co robić, jak się zachowywać? Kiedy ciocia Hanka powiedziała, że nie przyjechałam tu, żeby oglądać angielską telewizję, odważyłam się po raz pierwszy powiedzieć, że chcę, jeśli jej to nie przeszkadza. Tym bardziej że praca mnie i tak sama znajdzie, a Londyn jest śliczny, chociaż brudny, i takie właśnie mam zdanie.

Uśmiechnęła się. I wtedy dopiero pojęłam, dlaczego mnie tak rozstawiała od ściany do ściany. Nie jestem po to, żeby spełniać cudze oczekiwania. — Po prostu jesteś — powiedziała ciocia Hanka i pogłaskała mnie po głowie.

Wieczorem zadzwoniła jej znajoma, Bożena. Że szuka na parę tygodni kogoś, kto by się zajął trochę domem, teściową, starszą panią, dopóki nie przyjedzie gosposia. Umówiłam się z tą Bożeną na stacji w Richmond o drugiej, dla pewności miałam jeszcze zadzwonić. Szczęście się do mnie uśmiechnęło, ciocia dała mi dwa funty na całodzienny bilet do metra i pojechałam w nieznane. Po drodze wszyscy wysiedli i gdzieś sobie poszli, pociągi stanęły, zostałam sama na dworcu. Po paru minutach podbiegł do mnie mężczyzna w mundurze.

— *Bomb alarm* — powiedział zdenerwowany. — *What are you doing?*

Ale ja nic nie robiłam, ponieważ nie zrozumiałam, co oni mówią przez megafony. I dopóki ten pan mnie nie oświecił, byłam bardzo zadowolona z życia. Wtedy sobie pomyślałam po raz kolejny, że czasem jest lepiej nie rozumieć. W Richmond byłam już za piętnaście druga. Zadzwoniłam do nie znanej mi Bożeny, odezwała się sekretarka:

— *Leave your message.*

Powiedziałam w słuchawkę, że czekam, że mam zieloną kurtkę i stoję przed stacją.

Po drugiej zadzwoniłam tam znowu. Również sekretarka. Zrobiło mi się przykro. Stałam na wietrze i mówiłam: Bożenko, wsiądź w samochód i przyjedź po mnie. Marznę i nie chcę wracać z pustymi rękami do domu.

Wtedy coś zatrąbiło, z małego granatowego autka wychyliła się prześliczna biała głowa:

— Kasia? Wsiadaj!

Ulga, jakiej doznałam, była porównywalna tylko z końcem lekcji chemii. Oczekiwałam przez chwilę tłumaczenia, dlaczego tak długo to trwało, ale postanowiłam milczeć.

— Zmarzłaś? — spytała Bożena.

Nie, grzałam się przed dworcem, czekając, aż przyjedzie.

— Trzeba było zadzwonić, że jesteś.

Nie wytrzymałam:

— Dzwoniłam, przecież nagrałam ci się na sekretarkę.

— Ale ja nie mam sekretarki — powiedziała, i dopiero tu wcisnęło mnie w fotel.

— To dlaczego po mnie przyjechałaś o tej porze?

— A, poczułam, że już jesteś — powiedziała Bożena, jakby codziennie ktoś ją telepatycznie doprowadzał na stację w Richmond.

Pobyt u niej był dla mnie niezwykły. Nie dość, że miałam śliczny pokój, niezbyt ciężką pracę i zarabiałam, to jeszcze załatwiła mi pracę u jubilera, gdzie parę godzin dziennie pełniłam rolę *bodyguarda*. Za trzy funty za godzinę obserwowałam jego klientów i w razie gdyby ktoś się na niego rzucił, miałam nacisnąć alarm na policję. Z właścicielem Subashem polubiliśmy się od razu. Kiedy nie było klientów, proponowałam zabawę polegającą na tym, że on w swoich trzech językach hinduskich mówił jakieś wiersze, ja zaś miałam w swoim nieudolnym angielskim zgadnąć o czym, a potem ja recytowałam polskie. Już trzeciego dnia zorientował się, że płaci mi za poezję, ale oboje byliśmy z tego zadowoleni.

Bożena natomiast nauczyła mnie, że mój świat jest tam, gdzie jestem, że mogę robić to, co zechcę, że nie ma rzeczy niemożliwych, póki żyjemy.

Wracałam z Londynu z pieniędzmi na następny rok życia i z poczuciem, że wszystko mogę zacząć od nowa.

*

Zaczęłam pracować w Fundacji Rozwoju Demokracji Lokalnych, u profesora Regulskiego. Dobrze zarabiałam, ale budowanie demokracji nie było spełnieniem moich marzeń. Musiałam być w pracy od dziewiątej do siedemnastej, ale pracy na tyle godzin nie starczało. Mój przemiły szef Arek M. zlecał mi organizowanie szkoleń, co załatwiałam dość szybko, albowiem szkoda mi było czasu na marudzenie tygodniami ze znalezieniem domów, uzgadnianiem warunków, sprawdzaniem przylotów. Kiedy jawnie zaczęłam czytać książki, nie chowając ich do szuflady, gdy szef wchodził do pokoju, uznałam, że czas coś zmienić.

— Nie możesz przynajmniej markować pracy? — pytał.

— Nie, bo praca jest wykonana, a nie mogę jeszcze iść do domu. Chętnie zrobię co innego — proponowałam, ale od innych zajęć byli inni ludzie. Nic nie mogłam poradzić, że wystarczyły dwa telefony i potwierdzenie różnych ustaleń, żebym miała z głowy to, co mojej poprzedniczce zabierało kilkadziesiąt godzin.

— A to sobie czytaj — mówił Arek M.

Nie można jednak w nieskończoność brać pensji za czytanie.

*

Na początku stycznia, w jakiś poniedziałek, jechałam zatłoczonym autobusem 167 do domu. W autobusie było wstrętnie i wstrętnie było na świecie. Siedziałam przy oknie, obok mnie ciężko siadła jakaś starsza pani, udawałam, że nie czuję śmierdzących wilgocią i zbutwieniem nasiąkniętych topniejącym śniegiem płaszczy, wyciągnęłam książkę Jampolsky'ego *Leczenie uzależnionego umysłu* i przeniosłam się w inny świat.

I byłam pod wrażeniem — Jampolsky pisał, że człowiek ma do wyboru albo lęk, albo miłość; że w każdym momencie naszego życia — przy wszystkim: gdy kupujemy ziemniaki, wychowujemy dziecko, w relacji z narzeczonym, mężem, siostrą, sąsiadką — wybieramy między miłością a lękiem. Jeżeli startujemy z pozycji miłości, to mamy szansę wyjść obronną ręką, natomiast jeżeli traktujemy życie z lękiem — wtedy jesteśmy straceni. I z fascynacją czytałam, jak ten Jampolsky opowiada o lęku i miłości swojemu przyjacielowi, który słuchał go uważnie, choć bez przekonania.

A trzy dni później, w nocy, usłyszał jakiś hałas, zszedł z sypialni do salonu i zobaczył młodego człowieka z nożem, który zaczął histerycznie krzyczeć: — Nie dzwonić! Proszę odsunąć się od telefonu! — Wyglądał na zdesperowanego i żądał pieniędzy. Przyjaciel Jampolsky'ego pomyślał, że właśnie nadarza się okazja, by wypróbować, jak tezy przyjaciela sprawdzą się w życiu. Wziął głęboki oddech i powiedział: — Nic nie zrobię, nigdzie nie zadzwonię, nie zawiadomię policji, widać jesteś w większej potrzebie niż ja, jeżeli coś ci się przyda z mojego domu — weź. — Od słowa do słowa — skończyli przy kolacji i okazało się, że młody człowiek, student, wyrzucony z domu, od trzech dni śpi na ulicy, nie ma pieniędzy, więc postanowił kogoś okraść. Przyjaciel Jampolsky'ego wręczył mu jakąś sumę, po którą zresztą poszli do bankomatu, bo nie miał tyle w domu. Młody człowiek obiecał mu, że kiedyś odda, a on powiedział, że nie oczekuje tego, bo zrozumiał, że najważniejsze to potraktować drugiego z miłością, a nie z lękiem. I w momencie kiedy skończyłam czytać ten rozdział, do autobusu weszło trzech facetów śmierdzących alkoholem; stanęli koło mnie i mojej sąsiadki. Autobus był zatłoczony, jeden nich powiedział:

— A te kurwy to cały dzień siedzą i nawet miejsca nie ustąpią.

Pani koło mnie natychmiast się podniosła i pobiegła na przód autobusu, natomiast ja zamknęłam książkę i pomyślałam — masz do wyboru: albo z lękiem, albo z miłością.

Na zwolnionym miejscu uwalił się jeden z nich, potrącił mnie swoimi torbami, ja spojrzałam z drżeniem serca, ale wybrałam miłość, jak mi się wydawało, i powiedziałam:

— Ja mogę również wstać, siedziałam osiem godzin w pracy.

Dwóch stojących panów zamarło, a ten z torbami poprawił je, żeby mnie nie dźgały, i powiedział, zasłaniając usta dłonią:

— Nie, nie, pani siedzi, kolega nie chciał nic złego powiedzieć, kolega tak tylko, jako przerywnik powiedział brzydkie słowo, pani się nie gniewa, my przepraszamy, ale co by pani zrobiła, jakby pani miała taki dzień? — zawiesił głos, a ja pod obstrzałem niemiłych spojrzeń całego autobusu — bo wiadomo już, kto ja jestem, skoro zadaję się z pijakami — usiadłam z powrotem, choć ręce trzęsły mi się ze zdenerwowania.

Udałam, że nie widzę tych wrogich oczu, tego, że koło nas zrobiło się luźno, i wydusiłam z siebie:

— A co się stało? — pomna na to, że cały czas wybieram między lękiem a miłością.

A ten otwiera jedną z toreb, wyjmuje takie buty, jakie kiedyś nosiły salowe — dwadzieścia lat wcześniej — z wyciętymi palcami i z wyciętą piętą, białe, z materiału, i mówi:

— Pani patrzy, co nam dali na zakładzie, czternaście stopni w hali, a oni nam dali takie buty. Pani by coś takiego założyła?

Zbieram się znowu na odwagę:

— No nie, jak jest czternaście stopni to nie, to jednak są buty na upał.

— Nawet matce by pani nie dała, prawda?

— Matce tym bardziej — potakuję, a ręce mi dalej latają.

— Ale biorę, to się może przydadzą komu, prawda? No bo przecież ja nie będę w takich chodził.

Po czym wyjmuje z drugiej torby olbrzymi rulon papieru, gazet zadrukowanych z jednej strony.

— Pani patrzy, ile to ryz papieru jest?

— Chyba dużo — przełykam ślinę i nie chcę rozmawiać, ale muszę, bo decyzja już zapadła.

— Pani, przecież to jest papier, za który ktoś zapłacił. Ja to biorę do domu, żeby mi żona zawijała śniadanie w ten papier. To jak nie jest od strony drukarskiej farby, to się kanapki nie pobrudzą. Ale przecież nie będzie zmarnotrawiony.

— Mnie by taki pomysł nie wpadł do głowy — mówię, bo co mam powiedzieć, a nie wpadłby na pewno.

Popatrzył na mnie już tak inaczej, znowu zasłonił usta ręką — bo chyba jednak widać było na mojej twarzy, że ten chuch nieprzetrawionego alkoholu jest nie do przyjęcia, mimo że bardzo nie chciałam być nieuprzejma.

Może bardziej ze strachu niż z miłości.

— Pani ma rację, że my cuchniemy alkoholem, ale my nie pijemy, proszę pani, szef nam dał, kierownik zmiany — pół litra na trzech, zamiast premii, bo zimno było, pół litra na trzech, no tośmy wypili, bo przynajmniej tyle naszego. A mieliśmy premię dostać. My na Kasprzaku robimy. I tak to jest, że się naród rozpija, zamiast płacić, ale zimno nam było. Na zakładzie rano na hali, jakżeśmy weszli, osiem stopni, dopiero potem było czternaście, jak wychodziliśmy. To pani nie ma za złe, że ja tak śmierdzę. Ja tak będę mówił, żeby pani nie leciało.

— To miłe z pana strony, rzeczywiście trochę mnie zdziwiło, że tak wcześnie, a już po kieliszku — mówię ja i widzę, jak jego kolegom opada ze zdziwienia szczęka. Autobus dalej wrogi.

— Pani, przecież ja bym nigdy w życiu nie tknął tego w robocie, gdyby nie te osiem stopni. Przecież ja bym wolał żonie przynieść te pięćdziesiąt złotych, które byśmy dostali. No, ale żona nie dostanie. A pani oglądała wczoraj telewizję?

Nie chcę rozmawiać o telewizji, w ogóle nie chcę rozmawiać, ale kiwam głową, co może znaczyć równie dobrze „tak", jak i „nie".

— Pani, a pani nie oglądała Orkiestry Świątecznej Pomocy? Pani nie wie, co to jest?

— No, trochę oglądałam — potwierdzam.

Mężczyzna nachyla się do mnie.

— Wie pani, na forum tobym tego nie powiedział, na forum — podkreślił, że zna takie trudne słowo — na forum to nie. Ale pani powiem: myśmy z żoną siedzieli i płakali, proszę pani, ja mam czterdzieści sześć lat — powiedział mi ten stary człowiek. — Ja tyle czasu już żyję na świecie, a nie widziałem, jaka to bieda z nędzą. Człowiek to myśli, że biedny, bo takie buty dostanie czy w hali ma osiem stopni, a tam dzieci w inkubatorach leżą. My z żoną to dzieci nie mamy, chociaż bardzo chcieliśmy mieć. To żona mówi od razu: Jasiek, rano idź na pocztę i — pani, pani tylko pokażę, kolegom nie. — Odłożył torby na ziemię i wyciągnął taki stary portfel, zamykany tak jak portfel naszego Dziadzia, takie dwie zapinki z jednej strony i z drugiej strony, kopertka skórzana, wytarta, i wyjął kwit, na którym było pięćset złotych wpłacone na Orkiestrę Świątecznej Pomocy.

Po raz kolejny pomyślałam, że życie samo pokazuje mi drogę. Przejaśniło mi się w tym moim łebku kolejny raz — nic nie jest takie, jakie myślę, że jest. Pod wszystkim kryje się coś ważniejszego. Jampolsky ma rację.

Gdyby nie ta książka, zerwałabym się razem ze starszą panią i uciekła jak najdalej od groźnych pijaków w autobusie. Nie zobaczyłabym w nich ludzi, nic bym nie wiedziała.

Nie usłyszałabym, że nie dostali premii, że zamiast premii dostali pół litra, że ciężko pracują w Zakładach Kasprzaka, a żeby się nie marnotrawił niczyj papier, państwowy papier, który należy wyrzucić, spalić lub cokolwiek, biorą ten papier do zawijania kanapek.

W tym momencie już mój przystanek pojawił się na horyzoncie, więc podniosłam się i powiedziałam:

— Przepraszam, muszę pana przeprosić, bo wysiadam.

Mężczyzna podniósł się.

— Czy ja mogę mieć do pani prośbę?

Wtedy zrobiło mi się słabo. Pomyślałam sobie: Matko Święta, mam przyjaciela do końca życia — zapijaczonego — i już mi wróciła ta wizja — bo to szybciutko wraca, jak się człowiek nie pilnuje, że oto złachany menel będzie wiedział, gdzie mieszkam, pewno chce mnie odprowadzić do domu, potem przyjedzie w nocy z nożem, co ja zrobię...

Może mi na to już nie starczyć Jampolsky'ego.

— Proszę bardzo — powiedziałam.

— Pani zdejmie rękawiczkę, ja bym chciał panią w rękę pocałować.

Zdjęłam rękawiczkę, pocałował mnie w rękę; wysiadłam odprowadzana nieprzyjaznymi spojrzeniami porządnych pasażerów i przyjaznymi tych trzech czterdziestoparoletnich starców, których władza wolała upijać, niż im płacić.

To był kolejny przełomowy moment w moim życiu, tym bardziej że oto dostałam następną wskazówkę od losu.

*

Żeby ułatwić sobie życie, w warzywniaku na ulicy Krępowieckiego zostawiałam rano kartkę z listą zakupów, a po pracy (kiedy już były kolejki) odbierałam torby. Moja córeczka wracała do domu sama i miała grzecznie czekać na mój powrót. Pewnego dnia, prosto z autobusu, biegiem wpadłam do warzywniaka, a Pani patrzy na mnie okrągłymi oczami i mówi:

— Jezu mój słodki, dobrze, że pani jest!

Uciecha na mój widok nie była zjawiskiem, które mi przez całe życie towarzyszyło, a poza tym w tym jej: Jezu, nie było, prawdę powiedziawszy, żadnej uciechy, tylko przerażenie.

— Pani córkę przed chwilą pogotowie zabrało, nie wiadomo, czy żyje! — dokończyła Pani z Warzywniaka, a ja poczułam, że umieram.

Jedna siatka i druga siatka.

Trzeba wyjść, zapłacić, wyjść, iść.

Gdzieś.

Do domu.

Dojść.

Zadzwonić.

Do szpitala.

Jakiegoś.

Dowiedzieć się.

Czegoś.

Czego?

Gdzie?

Jeszcze krok.

Jeszcze jeden.

Jeszcze raz.

Iść.

Dojść do klatki.

Otworzyć drzwi.

Pokonać pięć schodków.

Zwołać windę.

Zaczekać.

Wejść do windy.

Nacisnąć guzik.

Przytrzymać kolanem drzwi, otwierają się, wtedy winda staje.

Czekać.

Dojechać.

Znaleźć klucze.

Wsadzić klucz do zamka.

Przekręcić.

Wtedy za drzwiami zajazgotał Supeł.

— Ty kundlu, mówię do ciebie — usłyszałam głos Dorotki.

Siadłam na schodach i zaczęłam płakać.

Dziewczynka potrącona przez samochód nie była moją córką. Ale była czyjąś córką, która też wracała sama do domu i do szkoły chodziła z kluczami na szyi.

Trzeba było wybierać między lękiem a miłością. Miłością była córka, a lękiem utrata stałej, dobrej posady.

*

Od kiedy pamiętam, jakiekolwiek rygory były dla mnie poważnym problemem. Zdążyć do pracy na dziewiątą — niemożliwe. Przecież praca nie zając, nie ucieknie! Nie rozumiałam, dlaczego obowiązywać muszą sztywne reguły. Płaciło się za pracę, a nie za siedzenie. Pracę można było przecież wykonywać w domu. Albo szybciej, albo wcześniej, albo później, albo lepiej. Cyfry mnie przerażają do dzisiaj. W najgorszych snach jestem kimś, kto musi liczyć, dzielić, pilnować, planować, nie może sobie pozwolić na odrobinę luzu.

Mój koszmar senny z sali sądowej opisałam już kiedyś, ale przywołam go tu ku przyjemności Marylki, mojej siostrzyczki z Wałbrzycha. Zadzwoniła przed chwilą i powiedziała, że nie przeczyta mojej książki, jeżeli nie będzie tego fragmentu, który jest żywcem wzięty z jej koszmarów sennych i który lubi niezwykle. Spełniam więc jej życzenie:

„Proszę Wysokiego Sądu...

Proszę Wysokiego Sądu, błagam, niech Wysoki Sąd mnie wysłucha... Ja wiem... ale...

Może ja zacznę od tego, że jestem księgową. Cały dzień, proszę Wysokiego Sądu, liczę, sprawdzam, mnożę, dzielę. Dwadzieścia procent dochodowego, obrotowy, ZUS, ale i pensja się zmienia, i zlecenia ludzie biorą. Przychody i rozchody, zyski i straty, PIT, VAT, VAT-7, ja wiem, że Wysoki Sąd wie, ale ja jestem, proszę Wysokiego Sądu, dobrą księgową od czternastu lat i sześciu miesięcy. I ja lubię swoją pracę. Chociaż czasem, czasem, proszę Wysokiego Sądu, jak nie mogę zasnąć, to nie liczę baranów, o nie, tylko biorę środek nasenny.

I ja, proszę Wysokiego Sądu, bardzo kochałam swojego męża. Ja już przechodzę do rzeczy. Tego dnia miałam wolne. Rzadko biorę wolne, ale, proszę Wysokiego Sądu, już nie mogłam, już czułam, że zwariuję, głowę miałam, o, taką!

Ależ to się wiąże! Po prostu czułam, że jeszcze jeden dzień, a zwariuję, i wzięłam sobie dzień urlopu, bo i mamę musiałam zawieźć do ortopedy, i załatwić jakieś swoje sprawy, i przede wszystkim odpocząć, odpocząć chociaż przez jeden dzień od cyferek i liczb. To ważne, żeby Wysoki Sąd zrozumiał, że naprawdę...

To była środa. Trzynastego września. Budzik zadzwonił o 6.45. Wstałam rano i raz-dwa-trzy kazałam dzieciom szybciutko się ubrać, zrobiłam po dwie kanapki, dałam 12 złotych na obiad w szkole i zadzwoniłam do przychodni, 621-384-22, żeby zamówić mamie tego ortopedę. Numer był bez przerwy zajęty. Postanowiłam się nie denerwować, tylko miło spędzić dzień. Ładny dzień, ciśnienie 980 hektopaskali, temperatura do 24 stopni Celsjusza, wiatry umiarkowane do 40 kilometrów na godzinę. Przełączyłam na Radio Classic, żeby było przyjemnie. *Piąta* Beethovena. Potem Czajkowski opus 72. Wyłączyłam tę stację, bo już czułam, że niedobrze się dzień zaczął. Puściłam sobie płytę Okudżawy. Zawsze mnie uspokajał.

I dzwoniłam dalej do tej przychodni. Okudżawa zaśpiewał — *pierwsza miłość z wiatrem gna, z niepokoju drży, druga miłość…* — i wtedy ręce mi zaczęły latać, ale właśnie się połączyłam z przychodnią i się okazało, że mam numerek 12, na 13.00. Kiedy Okudżawa zaśpiewał: *a ta trzecia jak tchórz w drzwiach przekręca klucz i walizkę ma spakowaną już* — wyłączyłam również płytę. I zapanowała błoga cisza.

Nie, proszę Wysokiego Sądu, ja muszę uczciwie wszystko opowiedzieć.

Więc wypiłam kawę i poczułam, że ten dzień, mimo że jeszcze powinnam z mamą pojechać na USG, nie będzie taki straszny. Wstukałam PIN 01256 do komórki i zobaczyłam, że mam 5 nieodebranych połączeń.

O dziesiątej zadzwonił mąż, żebym mu podała numer ubezpieczenia, bo się kończy, podyktowałam mu przez telefon — 042134/07. I już, proszę Wysokiego Sądu, jakby mnie lekko zaczęła ćmić głowa. Potem wyszłam na przystanek. Pojechała 7, 9, potem znowu 7, i 32, a 24 jak nie było, tak nie było. Czekałam prawie dwadzieścia minut. Na USG zdążyłyśmy w ostatniej chwili i musiałam zapłacić sto dwadzieścia złotych. Okazało się, że mama ma wielokomorową torbiel o wymiarach 240 milimetrów na 290 milimetrów na 10 milimetrów. Czyli dużą. Z tej przychodni, na 3 Maja, musiałyśmy przejechać na 11 Listopada, a to kawał drogi. Wezwałam taksówkę 6464 i wsiadłyśmy. Nie, proszę Wysokiego Sądu, to ważne.

Mama zorientowała się, że ma w portfelu 53 złote, a przecież jeszcze lekarz. Zażądała, żebyśmy zatrzymały się przy bankomacie, mimo że jej tłumaczyłam, że mam pieniądze, trudno, proszę Wysokiego Sądu, żeby mama płaciła za prywatnego lekarza, jak ja dobrze zarabiam.

Ale moja mama jest uparta. Przy bankomacie okazało się, że nie pamięta, czy numer PIN to 2673, czy 7326, czy 7623, próbowała trzy razy i bankomat zatrzymał kartę. Musiałyśmy wejść do banku, ale przy wejściu był automat z numerkami, dostałyśmy numer 6. Zwolniłam taksówkę i zostałam z mamą w banku, żeby zgłosić połknięcie karty. Do ortopedy spóźniłyśmy się ponad godzinę i okazało się, że mama potrzebuje przynajmniej 10 zabiegów na tę nogę. Odwiozłam ją do domu, po drodze weszłam jeszcze do apteki i kupiłam maść Fester 21, przeciwzapalną. Mama zdążyła mnie siedem razy zapytać — ile razy ci mówiłam, że z lekarzami tak jest, z bankiem tak jest, itd.

Podniosłam głos i powiedziałam, żeby nie zaczynała zdania od «ile razy».

Obraziła się na mnie, powiedziała, że rano miała ciśnienie 130/90, i jak dostanie wylewu, wtedy będę miała spokój.

Kiedy wróciłam do domu, autobusem 150, była prawie 15.00. Obiad niegotowy i dzień zmarnowany. Sięgnęłam po makaron — gotować 15 minut, i sos, taki kupny, gotowy — rozrobić w zimnej wodzie, wrzucić na 250 mililitrów wrzątku na około 5 minut, i zrobiłam pyszne danie.

Joasia, moja młodsza córka, wróciła ze szkoły i powiedziała, że dostała dwóję z biologii i czwórę z polskiego. Miałam dreszcze. Zmierzyłam nawet temperaturę, ale okazało się, że mam 36,6.

Niech Wysoki Sąd mi pozwoli skończyć!

Otworzyłam pocztę i ściągnęłam 16 nowych wiadomości. Pierwsza z nich informowała mnie, że dostałam kupon rabatowy na 10 procent zniżki, ważny do 6.12.2009 roku. Druga wiadomość to informacja o spotkaniu szesnastego, w Klubie Grab, w naszym budynku, Dantego 2, ale lokal tym razem 28. Przyjaciółka przysłała mi esemesa, że zmienia swój numer telefonu z 467-167-290 na 467-234-234. Bank oferował niezwykłą stopę procentową do 8 procent w dwunastym miesiącu. Canal Plus przez 12 miesięcy dawał promocję. I tak dalej, i tak dalej. Wyłączyłam komputer.

Siadłam przy oknie. Na parapecie usiadły dwa gołębie, a na dole widziałam trzy psy oblegające jedną sukę. Nie, proszę Wysokiego Sądu, to jest bardzo ważne!

Sięgnęłam po program telewizyjny. Tylko film, i to nie na tym kanale, gdzie podają totolotka, mógł mnie trochę odprężyć. Żadnych seriali z numerami serii obok. Spojrzałam w program. *Paragraf 22. Szklana pułapka 3*, *Zagubieni 2*, *Naga broń 2 i 1/2*, *Piątek 13*.

Proszę Wysokiego Sądu, ja się naprawdę starałam! Sprzątnęłam kuchnię i wymyłam okna w dużym pokoju, jedno balkonowe i dwa takie mniejsze po stronie południowej.

Syn wrócił z treningu dość późno. Wygrali 3:1. Mąż wrócił o 19.30, uradowany.

— Jest szansa, że zostanę drugim wiceprezesem! — krzyknął od progu. — Napijemy się wina! Zobacz, jaki rocznik!

Odwróciłam wzrok, proszę Wysokiego Sądu.

Zamknęłam się w łazience i postanowiłam sobie zrobić kąpiel. Trzy nakrętki płynu wlać do...

Ja, proszę Wysokiego Sądu, miałam wolny dzień. Dzień bez liczb. Ja, proszę Wysokiego Sądu, byłam naprawdę... Nie wiem, jak to powiedzieć...

Wymknęłam się z łazienki po cichuśku, żeby nikt mnie nie zaczepił. Wiedziałam, że jak już się znajdę w łóżku, to ten koszmarny wolny dzień się skończy. Kiedy wyszłam z łazienki, nie chciałam z nikim rozmawiać. Ja, ja już czułam, proszę Wysokiego Sądu, że mogę nie wytrzymać. Nastawiłam tylko budzik na 6.45 jak zwykle i... I prawie zasnęłam...

A wtedy mój mąż, ja go naprawdę kochałam, Wysoki Sądzie, naprawdę! Wsunął się pod kołdrę i przytulił mnie do siebie, jego brzuch na moich plecach... i poczułam, proszę mi wybaczyć, Wysoki Sądzie, że w jego ramionach mogę nareszcie zapomnieć o wszystkim, odwróciłam się ufnie do niego i wtedy on mnie zapytał:

— Masz ochotę na szybki numerek?

I co by Wysoki Sąd zrobił na moim miejscu?".

Skończyłabym na pewno jak bohaterka tego mojego opowiadania.

Musiałam szukać czegoś innego.

*

Znajoma Mojej Mamy powiedziała, że Prószyński szuka redaktorki do działu listów i że ona,
ewentualnie, mnie zaproteguje. I Prószyński, nie
zważając na mój brak studiów, spotkał się ze mną.
Był wtedy redaktorem naczelnym „Poradnika Do-
mowego", a ten osiągał zawrotne, paromilionowe
nakłady. Dał mi parę listów, na które miałam odpowiedzieć. Odpowiedziałam. Przeczytał.
— Zatrudniam panią — zdecydował.
I moje życie zmieniło się.

*

Odpisywałam na listy. Zupełnie jak Judyta
w *Nigdy w życiu!* I dokładnie na takie:
— co robić, jak się nie wie, co robić
— jak wyegzekwować od dziecka grzeczne zachowanie
— jak robić jogurt
— jak znaleźć pracę
— jak się robi haft angielski
— jak się pielęgnuje pelargonie
— jak usunąć pieprzyk
— jak powiększyć biust
— jak pomniejszyć biust
— jak zrobić operację plastyczną: nóg, oczu,
podbródka, ucha, uda oraz brzucha

— jak wytłumaczyć żonie, żeby nie robiła operacji plastycznej: nóg, oczu, podbródka, ucha, uda oraz brzucha

— jak wytłumaczyć żonie, żeby zrobiła operację plastyczną nóg, oczu... itd.

— jak odejść od męża

— jak nie odchodzić od męża

— jak wyhodować: kiełki, nutrie, lisy srebrne, lisy rude, króliki, kurczęta

— jak kupić na raty lodówkę

— jak wybudować ziemiankę

— jak walczyć ze stonką

— jak polubić teściową

— jak się zdrowo żywić, ale bez warzyw, bo są wstrętne

— czy można mieszkać pod linią wysokiego napięcia

— czy wierzyć wróżce

— kiedy będzie koniec świata

— czy koniec świata będzie w 2000 roku

— czy to prawda, że są żyły wodne, czy to wymysł

— co sądzę osobiście o książce, wydanej w Niemczech, o tytule nie do powtórzenia, która co prawda nie była tłumaczona na polski, ale jest o... itd.

— czy jak ktoś chodzi do psychologa, to znaczy, że już nic z niego nie będzie

— jak się afirmować na pieniądze

— co to jest afirmacja.

Czytelnicy prosili redakcję o:

— kontakt z Harrisem lub innym uzdrowicielem

— o parę tysięcy na samochód, lodówkę, wykończenie domu, mieszkanie dla córki, wyjazd na urlop

— o interwencję u prezydenta w sprawie niesprawiedliwego wyroku sądowego, który przyznał jednak rację sąsiadowi w Pudliszkach Górnych i zasądził grzywnę wysokości 200 zł na rzecz sąsiada

— o skontaktowanie się z córką/synem/mężem/żoną i wytłumaczenie synowi/mężowi/żonie/teściowej — że nie ma racji

— napisanie do sąsiadki, że nie podaje się noża do ryb, bo sąsiadka się kłóci i podaje

— napisanie artykułu, żeby ludzie nie wierzyli w sprawiedliwość, bo jej nie ma

— napisanie artykułu, żeby ludzie zrozumieli, że świat jest piękny, to nie będzie wojen

— śpiwór dla syna, który jedzie do Szwecji, bo może w redakcji jest jakiś zbędny

— spowodowanie, żeby koty nie sikały na wycieraczkę w bloku 3c m. 9 przy ulicy Solnej

— poproszenie gołębi, żeby nie składały jaj na balkonie.

Czytelnicy byli również ciekawi, czy to prawda, że:
— w przyszłym roku będzie lepiej
— w przyszłym roku będzie gorzej
— NATO nas zniszczy
— jesteśmy w Europie
— zostaną obniżone podatki
— zostaną podniesione podatki
— wszyscy w rządzie to złodzieje
— Wałęsa zostanie prezydentem.
Ciekawi byli, jak usunąć:
— prusaki
— karaluchy
— mrówki faraona
— mrówki zwyczajne
— turkucia podjadka
— kreta na działce
— osy
— sąsiada, który pije i brudzi pod drzwiami
— teściową, która mówi i mówi, jak wszystko zrobić lepiej
— szerszenie
— dżdżownice
— bezpańskie koty
— bezpańskie psy
— psa sąsiadów, który szczeka i szczeka
— koleżankę własną, bo zaczęła chodzić z chłopakiem, który się podobał czytelniczce

— kawki z komina

— stonkę.

Czyli dokładnie na takie same, na jakie odpowiadała Judyta.

*

Miałam rewelacyjną pracę i cudownego szefa, który chciał, żeby praca była wykonana, a nie markowana. Naczelna pozwoliła mi bywać w redakcji tylko dwa dni w tygodniu. Mogłam być matką domową, choć moja córka twierdzi, że nigdy taką nie byłam. Wtedy również przyprawiła mnie o słabość i wydatek, ponieważ zadzwoniła do redakcji i powiedziała:

— Zrobiłam ci kurczaka w piekarniku, kiedy będziesz?

Piekarnika ja sama nie włączałam, bo wybuchał gaz albo nie chciał się palić, albo nagle szorował płomieniem na połowę kuchni. Wsiadłam w taksówkę, nie licząc się z kosztami, i w ciągu dziesięciu minut byłam w domu, osłabła z przerażenia, że nie tylko nie ma kurczaka, ale córki, a nawet dzielnicy, w której mieszkam.

Ale dom był na swoim miejscu, piecyk też, Dorotka wniebowzięta, a kurczak rewelacyjny. Moja córka — mała, ośmioletnia — powrzucała do niego wszystko, co było w domu, kawałek cytryny i cykorię, i ogórka, ziemniaki i cebulę, i mnóstwo przypraw. Nigdy potem już nie jadłam tak dobrego kurczaka, mimo że dzisiaj gotuję naprawdę fantastycznie.

*

A potem wyprowadziłam się z Warszawy — sprzedałam mieszkanie i wyszłam za pewnego człowieka, z którym miałam żyć już do końca życia w szczęściu i miłości.
Na ślubie moja córeczka powiedziała głośno:
— Życzę ci jak najszybszego rozwodu.
Oczywiście nikt nie wierzy w intuicję dzieci i zwierząt, myślimy tylko, że one są zazdrosne.

*

Raz byłam bliska samobójstwa, mniej więcej trzy lata później. Zostałam sama w domu, z dala od ludzi, znajomych, przyjaciół, z dwoma psami, dwoma kotami i dwudziestoma złotymi na życie dla siebie i psów. On wyjechał na narty z przyjaciółką, Dorotka szczęśliwie była na feriach, na obozie zafundowanym przez dziadków.
Pomyślałam, że za błędy i złe wybory w życiu trzeba zapłacić, ale moja córka nie może ponosić konsekwencji tego, co ja robię. Jeśliby mnie nie było, jej ojciec zapewniłby jej godne życie i przestałaby żyć w takich warunkach, o jakich wcześniej czytałam tylko w przerażających książkach.

*

W studni zamarzła woda. Temperatura spadła do minus dwudziestu dwóch stopni, elektrownia wyłączyła jedną fazę, piec przestał grzać. W domu nie było nic do jedzenia, a musiałam wyżywić przynajmniej zwierzęta. W starym samochodzie wysiadł akumulator, zresztą i tak nie miałam pieniędzy, żeby zatankować. Moje pianino zostało sprzedane trzy miesiące wcześniej, żeby pokryć rachunki za elektryczność. Do redakcji już dawno jeździłam w butach wyłożonych gazetami, żeby było cieplej (literatura ratuje także od zimna). Nie widziałam wyjścia z sytuacji. Odcięta od przyjaciół, znajomych, rodziny — czułam się kompletnie bezradna.

Chodziłam po zimnym domu, tylko w dużym pokoju rozpaliłam w kominku, tuż przy ogniu było trochę cieplej, i zastanawiałam się, jak to wszystko przeprowadzić, co usunąć, żeby się nie dostało w niepowołane ręce, co zostawić, jaki list napisać i do kogo. Kiedy wyjmowałam skrzętnie ukryty za książkami pamiętnik, wypadła książka, do której nigdy nie zajrzałam, a którą dostałam kiedyś na imieniny. Jakiś idiotyczny poradnik w rodzaju: jak chcesz żyć szczęśliwie, czy też jak się pozbyć depresji. I otworzyła się na stronie, gdzie autor pisał: Przede wszystkim znajdź dziesięć powodów do radości.

322

Jak szurnęłam tym barachłem przez pokój, nagle poczułam się silniejsza.

Przecież wiem, że nic nie dzieje się bez przyczyny. Wystarczy tylko zrozumieć przyczynę, a nie od razu przechodzić do skutków. Jeśli przypadkiem, a wiem, że nie ma przypadków, nagle na mnie spadła ta książka...

Zapaliłam świece przy kominku, otuliłam się kocem i wzięłam do ręki kartkę i ołówek.

Najpierw trzeba znaleźć dziesięć powodów do radości.

Prawie płakałam z rozpaczy. Nic nie przychodziło mi do głowy.

A przecież muszę znaleźć te dziesięć powodów...

Więc:

Po pierwsze — co za szczęście, że są ferie i Dorotka jest gdzie indziej, a nie tu, w domu, w którym nie ma co jeść, nie ma wody, nie ma ogrzewania.

Po drugie — koty wróciły na noc, nie zamarzną.

Po trzecie — jestem sama, mogę spokojnie pomyśleć, co robić.

Po czwarte — mam rodziców i mam przyjaciół. To, że im nie mogę powiedzieć, co się dzieje w moim życiu, nie znaczy, że ich nie ma.

Po piąte — w szafce znalazłam pół kilo ryżu i kaszę. Jeśli ugotuję i wleję trochę oliwy, zwierzaki nie umrą z głodu.

Po szóste — jest luty, zima niedługo minie.

Po siódme — przecież wpadła mi w ręce ta książka i muszę pomyśleć, co robić, żeby żyć szczęśliwie, a nie o tym, co zrobić, żeby nie żyć.

Po ósme — mam świece, przy których mogę pisać, a mogłoby być ciemno.

Po dziewiąte — mam kominek, który mnie grzeje.

Po dziesiąte — mam kartkę i długopis, i mam telefon, z którego zawsze mogę zadzwonić.

I tak dalej.

Ważnych powodów do radości znalazłam dużo, dużo więcej.

I wstydzę się tego, że choć przez sekundę nie widziałam wyjścia. A przecież już Lec napisał, z czym się zawsze zgadzałam: Wolę napis wstęp wzbroniony, aniżeli wyjścia nie ma.

*

Parę miesięcy później uciekałyśmy z domu bez dokumentów, pieniędzy, bagażu. Dorotka trzymała klatkę ze szczurem, któremu też groziła śmierć, ja w jednej ręce jej łapkę, w drugiej smycz, na której końcu pałętał się Supeł. Nie mogłyśmy wsiąść do kolejki WKD, która podwiozłaby nas do najbliższych przyjaciół, nie miałyśmy na bilet. Szłyśmy przez las, ja zdrętwiała ze strachu, z głębokim przekonaniem, że nie można ciągle zaczynać od nowa, że ktoś się jednak na górze na mnie uparł, nie wiadomo po co i w jakim celu, że nie mam siły, nie dam rady, nie mamy własnego mieszkania, nie mamy gdzie wracać, że niczego swojemu dziecku nie zapewniłam, żadnego bezpieczeństwa, żadnej możliwości rozwoju, żadnej stabilizacji. Że już dosyć. Nie mogę. Nie potrafię. Wszystko stracone.

I wtedy Dorotka stanęła na środku drogi — piękny maj, rozbuchana zieleń, las z jednej i z drugiej strony, przed nami trzy kilometry do Zośki — przyciągnęła moją rękę i powiedziała:

— Nie martw się… Masz jeszcze mnie.

Do dzisiaj mam w uszach te słowa i ten szczególny ton jej głosu.

Dziękuję Ci, Dorotko.

*

Zośka była pierwowzorem Uli, przyjaciółki Judyty. Była moją przyjaciółką. Bez słowa przygotowała nam pokój, postawiła klatkę ze szczurem (nie znosiła szczurów) przy kominie, wpuściła Supła do ogrodu (mimo że wtedy miała sukę i psy rozrabiały) i powiedziała, że jej mąż odwiezie Dorotkę na egzaminy do szkoły średniej, które miała zdawać w poniedziałek.

Wieczorem zadzwonił Tamten i powiedział, że przeprasza, że nie chciał, że nie rozumie, nie pamięta i kocha nad życie. Słuchając tego, miękłam i miękłam. Kiedy odłożyłam słuchawkę na widełki, nie byłam już taka pewna, że nie chcę wracać. Przecież wszystko jakoś się ułoży. I wtedy po raz pierwszy (a znałam ją parę lat) zobaczyłam, że Zośka ściska pięści.

— Co ci jeszcze musi zrobić, żebyś coś zrozumiała? — zapytała i rozpłakała się.

*

Codziennie rano na szóstą chodziłam do kościoła. Chciałam, żeby wszystko się ułożyło. Chciałam zapomnieć, co się wydarzyło. Chciałam, żeby było inaczej. Chciałam, żeby on mnie kochał. Chciałam usłyszeć jakieś wskazówki. Chciałam być szczęśliwa. Chciałam żyć w dobrym i pogodnym związku. Chciałam zmiany. Chciałam wybaczyć. Chciałam nie pamiętać, zapomnieć, wyprzeć, zacząć od nowa.

Aż pewnego poranka usłyszałam w kościele Świętej Anny, jak ksiądz mocnym i zdecydowanym tonem mówi:

— Módlcie się o zdrowie, o życie, o siebie i bliskich. Módlcie się: „bądź wola Twoja", bo nie wiecie wszystkiego, nie znacie planów Bożych. I módlcie się za duszę świętej pamięci Katarzyny, która nie umarła, ale przechodzi do innego życia, amen.

*

Nie, nie jestem Judytą. Nazywam się Katarzyna Grochola, choć oczywiście w dowodzie jest zupełnie inaczej. Mama Mojej Mamy była dziesięć lat zakonnicą, wystąpiła z klasztoru przed złożeniem ślubów wieczystych i nigdy nie powiedziała dlaczego, ale do końca życia pozostała głęboko wierząca. Mój dziadek był organistą i wspaniałym człowiekiem.

Mój drugi dziadek, major Władysław Grochola, walczył w kampanii wrześniowej 1939 roku w 56. Pułku Piechoty Armii Poznań. Za udział w bitwie nad Bzurą został odznaczony orderem Virtuti Militari, o czym rodzina dowiedziała się trzy lata po jego śmierci z przemyconej z Zachodu książki *Sikorski i jego żołnierze*. Przebił się ze swym plutonem przez Kampinos do Warszawy, brał udział w obronie stolicy, a po kapitulacji, wzięty do niewoli, pięć lat spędził w oflagu. W 1945 roku przywieziono go do kraju na noszach, pociągiem sanitarnym i przez następnych dziesięć lat walczył ze śmiercią; co prawdopodobnie uchroniło go przed represjami władzy ludowej, której udało się jego wielu kolegów, choć wrócili z wojny w lepszym zdrowiu, wkrótce tego zdrowia pozbawić.

Babcia bardzo mnie kochała. Mówiła często:

— Ty, Kasiu, masz szczęście do ludzi, a do mężczyzn jakoś nie — co wzbudzało zrozumiały entuzjazm w mojej rodzinie.

*

Moi rodzice... Mój brat. Wiem, kim są.

A kim ja jestem? Wiem, jak się nazywam, wiem, czego nie chcę, wiem, co powinnam. Ale kim jestem? Co robię? Dlaczego prowokuję los? Czego o sobie nie wiem? Co mam zrobić, żeby moja córka była szczęśliwa?

Dopiero później dowiedziałam się, że aby dziecko było szczęśliwe, szczęśliwa musi być matka.

*

Dorotka powiedziała:

— Proszę, nie wracajmy do Warszawy, ja tu już mam przyjaciół.

Miałyśmy siedemdziesiąt tysięcy — mieszkanie w Warszawie kosztowało minimum sto.

Więc wymyśliłam, że na pewno wystarczy na postawienie domu. Nie zrobiłam kosztorysu, jak Judyta.

Wszechświat zaczął roztaczać nade mną niezmierzoną opiekę. Zośka znalazła kawałek ziemi w pobliżu swojego domu. To było jedyne miejsce na ziemi, w którym mogłam, przy wsparciu przyjaciół, coś zrobić. Kupiłam za dwadzieścia pięć tysięcy działkę. W ciągu pięciu dni miałam projekt budowy małego domku. W ciągu dwóch tygodni dostałam wszystkie urzędowe zgody, dzięki uprzejmości urzędniczki, pani K. Gdy rozpłakałam się u niej ze zmęczenia, rozstania, strachu, powiedziała:

— Niech się pani nie martwi. Ja pani pomogę, załatwię z koleżankami, już wrzesień, musi się pani spieszyć. Też miałam niełatwe życie…

Moi rodzice na wiadomość o domu pobledli tak samo jak rodzice Judyty. Mój Ojciec dał mi swoje wszystkie oszczędności (starczyły na belki na strop) — „chociaż wiem, że nie dasz sobie rady" — a Moja Mama dwieście dolarów, które trzymała na czarną godzinę. Zapytała mnie, jak może mi pomóc, a minę miała taką jak wtedy, kiedy dowiedziała się, że mam raka.

— Wyjedź na grzyby — powiedziałam zupełnie serio, bo bałam się, że nie wytrzymam telefonów i tłumaczenia, jak idzie budowa albo dlaczego nie idzie.

I Mama wyjechała.

Dziękuję Ci, Mamo, za wszystko.

*

Rodzina uznała, że jestem niespełna rozumu, bo nikt nie wybuduje domu za czterdzieści tysięcy, a właśnie tyle miałam i ani grosza więcej. Nikt w to nie wierzył, oprócz mnie.

Pod fundamenty przy wejściu wrzuciłam butelkę z listem, w którym napisałam, jaki to będzie dom i kto tu będzie mieszkał, i jak tu będziemy żyły. Pod rogi od strony południowej wrzuciłam swoje jedyne złote kolczyki, które kiedyś dostałam w prezencie, ale których nie nosiłam; pomyślałam sobie, że to na szczęście, żeby było ładnie w tym miejscu na ziemi. Od zachodu wrzuciłam kamień, wzięty z ogródka sąsiadów, dobrego, stałego małżeństwa — uważałam, że to dobra wróżba, taki kamień węgielny. Murarz, który miał ze mną stawiać domek, powiedział, że pod każdy róg muszę położyć pieniądze — żeby biedy nie było, więc z żalem, ale wsadziłam pod pierwsze pustaki czystą, żywą, choć niewielką gotówkę.

Dorotka na czas budowy zamieszkała w Warszawie i dojeżdżała do szkoły w Milanówku. Wstawała codziennie o piątej trzydzieści. Wsiadała w autobus, a potem w pociąg, a potem jeszcze szła pieszo dwa kilometry.

Mnie przygarnęła siostra Zosi, Anka, której kompletnie zdezorganizowałam życie, a która ściągała mnie o szóstej rano z łóżka, gotowała, a wieczorem pomagała mi odpisywać na listy. I było tak jak w *Nigdy w życiu!*, gdzie Anię ukryłam pod wykwintnym pseudonimem „Mańka".

Anka otworzyła butelkę koniaku. Żebyśmy napiły się po koniaczku przed spaniem. Potem poszłyśmy do jej sypialni. Z koniakiem, herbatą, sokiem pomarańczowym, orzeszkami solonymi z promocji „Złoty Pierścionek", popielniczką i papierosami. Weszłyśmy w ubraniu na łóżko. Anka wpuściła swoje wszystkie cztery koty do pokoju, wyjęła albumy ze zdjęciami i zaczęła szukać pierścionka w puszce po orzeszkach. Wysypała całą zawartość, pierścionka nie było, za to, ku naszej radości, się nakruszyło. Potem nalałyśmy koniaku i zapaliłyśmy papierosy. Głównie dlatego, że jej mąż też nie pozwalał palić w łóżku. Potem pokazała mi wszystkie zdjęcia swojego męża. Wcale nie był fotogeniczny.

O pierwszej w nocy wszedł jej syn i tylko jęknął. Było ciemno od dymu, koniaczek nam świetnie wchodził, muzyczka grała, koty leżały na poduszce, wszędzie było pełno orzeszków, a myśmy rozmawiały o seksie. Jej też się nie układało. To zabawne, że człowiek, czyli kobieta, im bardziej mu się nie układa w małżeństwie, tym bardziej cierpi, jak ono się kończy. Czy to nie zabawne? Niesłychanie to nas rozśmieszyło i kazałyśmy naszemu synowi iść spać.

Obudziłam się o wpół do ósmej. Anka spała koło mnie, odwrócona tyłem, z kotem na plecach. Ja miałam drugiego na piersiach. Trzeci i czwarty

się gdzieś ukryły. Wszędzie było pełno tych pie-
przonych okruszków. I śmierdziało petami. Butelka spała obok nas.

W pędzie obudziłam naszego syna, wypiłam
kefir, obudziłam Ankę, wypiłam sok pomarańczo-
wy, wzięłam prysznic, wypiłam szklankę mleka,
Anka zrobiła śniadanie dla nas wszystkich i wypiła sok, herbatę z cytryną, szklankę wody mine-
ralnej, rozpuszczalną aspirynę. Zjedliśmy śniadanie, wypiłam dwie herbaty z cytryną i dwukrotnie
wymyłam zęby.

A i tak murarz natychmiast, jak mnie zobaczył,
powiedział, że na kaca najlepsze piwo.

*

W redakcji „Poradnika", jak już mówiłam, po-
zwolono mi przychodzić do pracy, kiedy chcę i na
jak długo chcę. To była jedyna jesień, jaką pamiętam, kiedy od 23 września do 14 grudnia nie spadła w Milanówku, a w każdym razie na mój budo-
wany dom, ani jedna kropla deszczu.

Budowałam dom własnoręcznie, razem z jednym murarzem. Do wykopania fundamentów
zatrudniłam trzech znajomych, nie wzięli dużo.
Kiedy przyjechała kolejna betoniarka i od razu
wysiadła, jej właścicielka spojrzała na obrys murów (sześćdziesiąt metrów) i zapytała, gdzie będzie dom, skoro na środku stoi garaż. Z dumą

oświadczyłam, że to właśnie mój dom. Za trzecią betoniarkę nie wzięła pieniędzy.

Komin pomagała mi budować Zosia, w nocy. Było zimno, na rusztowaniu jeden murarz, którego zdybałam, jadąc na spotkanie z Dorotką (po szkole, w pizzerii), i uprosiłam, żeby wpadł na parę godzin, bo nie wiem, jak to się robi. Umiałam podawać trzydziestokilogramowe pustaki i rozrabiać klej gipsowy też, ale jak się stawia komin, nie miałam pojęcia.

To była jedyna noc, kiedy myślałam, że wykończę i siebie, i Zosię. Musiałyśmy wnieść na ten komin chyba z tysiąc cegieł. Ja na belkach stropowych, Zosia w dole: podaj cegłę, a ja podaj cegłę wyżej, do murarza. Od osiemnastej do pierwszej w nocy przy żarówce stuwatowej. W międzyczasie trzeba było rozrobić w taczce zaprawę, potem musiałam wspiąć się na belki, a Zośka musiała mi podać wiadro z zaprawą, żebym mogła je podać wyżej — murarzowi. W którymś momencie Zośka tak zbladła, że się przestraszyłam. Ale komin stanął.

Przez sześć tygodni jadłam na obiad kurczaka ze smażalni i chudłam w oczach, ale dom rósł z dnia na dzień. Przyjeżdżali znajomi i przywozili albo kafelki, albo kibelek, albo drzwi, albo płyty chodnikowe. Od sąsiada dostałam siatkę na ogrodzenie. Cały wszechświat się zmówił, żeby mi pomóc. Zostałam wezwana do szkoły i dyrektor powiedział mi, żebym nie martwiła się na razie czesnym, mogę zapłacić później.

Wszystko wiązało się z budową.

*

Podjechałam pod dom sąsiadów, którzy kiedyś byli jeszcze naszymi sąsiadami, są uroczy, on pożycza mi narzędzie do wyginania czegoś tam, co jest potrzebne przy więźbie i ma się przydać. Kiedy od nich wychodzę, widzę na drodze chorą sowę. Natychmiast pakuję ją do pudła i wiozę do siebie, czyli do Anki, która, jak Mańka, jest weterynarzem.

I dla mnie, tak jak dla Judyty, jest to znak.

Znak, że będę miała dom, swój własny, właśniusi, że przyjdzie w końcu elektryk, że na pewno wszystko się uda, że będzie zima lekka i nie popękają mi rury — bo mam już wodę! I ta sowa, którą Mańka wyleczy, będzie sobie mieszkać u mnie na strychu!

Znaki są w życiu bardzo ważne.

Chciałabym mieć taki charakter, żeby jeśli ktoś mi przyśle kiedyś gówno końskie w paczce, nie krzyknąć z odrazy, tylko się ucieszyć, że konik tu był.

No i biorę tę sowę w związku z tym z powrotem do domu, przyjdzie Mańka, to ją wyleczy. A z bezpiecznej odległości Zosia pyta, co ja w tej sprawie... No to ja w tej sprawie właśnie zostawiam ją z elektrykiem, bo przecież jak nie uratuję tej sowy, to z domu nici.

To Zosia, nie tylko Ula, ma dobry charakter, chociaż uważa, że ptaki nie są do chodzenia po ziemi, obiecuje, że dopilnuje elektryka.

Dzwonię do lecznicy. Ania mówi, żebym jej kupiła coś do jedzenia. Jej — to znaczy sowie. Jadę do smażalni kurczaków i kupuję kurczaka. Nie wiem, czy ptak powinien jeść inne ptaki, ale przecież taka sowa to jest chyba ptak drapieżny. Przeganiam koty i zamykam sowę w ubikacji. Będzie się czuła jak w lesie, bo Anka w kibelku ma olbrzymią jukę i meble rattanowe — może to nie las, ale w każdym razie przytulnie i z roślinką. Koty ustawiają się w rzędzie pod drzwiami. Koty lubią ptaki. Smażone i surowe.

Przychodzi Anka i robi łubki na skrzydło. Mówi, że trzeba by do zoo, tam mają taki oddział dla ptaków. Oddział zamknięty. To ciekawe, dlaczego nie mają oddziałów dla mężczyzn. Byłoby milej i bezpieczniej na świecie. Wpycham sowie do dzióbka kurczaka. Jest ospała. Przełyka, ale jakoś niechętnie. Wychodzę z tego kibelka i tłumaczę Ance, dlaczego musi ją uratować. Że to znak. Bo jak ją uratuję, to dom też.

Anka idzie do klopa, wyjmuje sowę z koszyczka, kładzie na stole obok gulaszu. Koty są przekonane, że szykuje im dziczyznę na kolację.

— Ty, idiotko — mówi do mnie niegrzecznie Anka. — Ty, kretynko. Ty jesteś nienormalna. Ty znaki widzisz, ty się lecz. To jest ptak, idiotko, i on ci domu nie postawi. Ptak nie znak!

A potem mówi, że sowa wyzdrowieje.

Sowa nie wyzdrowiała, Anka oszukiwała mnie dość długo, że zawiozła ją do zoo, żebym uwierzyła, że dom stanie, ale to wydało się dużo później. Na razie dostaję od niej duże swetry, które mogę zmarnować przy budowie, kurtkę dżinsową z podpinką i mam robić swoje.

Dziękuję Ci, Aniu, za wszystko.

*

Marian założył się, że na pewno się nie wprowadzę wcześniej niż za rok, ja dałam sobie pół roku. Wiem, że zrobił to celowo, żebym nie odpuściła, ale skrzynka szampana to było coś! A jego żona Mariolka zawsze czekała na mnie z gorącą herbatą.

Dziękuję Wam za wszystko, nie tylko za te drzwi, siatkę, ale i za wsparcie.

*

Miałam tylko dwa momenty zwątpienia, a nie powinnam.

Do budowy dachu przyjechało czterech górali, na trzy dni. Gościny udzieliła im moja sąsiadka zza miedzy, Iwona, żeby mi pomóc.

Dziękuję Ci, Iwonko, za wszystko.

Koło szóstej okazało się, że brakuje gwoździ, dwunastocalowych, i że nie ma nikogo (oni nie mieli samochodu), kto by po te gwoździe mógł pojechać. Sąsiadów z samochodami wymiotło.

Szef górali podszedł do mnie i powiedział:

— Nie ma gwoździ, to my zjeżdżamy jutro, bo i tak nie zdąży się tego dachu zrobić.

— Pójdę po gwoździe — powiedziałam, choć do najbliższego składu budowlanego były trzy kilometry.

— I tak już ciemno będzie.

— Zapalimy żarówki — powiedziałam, żarliwie wierząc, że skoro komin można było wybudować przy setce, to dach tym bardziej.

Roześmiał mi się w nos:

— Pudelku, pani myśli, że ja ludzi bez światła puszczę do góry? Jakby pani jaką lampę załatwiła, to tak…

Byłam załamana. A potem pomyślałam sobie, że wszystko, co mogę zrobić, to pójść na piechotę po te cholerne gwoździe, reszta już nie leży w moich rękach, bo nikogo, kto by miał lampę budowlaną, nie znałam. Ja, Panie Boże, powtarzałam, idąc przez łąki na skróty, zrobiłam, co mogłam. Nic więcej już nie mogę. Bądź wola Twoja.

Kiedy wyszłam ze składu z gwoździami i stanęłam na szosie, było już ciemno. Listopad, siódma wieczorem. Gwoździe w dodatku zaczęły mi się wyślizgiwać z plastykowych toreb i zjeżdżać po nogach. Zdjęłam kurtkę (po mężu Ani) i związałam rękawy, do tak naprędce zrobionego worka je wrzuciłam. Były cięższe, niż myślałam, i byłam wykończona. Wiało. Zimno.

I wtedy zatrzymał się przy mnie samochód — stara renóweczka, którą jeździła nasza znajoma, Dorotka W. Nie byłoby w tym nic dziwnego, gdyby nie to, że Dorotka W. miała trójkę malutkich dzieci i była w ciąży. Zawsze o siódmej dzieci jadły kolację i oglądały razem z nią dobranockę. A jednak to była ona i na dodatek w tej ciemności mnie poznała. Po czym? Nie mam pojęcia. Wychyliła się z samochodu i powiedziała:

— Boże, Kasia, co ty tu robisz? Wsiadaj, podrzucę cię do domu! To rzuć na tylne siedzenie!

„To" to były moje gwoździe w mojej niemojej kurtce. Otworzyłam drzwi z tyłu auta i mym oczom ukazała się lampa stadionowa, piętnaście tysięcy watów, wciśnięta na tylne siedzenia. O mało nie zemdlałam z wrażenia.

— Krzysiek mnie prosił, żebym odwiozła do Grodziska — powiedziała Dorotka.

Kiedy przyjechałam pod dom z gwoździami i lampą, górale przestali do mnie mówić: Pudelku, a zaczęli: proszę pani. Dach był gotowy przed pierwszym listopada.

Dziękuję Ci, Dorotko W., nie tylko za tę lampę, ale za kuchenkę, na której gotowałam następnych pięć lat, i za to, że wierzyłaś, że mi się uda.

*

Kiedy powiedziałam Agnieszce o tym cudzie, natychmiast pożyczyła mi swojego małego fiata do końca budowy. Agnieszka — z klasy, Agnieszka — dyrektorka szkoły. Agnieszka, która postanowiła przez te trzy miesiące jeździć do pracy autobusem, żebym ja mogła jeździć po jakieś gwoździe albo cement, albo klej.

Czy podziękowałam Ci kiedyś, Agnieszko? Dziękuję teraz.

*

Pieniądze musiały się skończyć. Skończyły się, kiedy domek stanął, bez podłóg, z elektrycznością, ale bez wody.

Wtedy moja kuzynka Magda przyniosła mi złoto po swoich dziadkach, piękną, ciężką bransoletę i dwa inne przedmioty. Sprzedałam to natychmiast, razem ze swoją ślubną obrączką, i mogłam wylewać podłogi. Był koniec listopada. Zosia przytargała ze mną swoją małą betoniarkę. Jeszcze tylko podłogi, przecież na razie można żyć na betonie, cieszyłam się jak dziecko, a moja córka przychodziła ze szkoły na piechotę i już chciała zamieszkać.

Dzięki Ci, Magdo, nie tylko za to.

Dwóch znajomych panów zajęło się wylewkami. Po dwóch godzinach powiedzieli, że nic z tego nie będzie, bo betoniarka jest za mała, beton zastyga wcześniej, niż zdążą wylać, cała robota na nic.

— Albo pani załatwi dużą, albo idziemy...

Wyszłam na drogę. Boże, już prawie koniec, już tak blisko, nie mogę zostać z ziemią między murami! Szłam przed siebie i czekałam chyba, aż mi ta betoniarka spadnie z nieba.

I wtedy zobaczyłam przez płot, u nie znanych mi sąsiadów, prawdziwą dużą betoniarkę!

Zadzwoniłam do drzwi. Otworzyła pani, obrzuciła mnie dziwnym spojrzeniem.

— Błagam, niech mi pani pożyczy na parę godzin to urządzenie!

— A jak ją pani weźmie?

Jak ją wezmę? Byłam tak szczęśliwa, że mam betoniarkę, że było wiadomo, że jakoś się ją zabierze!

Pobiegłam jak na skrzydłach z powrotem i o mały włos nie wpakowałam się prosto pod ciągnik Ostrówek. Kierowca zahamował gwałtownie. Wtedy jeszcze po naszej wiejskiej, małej uliczce nie jeździły obce auta, widywało się tylko sąsiadów przemykających tam i z powrotem dobrze wszystkim znanymi samochodami. Ostrówka nie widziałam tu jak świat światem.

— Weźmie pan dwieście metrów dalej betoniarkę?

— A czemu nie — powiedział pan w ostrówku i na łyżce przeniósł do mnie najbardziej upragnioną rzecz na świecie. I obiecał, że jutro podjedzie, żeby ją oddać właścicielom. I dotrzymał słowa!

Dziękuję bardzo Nieznajomej Pani z ulicy Łąkowej.

*

Czy gdyby to przydarzyło się Judycie, a nie mnie, uwierzyłby ktoś? Więc tych historii nie mogłam użyczyć Judycie, choć tyle jej dałam z własnego życia.

*

Książka *Przegryźć dżdżownicę* była już napisana i czekała w szufladzie u Zosi, gdzie przeniosłam się od Ani, żeby być bliżej mojego domu. Zamieszkałam w szafie — ich przestronnej garderobie z oknem. Zosia dokarmiała mnie i mówiła:

— Zobacz, jakie to wspaniałe, że wszystko idzie jak po maśle — więc nie mogłam myśleć inaczej.

Któregoś dnia zadzwoniła do mnie Ania. Ta od szpilek, spódnicy z Czechosłowacji, wtedy już pracująca w telewizji. Powiedziała:

— Kasia, dowiedziałam się, że Joanna Żółkowska szuka nowych tekstów, nie pokazałabyś jej *Dżdżownicy*? Podaję ci telefon, zadzwoń.

Nie miałam nic do stracenia. Zadzwoniłam. Jąkałam się przez ten telefon. Nie wiem, dlaczego powiedziała, żebym przyjechała i przywiozła tekst.

*

Kiedy otworzyła mi drzwi, zobaczyłam śliczną dziewczynę w zwiewnej hinduskiej sukience. Patrzyła na mnie z uśmiechem, mimo że mówiłam od rzeczy. Wzięła maszynopis i powiedziała, że się odezwie. Byłam w szoku.

*

W grudniu zaczęli zapowiadać mrozy. Mój domek nie miał ogrzewania, tylko kominek, w którym trzeba było non stop palić, żeby schły mury z pustaków gipsowych. Wtedy razem z Dorotką zamieszkałam u Magdy i jej męża, i dwójki ich dzieci, zbliżały się święta, dom już nie wymagał pracy, tylko suszenia. Wiadomo było, że jeśli przetrzyma mrozy, na wiosnę się wprowadzamy. Na ten beton, niczego więcej nam do szczęścia nie potrzeba. W kuchni już stał kredens, w którym chciałam wyciąć otwór pod zlew. Kiedy przyjechał sąsiad stolarz i zobaczył mój maleńki domeczek, wyciął okrągłą dziurę za darmo. Do dziś spotykam go w sklepie u pana Marka i zawsze z wdzięcznością wspominam.

Dziękuję Panu bardzo.

*

Woda została doprowadzona czternastego grudnia. Siedemnastego już było minus osiemnaście stopni. To była ostra i długa zima. Magda pożyczała mi samochód, żebym mogła przyjeżdżać, palić w kominku i wietrzyć mokry dom, na którego wewnętrznych ścianach zrobiła się trzycentymetrowa warstwa lodu.

— Nie martw się, cudownie schnie — mówiła Zosia — zobacz, wczoraj jeszcze tu był lód i tu — wskazywała palcem jakieś miejsce — a dzisiaj jest tylko tu.

„Tylko tu" to było półtora metra nad podłogą, za to do sufitu.

Przez następny miesiąc Zosia doglądała ognia w moim domu. Rozpalała codziennie w kominku i pilnowała, żeby nie zgasł. Dzięki niej nie popękały od mrozu rury w łazience i w kuchni, bo woda już była doprowadzona.

Nie wiem, czy kiedykolwiek będę w stanie jej się za to wszystko odwdzięczyć.

Zosiu, dziękuję, że mnie uratowałaś tysiące razy.

*

U Magdy i Adama jest bardzo przyjemnie. Mają duży dom, dwoje dzieci, w tym Nieletnią Moją Siostrzenicę. Drugie dziecko jest bez przerwy na podwórku i gra w piłkę. Widzę je przez dziesięć sekund w kuchni, a i tak jest zasłonięte drzwiczkami lodówki. Poznaję po dresie, że to chłopak. Ale może to być również syn sąsiadów, który wygląda identycznie i też buszuje w ich lodówce. Twarzy nie rozpoznaję.

Magda i Adam mają również psa. Pies nazywa się Kłopot i adekwatnie do tego imienia się zachowuje. Leży w przejściu i warczy.

Mają również kota. Kot nazywa się Kleofas i jest najdroższym kotem w Układzie Słonecznym.

Raz na parę dni przychodzi do domu. To znaczy przyczołguje się. Czasem nie ma ucha, innym razem ma rozpruty brzuch. Oni wołają weterynarza. W Kleofasa Magda i Adam pakują średnio paręset złotych miesięcznie. Jego lewe ucho kosztowało, razem z leczeniem antybiotykami gronkowca i badaniami na tego gronkowca, 1200 złotych.

No, to można sobie wyobrazić, ile kosztuje cały kot, jakby tak dodać i pomnożyć.

Kleofas chwilowo nie jest wypuszczany, bo właśnie ma świeże szwy (sześćset złotych razem z rentgenem). Moim zdaniem taniej by im wyszło wziąć na stałe weterynarza — na pensję. Lub kupić aparat rentgenowski.

Chwilowo mieszka u nich także teściowa i zajmuje jedyny nieprzechodni pokój. Pokoi wszystkich jest sześć. Architekta, który tak zaprojektował dom, powinno się w nim karnie umieścić do końca życia.

Mimo że dom jest przestronny, mamy problem z rozlokowaniem się. Magda mówi, że pomyślimy jutro, przecież na dwustu czterdziestu metrach znajdzie się trochę wolnego miejsca dla mnie, Dorotki i komputera.

Ponieważ muszę mieć spokój do pracy, Magda proponuje, żebym spała w sali ping-pongowej, w piwnicy, na materacach. Bo w pokoju Nieletniej Siostrzenicy będzie dzisiaj spał ich synek z kumplem, w pokoju synka — Dorotka, a w ich sypialni oni z Nieletnią Siostrzenicą, której obiecali, że będzie u nich spała. W salonie nikt nie może spać, bo jest przechodni — do kuchni, szafy i przedpokoju. Oraz do łazienki na dole.

Już o pierwszej w nocy skończyliśmy się tasować — ich synek, Nieletni Siostrzeniec jednak powiedział, że chce spać z rodzicami, jego kolega powiedział, że on w takim razie będzie w pokoju

Nieletniego, więc Nieletnia Siostrzenica musi spać w swoim, razem z Dorotką.

Jest obrażona.

Schodzę do sali ping-pongowej. Mam najlepiej z nich wszystkich.

Budzi mnie o trzeciej przeraźliwy odgłos. Zamieram. Ktoś kaszle lub chrypi. Albo chrząka. Albo się dławi. Potem drapie. Szura.

Zbójcy.

Leżę i udaję, że mnie nie ma. Nie mogę leżeć długo, bo za chwilę czuję przeraźliwy smród. Wstaję. Wychodzę ze śpiwora. Zapalam światło. Przy mojej głowie tłucze się Kleofas i pieczołowicie próbuje zakopać w terakocie to, co zrobił.

Biorę śpiwór i postanawiam spać w salonie.

Trudno.

Cichutko wyczołguję się z sali pingpongowej. Nie zapalam światła, bo obudzę cały dom. Kładę śpiwór na sofie. Sofa się rusza i mówi głosem Adama:

— Pobujaj się!

Bujajcie się to będzie w przyszości tytuł jego książki, w której niezwykle zabawnie opisze czasy, kiedy jako podziemny drukarz NOW-ej skutecznie obalał komunizm, choć wcześniej komunizm obalał go parę razy na pryczę więzienną.

Okazuje się, że o pierwszej kolega Nieletniego Siostrzeńca przyszedł do nich do sypialni, bo się boi. Adam chciał iść do pokoju syna, ale tam zastał Nieletnią Siostrzenicę, bo jej było niewygodnie z Dorotką. Więc myślał, że przynajmniej tutaj będzie miał spokój. Przenoszę wobec tego śpiwór na mniejszą sofę.

Zawsze mam najgorzej.

Adam podnosi się i, poza propozycją bujania, ma dla mnie propozycję zjedzenia czegoś, bo jak się denerwuje, to je, a ja go właśnie zdenerwowałam, ale ponieważ jest gościnny itd.

Idziemy do kuchni i robimy sobie małe co nieco. Włączamy telewizor, bo może coś będzie. Na Canal Plus właśnie zaczyna się jakiś horror. Ktoś w ciemnym pokoju grasuje z piłą tarczową. I krew, dużo krwi. Oglądamy, oczywiście.

O piątej schodzi Magda, która szuka Adama, bo obudziła się w towarzystwie nieletnich młodzieńców, a jest przywiązana do męża.

Pije z nami herbatę. Mówię, że Kleofas ma sraczkę.

— Och — martwi się Magda — to na pewno po antybiotykach.

W ogóle nie przejmuje się faktem, że Kleofas swoje dolegliwości żołądkowe umieścił przy mojej głowie.

O szóstej zbiegają chłopcy. Pytają, czy mogą iść grać w piłkę.

Jest minus dwanaście. Pada śnieg. Magda każe im natychmiast iść do łóżka.

Za chwilę schodzi Nieletnia Siostrzenica i pyta, retorycznie, dlaczego w innych domach ludzie śpią, a ona, niestety, do takiego domu nie mogła trafić. Oraz grozi, że kogoś zabije. Spotyka się to z gwałtowną reakcją rodziców.

Wtedy pies Kłopot uznaje, że dzień się rozpoczął, i chce natychmiast wyjść na spacer. Adam wkłada kożuch na piżamę i wychodzi. Kleofas, korzystając z zamieszania, wybiega za nimi w śnieg. Magda krzyczy na Adama, żeby go gonił, Adam krzyczy na Magdę, żeby się bujała, na Kłopota, żeby się bujał w szczególności i nie ciągnął, na Kleofasa, żeby się bujał w ogóle i na zawsze.

Nieletnia Siostrzenica wrzeszczy, że chce choć odrobiny spokoju i chce spać, chłopcy krzyczą, że przecież już są cicho, Dorotka krzyczy, że dlaczego ją obudzili, jak ona nawet własnego domu nie ma, i że chce do dziadka. Nieletnia krzyczy na Dorotkę, żeby nie krzyczała, skoro ona jej swój własny pokój odstąpiła, i to ona nie ma gdzie spać i w ogóle. Magda krzyczy na Nieletnią, żeby się zachowywała.

Schodzę na dół i ścieram guano Kleofasa. Otwieram okno. Wracam po koc. Zamykam okno, wracam po drugi koc i śpiwór. Przesuwam pod drzwi stół pingpongowy. Nikt się do mnie nie dostanie.

Zasypiam.

Zupełnie jak Judyta, która to samo przeżywa u Agnieszki i Grześka.

*

Wreszcie nastała wiosna. Zaczęłam z rodziną Mariolki i Mariana gipsować ściany. Przyjaciele Anki i Zosi poprzynosili pierwsze rośliny. Pojechałyśmy z Zosią do lasu i wykopałyśmy dwie sosny, które pięknie się przyjęły. Pół roku od zakładu z Marianem mijało w Wielki Piątek.

I na ten dzień zamówiłam przeprowadzkę. Przywiozłam Supła i czekałam. Kiedy moje meble przyjechały (a wiało wtedy strasznie i było zimno) i zostały upchnięte w dwóch niewielkich pokojach, przeżyłam pierwsze załamanie. Boże, przecież nie da się tak żyć i mieszkać!

Tak zastała mnie Zosia, która pojawiła się z koszyczkiem pełnym żółciutkich małych sztucznych kurczaczków, winem i ciasteczkami, które już upiekła na święta.

— Zobacz! Nigdy tego nie ogarnę! — pokazałam jej na skład mebli i paczek.

— Zaraz zrobimy pięknie — powiedziała Zośka, a jest ona osobą, która z niczego robi święto.

Usunęła kartony, zdjęła ze stołu jakieś worki, ustawiłyśmy stół naprzeciwko kominka, przysunęłyśmy dwa krzesła, z kartonu z napisem „obrusy i pościel", wyjęła jakiś obrusik, postawiła koszyczek, skoczyła do kuchni po szklanki (które stały od grudnia) i powiedziała:

— Widzisz, jak jest ładnie? A zaraz zrobimy jeszcze ładniej.

Przed północą mój domek wyglądał tak, jakbyśmy w nim mieszkały od lat. Nawet we wszystkich trzech oknach wisiały firanki.

I Marian musiał kupić tę skrzynkę szampana, choć zrobił to przy okazji, o jakiej nawet nie śmiałam śnić.

*

Pewnego dnia zadzwonił mężczyzna o nazwisku nie do wymówienia przez normalną osobę. Romuald Grząślewicz. Powiedział, że chce wystawić *Dżdżownicę* w Poznaniu, w Scenie na Piętrze.

Długo nie mogłam dojść do siebie.

Nie wierzyłam własnym uszom.

Takie rzeczy się przecież nie zdarzają.

Romku Kochany,

kiedy sam Dyrektor zaprasza Cię na premierę Twojej własnej sztuki, to nogi się pod Tobą uginają, bo przecież w przyrodzie tak nie jest, żeby ktoś coś napisał i Wielka Aktorka zagrała.

Potem dzwoni kolega, że jeśli ktoś wystawia „Dżdżownicę", to on to wyda. Kiedy premiera?

Jedziesz więc do miasta, które jest Twoim rodzinnym miastem, a tu każdy wie, co to jest Scena na Piętrze, taksówkarz bezbłędnie Cię wiezie, a przecież nie powiedziałaś mu, jaka to ulica, bo kartkę z adresem zostawiłaś w domu. W Warszawie — wiadomo, jak nie podasz taksówkarzowi nazwy ulicy, to on nie wie, gdzie jest jaki teatr.

Siadasz w pierwszym rzędzie, bo tam Cię posadził Dyrektor, a przedtem muzyk, Piotr Żurowski, daje Ci pół kieliszka koniaku, żebyś przeżyła. Na scenie Joanna Żółkowska mówi Twoimi słowami, a obok siedzi Andrzej Chyra, reżyser tej „Dżdżownicy", jest co prawda aktorem, ale nikt go dotychczas nie zauważył, nie angażują go, nie gra, więc reżyseruje.

Wracasz do domu samochodem z przyjaciółmi i modlisz się, żeby tym wszystkim ludziom się udało, bo taki dzień jak Tobie nie zdarza się każdemu, a to się stało dzięki Nim, i nawet byłaś na scenę wezwana, jako autor, i ludzie klaskali, może jednak pisanie ma sens?

Ale rzeczywistość jest szara, im dalej od Poznania, tym bardziej.

Po paru miesiącach dzwoni do Ciebie Dyrektor.

— Piszesz coś, Kasiu? — pyta.

Co masz powiedzieć?

Więc siadasz i piszesz.

Dziękuję, Romku.
Dziękuję, Joasiu.
Dziękuję, Piotrze.

Dziękuję, Andrzeju.

Dziękuję, Sceno na Piętrze.

*

Na premierę *Dżdżownicy* do Poznania pojechali wszyscy moi bliscy — rodzina, Anka z synem, Zosia, Magda z Adamem i z dziećmi.

Na premierę sztuki wydawca zdecydował się wydać książkę. A Marian zakupił skrzynkę szampana, który wypiliśmy wspólnie.

Zostałam pisarką, choć oczywiście nikt jeszcze o tym nie wiedział. Księgarnia na Dworcu Centralnym, z którego przecież jeździłam kolejką WKD do domu, wzięła parę egzemplarzy. Może dlatego że wchodziłam tam często i pytałam, czy mają tę *Dżdżownicę*.

Mogłam już pisać. Choć oczywiście z tego pisania żadnych pieniędzy nie było.

*

„Jestem" zaproponowało mi felietony. W dobrych miesiącach zarabiałam nawet tysiąc dwieście złotych. Z tego szkoła Dorotki czterysta. Rodzice stawali na głowie, żeby mi pomóc, ale nie jest łatwo korzystać z pomocy niezamożnych rodziców.

— Nie wyżyjesz z pisania — powtarzała Moja Mama, bardzo dumna, że udało mi się zbudować domek.

— Czy ty myślisz, że przeżyjesz z pisania? — pytał retorycznie Mój Ojciec. — To nie to, co budowa domu.

Ratowały mnie listy, jeśli przychodziło ich do redakcji dużo, moje zarobki się zwiększały, w gorszych miesiącach było trudniej.

W zimie okazało się, że owszem, kominek jako źródło ogrzewania jest genialny, ale w lecie. W czasie najtęższych mrozów Dorotka pomieszkiwała przez tydzień lub dwa u Magdy i Adama, ja musiałam zajmować się zwierzętami, w domu temperatura nie przekraczała dziesięciu stopni. W łazience trzech. Pisałam, trzymając nogi w miednicy, obok stał czajnik elektryczny (prezent od Magdy i Adama), do którego przelewałam wodę z miednicy, gotowałam, dolewałam, dzięki czemu przynajmniej w nogi było mi ciepło. Siedziałam w domu w kożuchu i czapce, obcięłam palce w wełnianych rękawiczkach, żebym mogła pisać.

Przybyły dwa koty, które wychowywali wspólnie Supeł, Zaraz i Sraluch. Zaraz został tak nazwany przez Dorotkę. Zapytała kolegę: to jak się ma nazywać mój kot? A on odpowiedział: zaraz, mamo, rozmawiam przez telefon, i Dorotka uznała, że to świetna nazwa.

Sraluch był kotem okolicznym. Czarny, nastroszony, syczący. Włóczył się w okolicy naszych domów, podjadał coś i uciekał. Tej zimy znowu było ciężko, mróz i śnieg. Wynosiłam w misce suche żarcie. Sraluch przychodził, kontrolnie fuczał, jadł szybko i uciekał. Kiedy zrobiło się minus szesnaście, otworzyłam drzwi na balkon i powiedziałam:

— Albo wchodzisz i żyjesz z nami, albo spadaj.

Kot podniósł ogon, stulił uszy i, jakby zrozumiał, co do niego mówię, wszedł. Od razu dał psu po nosie, zjeżył się na widok Zaraza, syczał na mnie. Został. Po dwóch miesiącach dał się pogłaskać. Nigdy mnie nie podrapał, ale kiedy brało się go na ręce, robił się sztywny jak kawałek drewna. Supeł pilnował, żeby koty nie ostrzyły pazurów o fotele, strasznie wtedy ujadał. Koty zaczęły przynosić myszy, które zamieszkały pod kredensem w kuchni. Oczywiście uznałam to za dobry znak.

*

W lodówce królował serek topiony. Moja córka marzyła o sztruksach, na które nie było pieniędzy. I niełatwo jej było w szkole, do której chodziły dzieci zamożnych rodziców. Chodziły! Były podwożone samochodami albo jeździły własnymi. Ona brnęła przez błoto, w kiepskich butach, choć nie pod górkę. Było mi jej żal.

Zapożyczyłam się i kupiłam rower. Zaniosłam go do swojej ciotki, która tymczasem zamieszkała za płotem i miała komórkę na kłódkę, bo w moim domu nie było nawet zamka w drzwiach wejściowych. Komórka cioci spaliła się wkrótce, razem z eleganckim rowerem za siedemset złotych.

Pewnego ranka obudziłam się, na łóżku, wpatrując się we mnie, siedział obcy mężczyzna i zapytał, czy go pamiętam, bo potrzebuje trzystu złotych na mandat. Nie pamiętałam, choć być może skądś się znaliśmy. Byłam śmiertelnie przerażona. Kiedy powiedziałam o tym Ani (mojej przyjaciółce ze szkoły podstawowej), dała mi 50 złotych na zamek do drzwi.

Dopóki wchodziłam do domu i tak jak Judyta zastawałam na stole kartkę: Dzwoniliźmy z telefonu, to zostawiamy dwadzieścia złotych — i dwadzieścia złotych pod wazonem, do dziś nie wiem od kogo, brak zamka w drzwiach mi nie przeszkadzał, i tak nie było co ukraść, ale wtedy, przebudzenie z obcym mężczyzną nie było przyjemne. Oj, nie było przyjemne. Po roku więc w drzwiach mojego domku pojawił się zamek. Dziwne było uczyć się na nowo nosić klucze.

Mój domek nie wyglądał tak jak ten z filmu *Nigdy w życiu!* Ale rosły drzewka, które sadziłam, i krzaki, kwiaty i macierzanka. Tylko ten wieczny brak pieniędzy na życie...

*

Magda przyszła mi z pomocą.

— Popracuj u nas, masz przygotowanie do rozmów z ludźmi.

Byłam już po wielu warsztatach terapeutycznych, komunikowania się, asertywności, pogłębionej pracy nad sobą.

Magda i Adam prowadzą od wielu, wielu lat prawdziwe Biuro Matrymonialne „Czandra".

Poszłam do nich pracować na etacie konsultanta i dostałam pensję.

*

O tym kiedyś powstanie książka, choć nie będzie łatwo tak zakamuflować historie miłosne, żeby nikt nie rozpoznał ich bohaterów. Pamiętam na przykład mężczyznę, który przybiegł do biura w marynarce i koszuli oraz spodniach od piżamy, bo właśnie trafił w internecie na „Czandrę" i musiał w tej chwili sprawdzić, czy to prawdziwe biuro.

Kiedy opowiedział historię swojego ostatniego „romansu", wcale nas to nie zdziwiło. Przez pół roku siedział przed ekranem komputera, ponieważ znalazł w sieci miłość swojego życia. Cudowne rozmowy, porozumienie na poziomie metafizycznym, długie dyskusje o uczuciach, problemach, wspólne zainteresowania, takie same poglądy na życie, politykę, świat, ludzi. Tylko nie było czasu, żeby się spotkać. Wracał z pracy i wystukiwał nicka ukochanej. Po pół roku okazało się, że ukochana była przystojnym żonatym mężczyzną. Ot, taki rodzaj zabawy w sieci. Czy trudno się dziwić, że w spodniach od piżamy przygnał do nas do biura, żeby sprawdzić, czy na pewno tym razem może tu spotkać prawdziwą kobietę, z krwi i kości?

Pamiętam również młodą, śliczną dziewczynę, niziutką, która nie dawała się przekonać, żeby w ankiecie, wypełnianej przez każdego klienta, po to, by ułatwić komputerowy dobór oczekiwań, na przykład co do wieku, stanu cywilnego, wykształcenia itd., nie ograniczała wzrostu partnera. Była inteligentna, elastyczna w wielu sprawach, ale uznała, że mężczyzna, którego szuka, nie może mieć więcej niż metr siedemdziesiąt pięć, co z góry przekreślało szanse każdego, który miałby chociaż centymetr więcej.

— Nie, pani Kasiu, absolutnie nie, nie chcę wyglądać śmiesznie przy mężu — powtarzała z uporem. Mógł mieć dzieci, być rozwodnikiem lub kawalerem, mógł znać języki lub ich nie znać, ale wzrost był barierą nie do przekroczenia.

W biurze stały wtedy głębokie fotele po dziadkach Magdy, w które klienci zapadali się nie bez przyjemności. Pewnego dnia wszedł młody, fajny chłopak. Od razu, nie oglądając ofert, do czego najpierw zawsze namawiałam, zapisał się, usiadł w fotelu i zaczął wypełniać ankietę. Parę minut później do biura wbiegła ta Mała. Radośnie się przywitała, wzięła do ręki świeży biuletyn i zapadła się w drugi fotel.

Chłopak podniósł wzrok i iskry posypały się nad okrągłym stolikiem. Dziewczyna spojrzała na niego i w biurze zrobiło się gorąco. Ludzie spotykali się zwykle poza „Czandrą", więc obserwowałam z przyjemnością, jak na moich oczach spotyka się dwoje ludzi, jak ankieta, którą wypełnia mężczyzna, zaczyna być nieistotna, jak biuletyn w rękach Małej smętnie opada na kolana. Nachyleni ku sobie rozmawiali cicho, po czym na trzy- -cztery podnieśli się... i wtedy ona zobaczyła, z kim ma do czynienia. Był to najwyższy klient, w każdym razie w tym czasie, kiedy tam pracowałam. Miał dwa metry i osiem centymetrów wzrostu. Ona wyglądała przy nim jak breloczek, który się przypina do pasa. Mała zrobiła się czerwona, ale chłopak wyciągnął rękę i tak już, jak sądzę, zostało, bo dwa tygodnie później razem przyszli się „zawiesić" — to znaczy zrezygnować z nowych ofert.

— Ciekawe, jak byście się spotkali, gdyby przypadkiem nie wpadła pani do biura — powiedziałam — bo w doborze narzeczony by odpadł w przedbiegach.

— A ja właśnie na niego czekałam — powiedziała Mała i roześmiała się radośnie.

Mam nadzieję, że żyją szczęśliwie.

*

Pamiętam młodą kobietę, która desperacko poprosiła o ankietę, bo natychmiast musi wyjść za
mąż. Wyszłyśmy do drugiego pokoju — jeśli ktoś
był zdesperowany, warto było porozmawiać i poznać powody, żeby uniknąć zrobienia krzywdy tej
osobie lub jej potencjalnemu partnerowi. Bo bywało, że ludzie szukali partnera z zupełnie innych
powodów.

Kobieta rozpłakała się. Powiedziała, że dwa tygodnie temu pochowała męża, którego bardzo
kochała, i nie może być sama, bo zwariuje. Powoli dochodziło do niej, że jest po prostu w żałobie,
że sobie nie radzi i że biuro matrymonialne w tej
chwili to nie najlepszy pomysł. I że nikt na razie
nie zastąpi jej męża. Dostała adres dobrego psychologa i przyszła parę miesięcy później, żeby podziękować.

*

Kiedyś trafiła się klientka niezwykła — dokładnie wiedziała, czego szuka. Była po rozwodzie, miała dzieci, ale żadne negocjacje na temat ewentualnego partnera nie wchodziły w grę.
Mógł mieć dzieci, ale musiał mieć wykształcenie ponadwyższe. Musiał znać angielski. Musiał również gotować i to lubić. I tak dalej, i tak

dalej. Przychodziła co miesiąc, robiła dobór komputerowy, wychodziło zero. Zero! Na tysiąc klientów. Coś było nie w porządku. Namawialiśmy ją, żeby chociaż wymogi co do wykształcenia trochę obniżyła — może wystarczy wykształcenie tylko wyższe? Może nie do czterdziestego piątego roku życia, ale czterdziestego ósmego chociaż? Nie. Nie i nie. Pewnego czerwcowego dnia w jej doborze komputerowym pojawił się pewien mężczyzna, w dziewięćdziesięciu procentach zgodny z jej oczekiwaniami.

Nie wierzyliśmy własnym oczom. Sprawdziliśmy, czy w ich ankietach nie ma błędów, powtórzyliśmy dobór. Jak byk dziewięćdziesiąt procent.

— Widzicie? — powiedziała dumnie. — Warto było czekać. — Umówili się za naszym pośrednictwem w kawiarni „Na Rozdrożu", jej ulubionej, tego samego dnia. Była tak podekscytowana, a i my również, że zobowiązaliśmy ją, by natychmiast dała nam znać, jaki on jest naprawdę i czy coś fajnego ma szansę się wydarzyć.

Ciekawość nasza nie miała granic. Jaki jest ten mężczyzna? Dobór na poziomie pięćdziesięciu procent w tym przypadku byłby już niezwykły, więc czekaliśmy z niecierpliwością na jej telefon. Zadzwoniła następnego dnia.

To był jej były mąż.

Nie wrócili do siebie, a ona się wypisała z biura.

Pamiętam mężczyznę szukającego żony, z którą mógłby wziąć ślub kościelny, wdowy albo panny, bezdzietnej, wykształconej, z własnym mieszkaniem oraz znajomością włoskiego, bo uwielbiał Włochy. Miał siedemdziesiąt dwa lata, jego partnerka musiała być od niego o pięć lat, nie więcej, młodsza. Kiedy zapisał się do biura, miał lat sześćdziesiąt dwa. Przychodził raz na jakiś czas i zmieniał wiek partnerki, w miarę jak sam się starzał.

Magda próbowała go przekonać, że jego marzenia są nierealne, chciała przestać brać od niego comiesięczną składkę, ale mężczyzna nie zamierzał rezygnować.

W dziesiątym roku jego członkostwa w „Czandrze" wydarzył się cud. Zostaliśmy zaproszeni na ślub — znalazł wreszcie wymarzoną kobietę: pięć lat młodsza, urocza starsza pani, emerytowana lektorka włoskiego, bezdzietna, głęboko religijna. Nie wierzyłam własnym oczom.

A cuda się zdarzały.

*

Pewien mężczyzna przybiegł uradowany z comiesięcznym biuletynem „Czandry". W tym biuletynie nie ma zdjęć ani bliższych informacji o człowieku, takich jak wiek, wykształcenie, imię. Ale wpadła mu w oko oferta z określonym numerem, bo grał w totka i to była zbitka jakichś jego ulubionych cyfr. Dostał numer telefonu.

Okazało się, że pani jest jego sąsiadką z działki obok. Po oficjalnym, bardzo peszącym ich spotkaniu postanowili być razem. Znali się od lat, ale nigdy nie wpadło im do głowy, by bliżej lub inaczej na siebie spojrzeć.

*

W lipcu zadzwonił Romuald Grząślewicz.

— Kasiu, ogłaszamy konkurs TESPIS, napisz jakąś sztukę. Spróbuj. Masz dobre pióro.

*

Zaczęłam pisać *Pozwól mi odejść, siostro*. Pisałam w kolejce WKD, którą dojeżdżałam do Warszawy, codziennie, i w domu po pracy. Pisałam w kuchni w „Czandrze", kiedy nie było klientów. Magda patrzyła na mnie uważnie i chciała o coś zapytać, ale milczała, coraz bardziej niespokojna. Czułam, że coś się dzieje, ale nie wiedziałam, o co chodzi. Była coraz bardziej zaniepokojona i obchodziła się ze mną jak z jajkiem.

W końcu stwierdziła, że musimy porozmawiać. Była poważna, a ja, jak zwykle, spóźniona. Poprosiła mnie do drugiego pokoju. Poczułam się jak druhny wzywane do namiotu na wykład o szkodliwości palenia. Na pewno chce mnie zwolnić, pomyślałam. Zawalam. Nie daję rady.

362

Magda zamknęła drzwi, odwróciła się do mnie i zapytała:

— Dlaczego mi nie powiesz, że masz inne plany? Przecież ja muszę kogoś znaleźć do pracy.

— Ja? Jakie plany? — byłam tak zdziwiona, że Magda uwierzyła, iż nie wiem, o czym mówi.

— No, przecież chcesz odejść, widziałam, co napisałaś w tym zeszycie: Pozwól mi odejść...

*

Za tę sztukę dostałam nagrodę Sceny na Piętrze, a potem, parę lat później, Izabela Cywińska będzie ją reżyserować, z Danutą Stenką i Gabrysią Kownacką w rolach głównych.

*

Mieszkamy szczęśliwe na wsi. Ale czasem jest mi smutno, czasem się boję. Pamiętam noc, kiedy nad naszym kawałkiem świata przetoczyła się potworna burza. Jak w *Nigdy w życiu!*

Dorotka śpi, a ja się boję. Jestem strasznie nieszczęśliwa. Pioruny walą chyba w mój dom, wszystko się trzęsie. Wszyscy mają koło siebie kogoś, kto im towarzyszy, i tylko ja jestem sama!

I wtedy, jak się tak unieszczęśliwiałam, do drzwi od tarasu zapukała Zośka. Zmoknięta, ze świeczką! O Boże, jak to dobrze, że nie jestem sama! Zapaliłyśmy świeczkę ostatnią zapałką i wsłuchane w deszcz, który chciał przebić blaszany dach, wolno sączyłyśmy wino. Pioruny waliły tuż za olbrzymim dębem. Dopiero kiedy z łazienki dobiegło piszczenie Supła, postanowiłam wziąć wszystkie zwierzaki do nas. Weszłam cichutko do pokoju Dorotki i zawołałam: — kici, kici.

— Zaraz jest u ciebie, u mnie go nie ma — powiedziała przez sen Dorotka.

Otworzyłam drzwi na taras. Niebo walczyło z ziemią, woda lała się nieprzerwanym strumieniem, a ja wołałam w noc: — Zaraz, Zaraz!

Boże, niech mi nie ginie następny koteczek!

Zośka stanęła obok mnie.

— Jak przestanie padać, to go poszukamy.

Burza szalała do pierwszej w nocy. Świeczka dopaliła się i zgasła. Wydawało mi się, że przez oddalające się grzmoty słyszę smutne kocie zawodzenie. Noc była groźna. Krople głucho spadały z drzew, w oddali niebo mruczało.

— Idę szukać Zaraza.

— Idę z tobą, tylko pobiegnę na chwilę do domu.

Wyszłyśmy w mgłę, która zaczynała się podnosić od ziemi. Zośka skręciła w stronę swojego ciemnego domu.

Olbrzymie białe płachty snuły się na wysokości naszych kolan. Każda spadająca kropla napawała mnie przerażeniem. Chmury zniknęły. Zajaśniał księżyc, płaty mgły w tym księżycowym świetle mroziły krew w żyłach. Pod starym dębem zatrzymałam się. Biedny, zmoczony Zaraz, przytulony do pnia, płakał rozpaczliwie. Usłyszałam za sobą szelest. Zdrętwiałam, a potem wolno się odwróciłam. Za mną stała Zośka. W ręku trzymała nie zapaloną świeczkę.

— Nie miałam zapałek. Ale i tak we dwie nam raźniej — powiedziała.

*

W dniu moich imienin przyjechali do mnie przyjaciele, jak zwykle, jak co roku, z wyjątkiem tych lat, kiedy mieszkałyśmy też pod Warszawą, ale zupełnie gdzie indziej. Otworzyliśmy wina, w kominku buzował ogień, więc niektórzy odważni zdjęli kurtki. Byliśmy już w komplecie, kiedy do furtki ktoś jeszcze zadzwonił. Krzyknęłam w ciemność:

— Kto tam?

— Kasia? Jestem twoim prezentem imieninowym — przed domem stał nieznajomy mężczyzna z bukietem w ręce.

Moja koleżanka Małgosia postanowiła zrobić mi taką niespodziankę. A Marka zawsze podziwiałam za odwagę.

I poszliśmy do kina, a potem na obiad, a potem na spacer. I tak dalej.

*

Któregoś dnia przed pożegnaniem wręczył mi kasetę Mirosława Czyżykiewicza.

— Posłuchaj *Ave*, tak myślę o tobie.

Przyszłam do domu, napaliłam w kominku (ogrzewania nie było przez sześć lat) i włączyłam *Ave*.

Kiedy cię spotkam co ci powiem
że byłaś światłem moim Bogiem
że szmat już drogi przemierzyłem
i byłaś wszędzie tam gdzie byłem
odległą gwiazdą w sztolni nocy
zachodem słońca snem proroczym
przestrzenią serca której strzegłem
jak oka w głowie dla tej jednej
mądrej i pięknej ludzkim prawem
ave

Kiedy cię spotkam czy ukryję
wszystkie kobiety których byłem
pacjentem uczniem profesorem
żal nie na miejscu i nie w porę
jak mogło być a jak nie było
że wszystko na nic tylko miłość

na wieki wieków i że żaden
człowiek nie był mi tak potrzebny
ave

Kiedy cię spotkam jak mam spojrzeć
żebyś nie mogła w oczach dojrzeć
starego głodu którym hojnie
obdarowałem tyle spojrzeń
blasku księżyca który każe
od ścian odbijać się od marzeń
do zjawy twej wyciągać ręce…

*

Dorotka przestała chodzić do szkoły w lutym, w drugiej klasie. Myślałam, że oszaleję, ale Marek mówił:

— Daj spokój, nie jest głupia, niech robi, co chce, wróci, tylko jej nie zmuszaj do niczego, dzieci muszą się buntować.

Myślę, że ten trudny okres przetrwałam dzięki temu, że był przy mnie.

Bo dalej było dokładnie tak jak z córką Judyty: Dorotka wróciła ze szkoły. Wróciła, stanęła w drzwiach i oświadczyła, że była tam ostatni raz. Że powiedziała dyrektorowi, że zmienia szkołę. Że nie ma siły. Że może iść do pracy. Że nikt jej nie rozumie. Że w Hiszpanii już by mogła wyjść za mąż. Że nienawidzi szkoły.

Zmartwiałam.

Następnie rzuciła teczkę przy drzwiach, wzięła Zaraza na ręce i poszła do siebie.

Nie wiem, co mam robić.

A więc:

Moja Dorotka, tak jak Tosia, nie chodzi do szkoły, Dorotka, tak jak Tosia, mówi, że nigdy nie wróci do szkoły, Dorotka, tak jak Tosia, nie pójdzie do szkoły, Dorotka, tak jak Tosia, chce chodzić do innej szkoły — nie denerwuję się, nie denerwuję się, nie denerwuję się.

*

Wczoraj przyjechała wychowawczyni Dorotki, pani Czaj. Powiedziała, żeby wracała. Że różne rzeczy się na świecie dzieją. Że jej córka też ciężko odchorowywała szkołę, kłótnie i wszystkie inne problemy. Że wszyscy na nią czekają. Że... nie ma się co obrażać na świat, skoro jest na nim tylu życzliwych ludzi. Że na pewno da sobie radę... Że czasem z tarczą lub bez tarczy ma inne znaczenie. A mianowicie...

Bardzo, bardzo serdecznie dziękuję wychowawczyni mojej córki — pani profesor Stanisławie Czaj.

Boże — jaki cudowny dzień! Jakie piękne jest życie! Jaki świat jest fantastyczny! Dorotka poszła do szkoły! Wróciła do szkoły! Szkoła! Szkoła!

Co zrobił dyrektor, który jak się okazało, należy do tego ginącego odłamu mężczyzn prawdziwych! Otóż wziął ją za rękę, wprowadził do jej własnej klasy i powiedział:

— Chcę wam przedstawić nową koleżankę, Dorotę Szelągowską. Mam nadzieję, że ją życzliwie przyjmiecie. Właśnie zdecydowała się przyjść do naszej szkoły.

Dziękuję bardzo serdecznie dyrektorowi szkoły w Milanówku, panu Stanisławowi Froelichowi.

*

Po roku przestałam pracować w biurze matrymonialnym. Mój notatnik pękał w szwach, ale też Ania M., naczelna jednej z liczących się na rynku gazet, przeczytała przypadkiem *Przegryźć dżdżownicę* i zapytała, czy nie chcę na stałe współpracować z jej redakcją.

Chciałam. Chciałam najbardziej na świecie pisać. I pisałam. Wydrukowała w „Gracji" moje pierwsze opowiadanie *Księżyc mi upadł*. Poprosiłam, żeby pod spodem umieściła notatkę, że opowiadanie pochodzi ze zbioru *Podanie o miłość*, który wkrótce będzie wydany.

— Przygotowujesz zbiór opowiadań? Nic nie mówiłaś? — ucieszyła się.

Nikt nie chciał mi niczego wydawać. Nie miałam żadnego zbioru opowiadań.

Ale wiedziałam, że słowo ma moc sprawczą.

I tak było.

Dzisiaj Ania jest moją przyjaciółką. Mieszka pięćset metrów ode mnie. Sama wybudowała domek.

Dziękuję ci, Aniu M.

*

Czy musiałam wymyślać historie do *Nigdy w życiu!*?

Oczywiście, że tak. Przecież do Judyty mężczyzna przyjechał na białym, pożyczonym co prawda, ale b i a ł y m koniu!

Ale ja jeździłam kolejką WKD i przysłuchiwałam się temu, co mówią ludzie, i przyglądałam się temu, co się dzieje. Na moich własnych, a nie Judyty oczach, w pewien beznadziejny, szary i ponury marcowy dzień, w zapoconym wagoniku kolejki wypadły z pudła pewnemu szaremu jak my wszyscy panu kolorowe, przepiękne, złocisto-żółte kurczaczki i wypełniły cały pociąg radosnym kwileniem. Zobaczyłam wtedy, że świat jest piękny, tylko ja o tym zapominam, bo mi ciężko, bo mi trudno, bo zimno i wiosny nie widać, bo śnieg, a ja lubię lato. I usłyszałam w odpowiedzi na mój zachwyt nad tymi kurczątkami, że są zapowiedzią życia i radości, komentarz:

— Patrz, co za idiota wozi kurczaki kolejką.

I to był czysty dowód na to, że świat jest taki, jakim go postrzegamy.

Przychodziłam więc do domu i jeszcze w płaszczu siadałam do komputera, żeby zapisać, żeby nie zapomnieć, żeby pamiętać, że dobre rzeczy również się zdarzają, żeby się nie ograniczać do tych trudnych, złych, nie do zniesienia męczących.

Z krótkich obrazków zapamiętanych w kolejce rodziły się felietony do „Jestem". Albo opowiadania. Albo sztuki.

*

W dniu swoich osiemnastych urodzin moja córka w tajemnicy przede mną poszła do telewizji na casting do programu młodzieżowego „Rower Błażeja". Została zatrudniona w telewizji jako prowadząca audycję. Załatwiła sobie w szkole zwolnienia na czwartki. Postanowiłam się nie wtrącać.

Miesiąc później dostała pierwszą pensję. Dwukrotnie wyższą niż to, co ja zarabiałam we wszystkich możliwych miejscach naraz. Była dumna jak paw. Zapłaciła zaległe rachunki i kupiła mi prawdziwe kosmetyki!

Wtedy przypomniałam sobie, że mnie dwadzieścia lat temu nie wpadło to do głowy. Miałam lepszą córkę niż Moja Mama.

Pękałam z dumy.

*

Pewnego dnia mój komputer po włączeniu pokazał mi niebieski ekran i malutki napis: *disc error*. Byłam w rozpaczy, cała baza danych, skrupulatnie przez lata przygotowywana, była niedostępna. Adresy, kontakty, lekarze, wiadomości o rybikach i liniach wysokiego napięcia, operacje plastyczne i ich skutki, zdrady i grupy wsparcia dla alkoholików. Wszystko schowało się za niebieskim ekranem z błędem dysku na planie pierwszym.

Byłam zrozpaczona. Wezwany komputerowiec rozłożył ręce.

— Musiała pani skasować dane, sformatować twardy dysk.

Nie zrobiłam tego. Komputer został wyłączony o pierwszej w nocy, po zamknięciu programu. Włączony został o siódmej rano, miałam jeszcze do napisania dwa listy, przed pójściem do redakcji.

— Niemożliwe — powiedział drugi komputerowiec — musiał ktoś sformatować dysk.

Przyjechali z redakcji, żeby ratować mój komputer. Po dwóch dniach telefon: — Wszystkie dane przepadły. Nic nie odzyskali. Komputer jest do odebrania, bo już działa.

Jak mam odpowiadać na listy? Jak odtworzyć zbieraną przez lata bazę danych?

Nie mogłam znaleźć niczego, co by mnie mogło pocieszyć.

Aż pomyślałam sobie, że przecież nic nie dzieje się przypadkiem. Że to musi coś znaczyć, jeszcze nie wiem co, ale…

Mój terapeuta powiedział:

— No to teraz możesz pisać książki. Nic nie stoi na przeszkodzie.

Jak mogę pisać książki, kiedy muszę z czegoś żyć? Nie jestem Kafką, żeby sobie pracować osiem godzin na posadzie, a potem pisać w tajemnicy do biurka. On nie miał córki. Kotów. Psów. Boże, gdybym miała jakiekolwiek zabezpieczenie, myślałam, to wtedy bym siadła i pisała, pisała, pisała.

A potem uprzytomniłam sobie, że najpierw muszę pisać, potem będę miała zabezpieczenie, jeżeli taki jest Odgórny Plan.

*

Powycinałam z „Jestem" wszystkie swoje felietony i pracowicie wprowadziłam do komputera. O Uli, kotach, kolejce. Nie chciałam, żeby wyścieliły kosze na śmieci. Połączyłam je w opowieść, którą nazwałam „Merdając psem".

Zadzwoniłam do Dużego Wydawnictwa i zapytałam, czy są zainteresowani polską powieścią obyczajową. Nie byli. Maszynopis, po pokazaniu go Zośce, schowałam do szuflady.

Któregoś pięknego dnia przeczytałam, że jeśli mamy kłopoty z pieniędzmi, powinniśmy w domu mieć rybki, niekoniecznie żywe, mogą być drewniane — powieszone w pokoju, zapewnią nam dobrobyt.

Nie wierzyłam, rzecz jasna, w takie bzdury.

Wobec tego następnego dnia pojechałam do Warszawy i przeszłam się po sklepach w poszukiwaniu drewnianych rybek. W galerii na Marszałkowskiej wisiały smętnie na wystawie niebieskie, drewniane, w sam raz na ten dobrobyt, musiały wisieć od dawna, bo były porządnie przykurzone. Weszłam do środka i zaproponowałam, żeby mi je tanio sprzedali, bo takie brudne. Pani w galerii obniżyła mi cenę. Zapytałam, gdzie je powiesić, co mówi na ten temat *feng shui*. Pani powiedziała, że po prawej stronie. Zapłaciłam, wyszłam usatysfakcjonowana.

Kiedy przechodziłam przez ulicę, w niedozwolonym zresztą miejscu, usłyszałam za sobą wołanie. Odwróciłam się. Po drugiej stronie machała do mnie jakaś nieznajoma dziewczyna.

— Proszę poczekać, proszę pani!

Tramwaj przejechał, ona podeszła.

— Przepraszam, że panią zaczepiam, ale ja się tym zajmuję profesjonalnie — powiedziała i zaczerwieniła się z emocji — ja zwykle nie zaczepiam ludzi, ale nie wzmacnia się energii byle jak, bo można zaszkodzić...

Przyjechała do mnie po tygodniu. Powiedziała, gdzie powiesić rybki oraz że mam przemalować przedpokój na zielono. Zdziwiła się, że w domu jest tyle kamieni, uwielbiam kamienie, zbieram je od zawsze. Coś obliczyła i stwierdziła: — Teraz wszystko rozumiem. — Próbowała mi wytłumaczyć, co jest moim dobrym kierunkiem, czego nie robić w domu, a co zrobić koniecznie, gdzie jest strona Smoka, a gdzie północny wschód i jaki to ma wpływ na mnie. Nie rozumiałam nic. Ale Magda S. okazała się uroczą osobą i do dzisiaj utrzymuję z nią kontakt. Powiedziała, żebym się o nic nie martwiła. Jestem chińską ósemką (cokolwiek to znaczy), a to bardzo dobra liczba.

Magdo S., dziękuję Ci.

*

W maju zadzwoniła do mnie Beata Stasińska, właścicielka W.A.B. Powiedziała, że wróciła z Londynu, tam przeczytała w komputerze swojego znajomego, a mojego przyjaciela fragmenty moich sztuk i zapytała, czy może mam jakąś książkę.

Wyjęłam z szuflady „Merdając psem" i zawiozłam na Nowolipki.

Dziękuję Ci, Wieśku.

*

Trzy tygodnie później spotkałam się z panią Beatą Stasińską powtórnie. Powiedziała, że zary-

375

zykuje wydanie książki, ale tytuł „Merdając psem"
jest beznadziejny. Że lepiej będzie nazwać książkę jednym z tytułów rozdziałów — *Nigdy w życiu!*
Niechętnie wyraziłam zgodę.
Bardzo dziękuję, Pani Beato.

*

Przy podpisywaniu umowy, takiej, jakiej de-
biutant właściwie mógł się spodziewać, próbowałam coś utargować.

— Czy powyżej dziesięciu tysięcy egzemplarzy mogę mieć dziesięć groszy więcej od książki?
Spojrzeli na mnie z wielkim zdumieniem.

— Dziesięć tysięcy? Czy pani nie wie, że teraz bestsellerem jest książka, która sprzeda się
w pięciu tysiącach? Jakiego nakładu się pani spo-
dziewa?

Pamiętałam czasy, kiedy byłam korektorką.
Stopki w książce również musiałam sprawdzać.
Nakłady były stutysięczne, czasem nawet dwu-
stutysięczne. Przecież dla pięciu tysięcy Pan Bóg
w ogóle by sobie nie robił kłopotu!

— Myślę, że sprzeda się w stu tysiącach co najmniej — powiedziałam, a oni spojrzeli na mnie,
chyba jednak jak na idiotkę. I zgodzili się na te
dziesięć groszy więcej powyżej dziesięciu tysięcy.

Kiedy powiedziałam mojej kuzynce, Magdzie,
że podpisałam umowę i mam nadzieję, że będzie
sto tysięcy, Magda krótko mnie podsumowała:

— Ale ty jesteś głupia! Dlaczego tylko sto?

*

A potem okazało się, że *Nigdy w życiu!* jest bestsellerem.

Przyjeżdżali dziennikarze i pytali mnie, co robię z pieniędzmi. A ja dalej miałam długi w elektrowni, czasem nawet wyłączali mi prąd. Nie wiedziałam, co powiedzieć. Ludzie rozpoznawali mnie na ulicy, a ja w dalszym ciągu woziłam ziemniaki kolejką z Warszawy. Przyjaciele cieszyli się razem ze mną i wcale nie byli zdziwieni.

— Przecież zawsze chciałaś zostać pisarką — mówili.

Ojciec do mnie zadzwonił i oznajmił z dumą, że widział kogoś w metrze z moją książką w ręku.

Dzwoniła Mama i pytała, czy coś nowego piszę. Bo potencjalnie każdy jest autorem jednej książki, szczególnie tak bardzo zbliżonej do życia. Więc czy piszę drugą? Trzecią? Piątą?

*

Marzyłam o laptopie; kiedy wyłączali prąd w czasie burzy, nagle, bałam się, że komputer padnie. Powiedziałam o tym w rozmowie z Dorotą Wellman.

Zadzwoniła po dwóch tygodniach, że wywiad się ukazał i że zadzwonił ktoś, kto mi chce tego laptopa dać. Nie wierzyłam we własne szczęście. Zadzwoniła dziewczyna, że mnie odwiedzi, jeśli można.

W momencie kiedy stanęła przed furtką, a było już ciemno, walnął piorun, wyłączyli światło i rozpętała się burza. Pani Agnieszka, bo tak miała na imię dziewczyna, która specjalnie do mnie przyjechała, siedziała ze mną przy świeczce ze dwie godziny. Nawet nie wykasowała danych ze swojego komputera — niech to pani sama zrobi, mam do pani zaufanie, ja mam jeszcze jeden komputer.

Przeczytała wywiad i pomyślała, że może mi pomóc, mimo swojej niełatwej sytuacji życiowej.

Dziękuję, Pani Agnieszko.

Mam nadzieję, że jest Pani szczęśliwa.

*

Na targu w Milanówku kupuję kwiaty, najbardziej lubię peonie i konwalie. Przy dużym wiadrze wypełnionym po brzegi świeżo ściętymi peoniami siaduje miła starsza pani.

— O, ja pani spuszczę, pani Kasiu, pięćdziesiąt groszy wezmę, bo ci pani rodzice to zupełnie jak moi!

Uśmiecham się.

Rodzice Judyty nie są moimi rodzicami.

*

Kiedy podpisywałam książki w Poznaniu, stanął obok kolejki młody mężczyzna i czekał na chwilę rozmowy. Nie miałam pojęcia, czy go znam, czy nie, ale patrzył na mnie tak, jakbyśmy się już kiedyś spotkali, i wyraźnie miał do mnie jakiś interes. Kiedy skończyłam podpisywanie, podszedł i zapytał, czy go pamiętam.

O Boże, to najgorsze pytanie, jakie ktoś mi w życiu zadaje. Moja pamięć robi się pusta, biaława, przechodzi w przezroczystą i nawet zapominam, jak się nazywam. Kiedyś się uśmiechałam i mówiłam: oczywiście!

Ale od czasu kiedy spędziłam dwie godziny z koleżanką, która rzuciła mi się na szyję z okrzykiem: pamiętasz? — i której nie poznałam, a już po dwóch godzinach nie wypadało zapytać, od tego czasu jestem odważniejsza. Po prostu mówię: nie. Nie dlatego że jestem nieuważna, tylko że moja pamięć potrzebuje spokoju, a nie stresu.

— Nie — odpowiedziałam więc młodemu człowiekowi.

— Ja byłem na spotkaniu z panią w Gdańsku, w zeszłym roku, żona mnie prosiła, a sama miała dyżur — zaczął wyjaśniać, więc odetchnęłam z ulgą: to nie kolega Alzheimer, tylko tłum ludzi, mam prawo.

— Powiedziałem pani wtedy, że żona się zachwyciła *Nigdy w życiu!* i chce mieć dom, ale ja jestem nauczycielem, ona lekarzem, nie stać nas na to, i prosiłem, żeby pani napisała, że książka książką, fikcja fikcją, a życie życiem. Żeby pani napisała, że to niemożliwe.

— Zgodziłam się? — zapytałam, niepewna, na jaki niedorzeczny pomysł mogłam wpaść.

— Spojrzała pani na mnie i powiedziała, że albo zmienię poglądy, albo moja żona zmieni męża.

Zrobiło mi się nieprzyjemnie. Oczywiście chlapię językiem na lewo i prawo, czasem tego serdecznie żałuję, ale przy obcych staram się jednak pilnować. Musiałam być zmęczona i straciłam czujność, potraktowałam obcego człowieka jak dobrego przyjaciela, z którym można sobie na wiele pozwolić.

— Przepraszam, musiałam być zmęczona — zaczęłam się tłumaczyć, a potem sobie pomyślałam, że człowiek zrobił sporo kilometrów z tego Gdańska, żeby mnie pouczyć.

— Dlatego pan przyjechał aż z Gdańska?

— Byłem tak wściekły na panią i na żonę, że myślałem, że mnie rozniesie. Poszedłem piechotą do domu, żeby ochłonąć. W połowie drogi przestałem być zły na żonę. A tuż przed samym domem pomyślałem: a może Grochola, do cholery, ma rację? Nie przyjechałem, proszę pani, z Gdańska, mieszkamy od pół roku w Poznaniu. Zamieniliśmy jakimś cudem nasze mieszkanie na parter domku koło Rusałki. To przyszedłem pani powiedzieć.

Dziękuję Panu.

*

Teraz nadszedł ten moment, kiedy muszę się wytłumaczyć, dlaczego, mimo że nie jestem Tomaszem Mannem, zabrałam się do pisania tej książki. Odpowiedź jest prosta. Znowu ku pokrzepieniu własnego serca. Chciałam sobie przypomnieć rzeczy dobre, które mnie spotkały. Nie otwieram na oścież zielonych drzwi, tylko je uchylam. Za zielonymi są następne, szkarłatne może? A za szkarłatnymi...

Każde zdarzenie, o którym piszę, miało miejsce. Każda osoba, o której piszę, istniała naprawdę. Każda moja miłość była prawdziwa, choć nie było ich zbyt wiele.

Zapytałam Marka, czy mogę użyć jego prawdziwego imienia — dostałam *carte blanche*. Marek, mój prezent imieninowy, powiedział dzisiaj:

— I tak ci nikt nie uwierzy.

A jednak to jest moje życie.

Nie całe. Bez tych rzeczy, którymi być może podzielę się później, jeśli będę miała ochotę, i bez tych, których nie zdradzę nigdy.

Chciałam tylko uprzytomnić sobie, że są rzeczy trwałe i niezmienne w moim życiu — przyjaźnie, rodzina, a również moje miłości.

M. ożenił się i mam nadzieję, że jest szczęśliwy, ale zawsze będzie miał miejsce w moim sercu.

Nie pisałam o innych przyjaźniach i wielu, wielu innych zdarzeniach, bo musiałabym napisać dwadzieścia ksiąg takich jak ta. Na początek. Moje życie nie toczy się w próżni. Dzielę się tylko tym, czym chcę się podzielić.

Nie zapominam o tym, co ważne, nie zapominam ludzi, którym jestem wdzięczna za to, że choć przez chwilę byli w moim życiu, mimo że z niektórymi z nich nie utrzymuję już kontaktu.

Czasem popadam w choroby — zawsze się dzieje tak, kiedy nie wiem, co się dzieje, kiedy nie chcę spojrzeć w twarz rzeczywistości. Czasem ulegam wpływom — świat przestaje mi się jawić jako miejsce przyjazne i dobre, szczególnie jeśli spotykam osobę podejrzliwą, która w imię chronienia mnie przed bezwzględnością i wykorzystaniem — zaraża mnie swą podejrzliwością.

Bywam oszukiwana i wyzyskiwana, bywa, że ktoś się ze mną zadaje wyłącznie dlatego, że jestem już znaną pisarką. Bywa tak, ale mój organizm rozpoznaje to wcześniej niż ja, muszę mu bardziej zawierzyć, jest o wiele mądrzejszy. Ja próbuję ciągle szukać wyłącznie dobrych stron, a strony są zawsze dwie. Ale nie chcę traktować takich zdarzeń jako czegoś, co mi się będzie ciągle przytrafiało. Będę bardziej czujna, ale i tak wolę się trzy razy sparzyć, niż przepuścić coś ważnego i wartościowego.

Spotykam nowych ludzi, jedni przemijają, inni zostają ważnymi osobami w moim życiu. Tych drugich jest zdecydowanie więcej, ale od każdego człowieka uczę się czegoś niezwykle istotnego. Dostaję do odrobienia kolejne lekcje, a jeśli ich nie odrabiam, powtarzają się do znudzenia.

Nie chcę już być pytana, ile jest we mnie Judyty. Opowieści o Judycie to cztery tomy, a napisałam dwanaście książek. Judycie z *Nigdy w życiu!* pożyczyłam moje życie. Tę jego radosną stronę.

To ja widziałam, jadąc kolejką, jak weszła zgrabna dziewczyna z maleńkim zgrabnym malcem, pałętającym się w okolicach jej kolan. Malec nie chciał usiąść, tylko wodząc nosem po szybie, zadawał pytania. A dlaczego trawa? A dlaczego jedzie? A gdzie i po co? W świat? A co to jest świat?

Podróże kształcą, więc odłożyłam książkę, z której nie miałabym szans dowiedzieć się tak ważnych rzeczy.

A chłopiec kontynuował: A dlaczego prąd? A co to jest?

Nadstawiłam uszu, ponieważ do dzisiaj nie wierzę w prąd. Ale zanim jego matka, ta zgrabna dziewczyna, zdążyła mi wyjaśnić istotę prądu oraz powstania wszechświata, malec nagle poprosił:

— Daj loda.

Dziewczyna schyliła się do torby i wyjęła jogurt.

— Mam jogurt — powiedziała.

— Chcę loda — powtórzył dobitniej chłopiec.

Troszkę jakby się przerzedziło od rozmów w wagonie kolejki WKD. Zawszeć coś ciekawego. Jakaś drobna awantura osłodzi nam podróż.

— Mam dla ciebie pyszny jogurt — oświadczyła matka.

— Loda! — krzyknął chłopiec.

Nadzieja na zmianę podróży nudnej w podróż interesującą rosła z minuty na minutę. Głowy dwóch starszych pań schyliły się ku sobie. Dzieci, które kłóciły się, kto ma siedzieć przy oknie — zamilkły.

— Może serek? — zapytała matka, a ton jej głosu nie podniósł się ani trochę, ku naszemu rozczarowaniu.

Kolejka nadstawiła uszu.

— Lo-da!

— Lody dostaniesz w Warszawie. Zobacz, ten serek ma taką łyżeczkę...

Chłopak siedzący na miejscu dla inwalidy otworzył oczy, ani chybi ciekaw łyżeczki od serka.

— Serek nie! Loda!

Staraliśmy się wszyscy udawać, że nic się nie dzieje. Zapanowała jednak cisza i śledziliśmy wydarzenia w pełnym napięciu. Da w dupę czy nie da? Wszechświat poszedł w niepamięć razem z istotą prądu.

— Ja chcę loda! — wrzasnął malec, a napięcie sięgnęło zenitu.

— Słuchaj — powiedziała Owa Zgrabna — posłuchaj, kochanie. Mam jogurt i serek. Nie mogę ci dać czegoś, czego nie mam. Mogę ci dać tylko to, co mam.

Chłopiec otworzył i zamknął buzię. Patrzyliśmy w milczeniu. A potem zaordynował:

— Na kolanka.

Powiało rozczarowaniem. Potem Wszechświatem. Potem młody człowiek z miejsca dla inwalidy ustąpił miejsca pani, która koło niego stała.

— Pani siądzie — powiedział i poszedł do tyłu.

Dzieci ustaliły, że będą się zamieniać po każdej stacji. Panie przymknęły oczy.

A mnie olśniło! Bo Owa Zgrabna z Kolejki powiedziała w sposób naturalny głęboką prawdę, o której zapomniałam! Z pustego, mianowicie, to i Salomon nie naleje. Czyli — możesz dostać tylko to, co on ma! Jak miał, to ma. Jak ma, to daje.

Dałam tę historię Judycie, żeby nie przepadła, i ilekroć ją sobie przypominam, świat staje się prostszy i lepszy. Bardziej prawdziwy.

*

Ale nie wszystkim się dzieliłam z Judytą.

Ja, Kasia, zaprzyjaźniłam się kiedyś z motorniczym kolejki WKD. Jak był tłok, a on mnie widział na peronie, machał, żebym wchodziła od razu do pierwszego wagonu, otwierał drzwi i siadałam na małym krzesełku w jego kabinie. (Mam nadzieję, że ten pan dzisiaj jest na emeryturze i że mu to nie zaszkodzi i nikt nie zorientuje się, kto to, bo nie wiem, co na to przepisy kolejowe). Z tej perspektywy świat wyglądał zupełnie inaczej. Zresztą tory od zawsze budzą we mnie tęsknotę za podróżą i nieznanym.

Jego królestwo było inne niż wagony pełne ludzi. Opowiadał mi o samobójcach, których i on, i jego koledzy widzą czasem na torach — i nie ma żadnych szans, żeby zatrzymać kilkadziesiąt ton rozpędzonego pociągu. Przed Pruszkowem dał mi spróbować — to niewiarygodne, jak bardzo wolno zatrzymuje się taka kolejka. Powiedział, że najtrudniej potem z tym żyć, mimo że to nie jego wybór, tylko tych ludzi. On sam miał dwóch. Ulubionym miejscem samobójców jest trasa między Warszawą-Ochotą a Warszawą Zachodnią.

— Nic człowiek nie może zrobić, nic, a żyć z tym trzeba.

Opowiedział mi również, jak pociąg, który prowadził, w Podkowie obciął nogę jednej starszej pani. Najbardziej wzruszyło go to, że odnalazła go córka tej pani — na prośbę matki. I poprosiła w jej imieniu o wybaczenie, że była tak nieostrożna, zapewniając, że on nie ponosi żadnej winy za to, że została kaleką.

Ja, Kasia, widziałam z obu perspektyw tę drogę. Judyta mogła napawać się tylko tą pogodną.

Ale *Nigdy w życiu!* miało być z założenia opowieścią o jasnej stronie życia.

*

Moja rzeczywistość bywała przerażająco trudna i bolesna, o tym również nie pisałam. Rak nie był najgorszą rzeczą, która mi się przydarzyła w życiu. Ale jakie to ma znaczenie dla kogokolwiek oprócz mnie?

Ale mnie również przydarzały się rzeczy, które nie przydarzyłyby się Judycie. Nikt by w to nie uwierzył. Jeszcze sześć lat temu w małym domku, który teraz jest rozbudowany, miałam butlę gazową. Butla gazowa jest bardzo pożyteczna, tylko w którymś momencie się kończy, a jak się kończy, to trzeba kupić nową. Mogli oczywiście mi taką butlę przywieźć, ale byłaby droższa niż ta, którą ja sama bym sobie kupiła na stacji benzynowej. Nie miałam już odwagi prosić Zosi, żeby ze mną jechała, a potem nie mogłam prosić sąsiada, żeby przyszedł i mi jak zwykle podłączył (sama nie odważałam się przy niej dłubać) i parę dni byłam bez gazu.

Parę dni bez gorącego jedzenia to długo. Przygotowywałam się do kolejnej prośby, aż nagle ktoś zadzwonił do furtki. Przed moją bramą stała furgonetka wypakowana butlami.

— Zamawiała pani gaz?

Osłabłam z radości.

— Nie, ale jeśli możecie panowie mi sprzedać...

Panowie mogli, zamontowali butlę, wzięli starą, zapłaciłam jak na stacji. Kiedy wychodzili, zapytałam, dlaczego się zatrzymali akurat przy mnie, czy ktoś źle podał adres?

— No nie — powiedział kierowca — ale u pani na płocie wisi czerwona wstążka, a ludzie czasami, by dać znać, gdzie się zatrzymać, wieszają byle co, bo tu u was kłopoty z numerami na tej ulicy, więc pomyśleliśmy, że pani też powiesiła, bo nie ma gazu...

Czerwona wstążka rzeczywiście wisiała na płocie. Nie mam pojęcia od kiedy ani kto i w jakim celu ją tam zostawił. Nie ja. A moja córka mieszkała już wtedy w Warszawie.

*

Naprawdę uważam, że wszystko, co się nam przydarza, ma cel i sens, choć bywa to niezwykle bolesne. Nie wiem, dlaczego tak się dzieje, ale być może kto inny wie. Wierzę w to z całego serca.

Przypominam sobie, jak wybuchła w Warszawie Rotunda — nasza koleżanka pracowała w tym banku. Baliśmy się dzwonić do jej rodziców. Jak można zadzwonić i zapytać: „Przepraszam, czy wasza córka wyleciała również w powietrze?". Po trzech dniach ktoś ją spotkał na ulicy, zabalowała w wieczór poprzedzający tragedię. Miała potężnego kaca, nie poszła do pracy. Wszystkie jej koleżanki zginęły, a ona, dwudziestopięcioletnia dziewczyna z dzieckiem, nie. Uznaliśmy to za przejaw niezwykłej opieki losu. Kiedy przyjechałam z Libii po żółtaczce na krótki urlop, dowiedziałam się, że umarła na raka trzustki, sześć miesięcy później. Leżała na Banacha i wyła całymi tygodniami, póki miała siłę krzyczeć, bo tak bardzo cierpiała. Jej córeczka i tak została sierotą.

*

Kiedyś zapisałam się na warsztaty wybaczania. Prowadzący przytoczył przypowieść z jakiejś książki, której tytułu, niestety, nie pamiętam, ale opowiem tak, jak zapamiętałam. W raju pomiędzy świetlistymi duszami przechadzał się Bóg. Podziwiał i kochał dusze, które świeciły cudownym światłem. Wtem zauważył, że jedna z nich jest nie tak jasna jak inne. Podszedł do niej i zapytał: — Dlaczego nie świecisz pełnym światłem? — Bo nie mam w sobie światła wybaczania — powiedziała dusza. — Nie mogę zrobić dla ciebie nic strasznego ani smutnego, nie mogę cię zranić i stać się zły — zasmucił się Bóg — nie będziesz mogła mi wybaczyć. — Dusza posmutniała jeszcze bardziej, wtedy jedna z jej towarzyszek odwróciła się i powiedziała:

— Kocham ciebie tak bardzo, że mogę dla ciebie stać się zła, mogę cię skrzywdzić, żebyś mi mogła wybaczyć i świecić pełnym blaskiem. Tylko wtedy ja utracę swoje światło. Pamiętaj, robię to z miłości do ciebie, jeśli o tym zapomnisz, obie będziemy stracone.

*

Wczoraj zadzwoniła Zośka.
— Skończyłam książkę — słyszę.

390

— A co przeczytałaś?

— Nie przeczytałam, ale napisałam — mówi ona.

Teraz ja, tak jak niegdyś ona, będę jej pierwszym czytelnikiem. Zofia Rychter — *Zakochanka*. Fajny tytuł.

*

Przed chwilą zadzwoniłam do Jacka. Pierwszy raz od ponad trzech lat.

— Co słychać? Czy kochasz swoją żonę? — pytam, bo tylko takie pytania są ważne.

— No tak — mówi Jacek i waha się przez chwilę — to ty nic nie wiesz...

O Boże, zaraz usłyszę o kolejnym rozwodzie, rozstaniu, nieporozumieniu, chorobie...

— Kochamy się... nawet, jak by ci tu powiedzieć...

— Najlepiej wprost — biorę głęboki oddech.

— Mamy trzecie, czteromiesięczne dziecko — śmieje się do telefonu.

Więc teraz już pytam, czy mam go ukryć pod pseudonimem, przecież jest poważnym lekarzem, czy wygłupy szkolne mogą mu zaszkodzić? Ale z drugiej strony — tylko dzięki jego czujności i podjęciu przez niego ryzyka niecelowej, według innych lekarzy, operacji żyję.

Przypomniałam mu lekcje matematyki i francuskiego. Roześmiał się, a śmiech ma tak samo zaraźliwy jak wtedy.

— Każdy z nas się przecież wygłupiał kiedyś w szkole. Pisz, jak chcesz — powiedział, więc teraz jeszcze przelatuję przez tekst i sprawdzam: wszędzie jest tylko Jacek, choć powinno być — Jacek Lisawa!

Dziękuję Ci, Jacku.

*

Czasem mam wrażenie, że w życiu dzieje się tak jak w poczekalni.

— Halo? Nie mam pojęcia. Usmaż trochę cebulki... Nie! A ile tego masz? To ze trzy, drobniutko pokrój, w kostkę, rzuć na gorącą patelnię...

— Nie we wtorek, tylko w środę!

— No to zrób w panierce. Tylko musisz mieć same kapelusze.

— Mylisz się. Nie, nie mam zawsze racji, ale w tej sprawie mam.

— Chwilę smażysz... No ja wiem? Ja to na oko robię...

— Halo, bo mi zanikasz! Przecież ci mówię, że w środę!

— A to boczniaki?

— W środę jest czternasty!

— Boczniaki... nie znam tych grzybów... Nie wiem, czy są twarde, czy miękkie. Sprawdź w Internecie.

— Wczoraj byłam i wyobraź sobie, że nic się nie poznał. A mnie takie skurcze łapią, że aż w nocy się budzę.

— Nie mogę dłużej rozmawiać, bo tu ludzie siedzą.

— Jeśli czternasty jest w środę, to chyba logiczne, że to jest środa! Czternasty to jest środa! Mamy czas do czternastego, czyli do środy.

— Ale to znaczy, że tobie brak magnezu! Magnezu i potasu. Wtedy skurcze łapią.

— Cześć, co robisz?

— Toby lekarz nie powiedział?

— A ja tu siedzę i czekam.

— No, lekarz wie, ale czasem nie kojarzy. Ja to miałam, kupiłam sobie magnez i już nie mam. O proszę, a tak mnie łapało, zresztą pamiętasz. Nie pamiętasz?

— Nie, no ja nie mogę, co ty, kurna, głuchy jesteś? Śro-da!

— Nie masz Internetu? No to co ja ci poradzę? To widelcem sprawdź!

— A co mam robić? Siedzę i czekam. Nie wiem, ile jeszcze będę czekała.

— Słuchaj, do cholery jasnej! Środa to *deadline*! Doszło?

— To powiedz jej, że przecież wyjechałam!

— Ja nie mogę, bo za dwadzieścia minut mam samolot, i jak ty tego nie załatwisz, to nikt tego nie załatwi i jesteśmy ugotowani!

— Co ty powiesz? Niemożliwe!

— Nie, kończę, z tobą zupełnie nie ma kontaktu. Dzwoń do Kamy w razie czego. Ja wymiękam. *Sorry.*

— No to przeproś, w czym problem?

— A mnie przestało, od razu jak zaczęłam brać. Na trzeci, czwarty dzień. Ani śladu po bólu. Spróbuj po prostu.

— No to jak usmażysz, to oddzwoń. Nie, nie mają prawa puszczać wody! Usmażyć, a nie gotować!

— Rozładowuje mi się, a nie mam jak naładować!

— No, albo, jak mówię, od razu jej daj. Na twoim miejscu w ogóle bym z nią nie rozmawiała, jak jest taka.

— Na ślub? W tym wieku? Żartujesz!

— Nie żartuję, jestem śmiertelnie poważny. Środa albo kasuj mój numer.

— Ale numer! Po dwunastu latach? Idziesz?

Pasażerów oczekujących na lot numer pięć dwa cztery siedem be do Krakowa uprzejmie informujemy, że z powodu gęstej mgły…

— Poczekaj, bo cię źle słyszałam! To co ona mu powiedziała?

— Coś ty!

— No to wiesz co? Niech się bujają!

— Trudno w to uwierzyć.

— Robi mi się jedna kreseczka. Za chwilę mi się rozładuje.

— Dlaczego do mnie dzwonisz? To zadzwoń do ojca!

— Słuchaj, ja bym na twoim miejscu wyrzuciła te grzyby. Ja nie wiem, jak wygląda boczniak. Wiem, jak wygląda podgrzybek!

Dla pasażerów zostanie podstawiony autokar przed terminalem numer 3. Za utrudnienia w podróży przepraszamy.

— To daj mi ojca do telefonu! A gdzie poszedł?

— Kamila, ty nie uwierzysz, zadzwoniła do mnie przed chwilą Hanka i wiesz...

— Jakie znowu kotlety?

— Miałaś nie wychodzić. To ojca zapytaj, jak wróci. Ja jestem przeciw, ale ja jestem na lotnisku!

— Ona już chyba z tobą słowa nie zamieni...

— Słuchaj, za chwilę mam samolot, weź otwórz książkę kucharską.

— Powiedziałam, nie dzwoń do mnie, zresztą ja za chwilę wsiadam do samolotu. Nie mamy z sobą o czym rozmawiać.

— Stasiu, ja jej powiedziałam, że to magnez jest... Znaczy jego brak.

— Poczekaj chwilę, to ci znajdę. Albo jutro mailem prześlę.

— Dobra, dobra, każdy tak mówi.

— No to co? Mówiłam ci, że czekam na samolot.

— Jak to, kiedy jadę? Już jadę!

— Przepraszam pana bardzo, nie wie pan, gdzie ten autokar podstawili?

— Autokar? Nie wiem, proszę pana, nie, tu ktoś pyta o autokar zamiast o samolot, może nie zauważył, że to lotnisko, taki dżołk, mniejsza z tym, no i mów, co ona na to?

— Nie wiem, kochanie, ojciec za chwilę wróci, to go sama zapytasz.

— Ja ci na to nie odpowiem.

— No a kto?

— Notuj, Janusz Kuncew.

— I co mu powiem?

— Przepraszam, przepraszam, *sorry*. Po prostu nie widzę twojej patelni.

— Nic nie widzę, bo mgła jest. Ale chyba polecimy.

— No widzisz. Od razu mówiłam.

— Nic mi nie mówiła! Nie rozmawiałam z nią od tygodni.

— Nie tydzień, tylko dwa dni, środa, środa!!!

— Sądzę, że poniedziałek. Ale zadzwonię jeszcze i ci powiem.

— Nic ci już nie powiem!

— Dobra, nie jestem obrażony. Ale czwartek to naprawdę ostateczny termin, dobra?

— Stasiu, to pa, zadzwonię, jak przylecę.

— Córciu, tatuś ci na pewno pomoże, muszę kończyć.

— Hanka, zadzwoń od razu rano, dobra? To pogadamy.

— To dorzuć te boczniaki do mięsa. Będziesz miała w grzybowym sosie. No, muszę lecieć, pa.

— No, chyba jest opóźniony, dobra, jutro się odezwę, cześć.

— Całuję, kochanie, ale tu się coś dzieje, zadzwonię później.

— No jasne, że zapytam, co ja, głąb jestem? Ale właśnie o to chodzi, że tu nawet nie ma z kim słowa zamienić!

Ale nie chcę być jak ci ludzie, którzy coś przegapią, czegoś nie dopilnują, zajęci pozorowaniem prawdziwego kontaktu.

*

Dzisiaj jestem szczęśliwa. Świeci słońce, pies leży przy moich nogach, pięknie śpiewa Sting, wieczorem idę do kina.

Być szczęśliwym nie jest łatwo. Poza tym — wszystko tak szybko się zmienia. Pies przy moich nogach nie jest Supłem, który nam towarzyszył przez siedemnaście lat.

*

Kiedyś wieczorem Supeł nie wyszedł na nocne siusianie. Otworzyłam szeroko drzwi, noc wlewała się do przedpokoju, a Supeł, tak zwykle czujny i lubiący nocne sikanko, nie stanął w nich. Leżał przy kanapie w dużym pokoju i patrzył na mnie rozdzierająco. Było wpół do dwunastej. Klepnęłam się po udzie i zawołałam:

— Supełek!

Ale Supełek tylko zastrzygł uszami, przednie łapy ruszyły się nieznacznie, jakby chciał grzebnąć w podłodze, tylne leżały nieruchomo.

— Supeł — serce mi skamieniało. Nachyliłam się nad nim i próbowałam go dźwignąć. Zapiszczał. Zadzwoniłam do Anki.

Przyjechała.

Nic się nie dzieje, nic się nie dzieje złego, dostanie parę zastrzyków, nic się nie dzieje, nic się nie dzieje, wszystko będzie dobrze — powtarzałam sobie przez cały czas.

Ale nie było dobrze.

Anka dotykała Supła delikatnie. A Supeł podniósł łeb i polizał ją po ręce. A potem zapiszczał i to piszczenie będzie mi już zawsze brzmiało w uszach. Były w nim prośba i ból, i pożegnanie, i wszystko, czego nie chciałam słyszeć.

— On się już męczy — powiedziała Anka. — Nie mogę mu pomóc.

— To co ja mam zrobić? Gdzie mamy jechać? — Z góry nie przyjmowałam do wiadomości tego, co chciała powiedzieć.

Supłowi głowa opadła na dywan. Zaczęłam go głaskać, przymrużył oczy, ale nie przestał się skarżyć. Cichusieńki jęk odbijał się od naszych mebli, okien, fotela, na którym leżały koty.

— Decyzja należy do ciebie.

Jaka decyzja? O czym ona mówi? Ja mam decydować, czy uśmiercić psa, którego kocham? Czy ona zwariowała? Nie chcę, żeby Supeł był chory, nie chcę, chcę, żeby się podniósł i pobiegł ze mną! Zawsze przecież można coś zrobić!

— Zawsze można coś zrobić — powiedziałam do odwróconych pleców Anki.

— Tak. Ale nie do mnie należy decyzja. Nie znoszę tego robić. Nie chcę, żeby się męczył. I tak ma darowany rok, dziwię się, że tak długo wytrzymał. Nie ma cudów.

A ja chciałam, żeby mój pies znowu był zdrowy i rozbrykany. Pochyliłam się nad Supłem. Miał ciepły łeb, ale nie otworzył oczu.

Mam decydować o czyimś życiu i śmierci? Jak można podejmować taką decyzję?

— Supełku, proszę cię — szeptałam cicho — proszę cię, już nigdy nie będę zła, że budzisz nas nad ranem, możesz sobie kopać w marcinkach, ile chcesz, proszę, zamachaj ogonem na znak, że tylko udawałeś, że to nieprawda, proszę cię.

Ale Supeł ani drgnął. Tylko to piszczenie.

Nie mogę tego zrobić, panie Boże, proszę Cię, niech stanie się cud, modliłam się, ale cudu nie było.

— Nikt mu nie jest w stanie pomóc. Już nikt i nic.

Nie odpowiadałam. Patrzyłam na mojego psa, który żegnał się ze mną na wełnianym dywanie.

Supeł próbował spojrzeć na mnie, a ja rozpadałam się na tysiąc części.

Klęknęłam obok i położyłam jego łeb na swoich kolanach.

Więc tak to wygląda? Kilkanaście lat i po wszystkim? I ja wyrażam zgodę na zabicie stworzenia boskiego, które kocha mnie najbardziej na świecie? Które nigdy nie zrobiło mi przykrości, nigdy nie odpowiedziało złym słowem, które przebaczało mi każdą awanturę, które witało mnie zawsze radośnie, niezależnie od tego, w jakim przychodziłam humorze, które spało z malutką Dorotką, które miało być z nami na zawsze,

które pierwsze ostrzegało przed niebezpieczeń-
stwem, które nigdy nie skrzywdziło nawet kota?
Ja mam teraz pozwolić mu odejść?

Supeł próbował ruszyć ciężką głową. Położyłam mu na niej rękę. Może to na tym polega, że
jestem wybrana, wybrana po to, żeby mu towarzyszyć do końca? Skoro dał się kiedyś udomo-
wić, trzeba mu pomóc, nie jest dziki, nie może od-
dalić się do matecznika, liczy na mnie. Nie mogę
go zostawić.

— Muszę znaleźć żyłę — powiedziała Anka.

Zamknęłam oczy. Głaskałam czarne kudły i powtarzałam — do siebie albo do niego, już sama nie
wiem — nie bój się, nie bój się, nie bój się…

Nie wiem, jak długo to trwało. Usłyszałam głos
Anki, która powiedziała:

— Już po wszystkim. Już się nie męczy. Nienawidzę tego robić.

Stałam obok ciała swojego psa. Moja głaszczą-
ca dłoń nie poczuła, kiedy odszedł.

Nic się nie zmieniło. Wszystko było takie jak
przedtem.

Bezwładne ciało psa przelewało mi się przez
ręce. Trzymałam głowę, żeby nie kolebała się tak
dziwnie.

Wyniosłam Supła z domu, położyłyśmy go
w kącie ogrodu, pod rachityczną jabłonką, która
kwitnie, ale nie daje owoców, i kłębowiskiem dzi-

kiego wina. Zaraz i Potem podbiegły, obwąchały go i odeszły. Zaraz podszedł do Dorotki, Potem usiadł nieopodal, przyglądając się nam. Sraluch przypałętał się trochę później. Podszedł blisko i próbował się ułożyć w przednich nogach psa, jakby nie rozumiał, że Supeł nie żyje. Bo tamte wiedziały.

*

Dorotka płakała tak bardzo, że nie wiedziałam, jak ją uspokoić. Leżała na łóżku z głową schowaną w poduszce i łkała rozdzierająco.

— Mój piesek, mój piesek kochany… — zanosiła się płaczem, jakby miała cztery lata, a nie dwadzieścia.

Przyszłam ją pocieszyć, ale jej płacz był tak żałosny, że żadne ze słów, których miałam w głowie całe mnóstwo, nie przecisnęło mi się przez gardło. Chciałam jej powiedzieć, że Supeł żył bardzo długo, prawie całe jej życie, że i tak miał dobrze, i że to długo jak na psa, ale im bardziej chciałam mówić, tym bardziej nie mogłam. I w końcu zaczęłam płakać razem z nią.

*

Kiedy zobaczyłam puste miejsce po psich miskach, oparłam się o blat i znowu rozpłakałam.

— Kochanie, nie płacz, taka jest kolej losu — Moja Matka pogłaskała mnie po plecach. — Umyłam je i włożyłam pod zlew. Nie powinny teraz tu stać, dopóki nie macie następnego psa.

— Już nigdy nie będę miała psa! — powiedziałam z przekonaniem.

*

Ale minęły dwa lata i pojawił się w moim domu następny pies. Kot Zaraz go sobie podchował, nauczył dużego golden retrievera chodzić po stole w ogrodzie oraz wskakiwać na parapet. Wtedy pies przyniósł z ulicy małego szarego kotka, Przytula, dla którego stał się matką i ojcem. Zaraz został zdradzony i do dzisiaj boleśnie odczuwa tę zdradę. A Przytul uważa, że pies mu kupuje żarcie i otwiera puszki. Mnie nie zauważa.

*

Piszę o psie, którego kochałam, bo tak jest łatwiej. Nie piszę o chorobach i śmierciach moich bliskich, a przecież moje życie również składa się z takich dramatów. Ale to życie, a nie książka. I niech tak zostanie.

Dzisiaj jest piękne.

Mądrzy ludzie mówią, że przeszłością nie można się zajmować, bo jej już nie ma, przyszłością nie warto, bo jej jeszcze nie ma. Ważna jest tylko teraźniejszość. Tego próbuję się trzymać. Dopóki żyjemy, na nic nie jest za późno. Nie jest za późno na radość, nadzieję, miłość, bez względu na to, ile ma się lat, i bez względu na to, co się zdarzyło niegdyś.

*

Już jako dojrzała kobieta spotkałam wspaniałych ludzi. Zaprzyjaźniać się mogę w każdym wieku — nie ma limitu. Andrzej i Ola czasem biorą mnie na Mazury i uczę się od nich na powrót zachwytu nad światem.

Andrzej ma mamę staruszkę, ponadosiemdziesięcioletnią, wypływa z nią czasem na jeziora. Pamiętam, jak pewnego dnia umówiliśmy się na pływanie i grzyby, ten wrześniowy weekend miał być piękny i słoneczny, ale coś się zepsuło, może pogoda nie oglądała telewizji i postanowiła być taka, jak chce? Mżyło, mgły otuliły świat, wiatr ucichł, staliśmy w małej zatoczce na Zamordejach. Andrzej skoro świt poszedł w las sprawdzić, czy są grzyby, znalazł trochę, pieczołowicie je wykopał i posadził wszystkie blisko ścieżki, którą miała iść jego mama.

Była tak ucieszona, że znalazła piękne kozaki, i śmiała się, że Andrzej ich nie widział, a przecież rosły tuż przy drodze!

Serce mi rośnie, kiedy przypominam sobie tę cudną starszą panią, uśmiechniętą, zmoczoną i szczęśliwą, z małym wiaderkiem pełnym dorodnych kozaków, podgrzybków i prawdziwków, które Andrzej od rana wygrzebywał z poszycia gdzieś w lesie tylko po to, żeby sprawić swojej mamie radość.

Kiedy patrzę na Olę i Andrzeja, budzi się we mnie wiara, że można pięknie żyć i pięknie kochać.

Tak bardzo Wam dziękuję, że jesteście.

*

W najtrudniejszych momentach spotykam niezwykłych ludzi. Dobrych, życzliwych, mądrych. Mam nawet pewne podejrzenia, że to nie ludzie, ale anioły, sprytnie ukrywające się w ludzkich postaciach.

Dzięki Ci, Czarku, za wszystko. Dziękuję Ci za cenne miesiące, które dałeś Moim Bliskim. Całuję Cię, Justyno.

*

Mój brat jest artystą grafikiem i poetą. Pozwolił mi zacytować swój wiersz, z tomiku *Skóra*, który sam wydał.

Szanowna Pani!
Zaprawdę nie wierzę, żeby mowa moja
o ucieczce zmarłego Vincenta
przed szaleństwem świata i własnym w malarstwo

odcisnęła piętno w umyśle i sercu dziecka Pani.
Nie sądzę też, żeby nie miało dziecko Pani
przeżyć bez tej krótkotrwałej wiedzy
o różnicach między sklepieniem
krzyżowym a żebrowym;
moje mizerne zasługi
w odkrywaniu tajemnic kubizmu,
których sam dopiero
w wieku dojrzałym zaznałem,
są — zgoda — całkowicie względne.

Gdy jednak słyszę Pani Szanownej
pełne przekąsu fuknięcie
na mą skromną nadzieję, że kiedyś może
któremuś coś skojarzy się mgliście
z tym tam mną i moim gadaniem,
to widzę absolutną konieczność
nieustającego przymuszania Pani dziecka
do poszukiwania fioletu i oranżu
w tej parze brązowych butów,
które stawiam przed jego oczyma

ku czci
bytów
wszelkich.

Bardzo lubię ten wiersz. Przypomina mi, że przecież to ja chcę szukać fioletu i oranżu w każdej parze znoszonych butów. Ku czci...

*

Zadzwoniłam dzisiaj do mojej kuzynki Marylki.

— Napisałaś już coś?

— Jak ci się podoba tytuł *Zielone drzwi*?

— Ja nawet wiem dlaczego! — powiedziała Marylka dość pewnie.

— Na pewno nie wiesz — odpowiedziałam, bo O'Henry'ego nie ma już dawno w księgarniach i na pewno go nie czytała, chociaż czyta dużo.

— Ale mi zagadka! — roześmiała się Marylka — Przecież ty masz zielone drzwi do domu!

Opieka redakcyjna serii
Anita Kasperek

Redakcja
Wiesława Grochola

Adiustacja i korekta
Henryka Salawa, Urszula Srokosz-Martiuk,
Ewa Kochanowicz, Alina Doboszewska, Paulina Orłowska

Projekt graficzny serii
Marek Wajda

Ilustracja na okładce
na podstawie fotografii ze strony www.sxc.hu
Monika Klimowska

Redaktor techniczny
Bożena Korbut

Printed in Poland
Wydawnictwo Literackie Sp. z o.o., 2010
ul. Długa 1, 31-147 Kraków
bezpłatna linia telefoniczna: 0 800 42 10 40
księgarnia internetowa: www.wydawnictwoliterackie.pl
e-mail: ksiegarnia@wydawnictwoliterackie.pl
fax: (+48-12) 430 00 96
tel.: (+48-12) 619 27 70
Skład i łamanie: Scriptorium „TEXTURA"
Druk i oprawa: Zakład Poligraficzno-Wydawniczy POZKAL

ISBN 978-83-08-04458-2 — oprawa broszurowa
ISBN 978-83-08-04459-9 — oprawa twarda